HOTEL AAN ZEE

Van Maeve Binchy verschenen eerder:

Maeve Binchy

Hotel aan zee

VAN HOLKEMA & WARENDORF
Uitgeverij Unieboek | Het Spectrum bv, Houten – Antwerpen

Oorspronkelijke titel: *A Week in Winter*
Vertaling: Annemie de Vries
Omslagontwerp: Andrea Barth | Guter Punkt
Omslagfoto: Plainpicture | Narratives
Opmaak: ZetSpiegel, Best

ISBN 978 90 00 31609 0 | NUR 302

© 2012 Maeve Binchy
© 2013 Nederlandstalige uitgave: Uitgeverij Unieboek | Het Spectrum bv,
Houten – Antwerpen
Eerste druk 2013
Oorspronkelijke uitgave: Orion Books, an imprint of the Orion Publishing
Group Ltd.

www.maevebinchy.com
www.unieboekspectrum.nl

Van Holkema & Warendorf maakt deel uit van
Uitgeverij Unieboek | Het Spectrum bv
Postbus 97, 3990 DB Houten

Voor mijn lieve, milde Gordon,
die het leven elke dag geweldig maakt

Chicky

Iedereen had zijn eigen taak op de boerderij van de familie Ryan in Stoneybridge. De jongens hielpen hun vader op het land, repareerden hekken, dreven de koeien naar de stal zodat die daar gemolken konden worden, pootten aardappelen; Mary voerde de kalveren, Kathleen bakte brood en Geraldine zorgde voor de kippen.

Niet dat iemand haar ooit Geraldine noemde; ze heette Chicky, al zolang iedereen zich kon herinneren. Een ernstig, klein meisje, dat voer voor de kuikens strooide en elke dag de verse eieren raapte, waarbij ze voortdurend sussend 'tok tok tok' in de veren van de kippen fluisterde. Chicky had elke kip een naam gegeven en niemand kon het over zijn hart verkrijgen om het haar te vertellen als er een was weggehaald om te dienen als zondagse lunch. Ze deden altijd alsof het een supermarktkip was, maar Chicky wist wel beter.

's Zomers was Stoneybridge voor kinderen een West-Iers paradijs, maar de zomer was kort en het grootste deel van het jaar was het hier aan de Atlantische kust nat en woest en verlaten. Maar je kon er wel grotten verkennen, rotsen beklimmen, vogelnesten ontdekken en de sporen volgen van wilde schapen met lange gekrulde horens. En dan was er nog Stone House. Chicky speelde daar graag in de enorme, verwilderde tuin. Soms mocht ze zich verkleden in de oude kleren van de dames Sheedy, de drie zussen die het huis bezaten en stokoud waren.

Chicky zag hoe Kathleen het huis uit ging om een verpleegstersopleiding te gaan volgen in een groot ziekenhuis in Wales, en daarna hoe Mary een baantje vond bij een verzekerings-maatschappij. Geen van deze banen trok Chicky aan, maar ze zou toch iets moeten doen. Het land bracht niet genoeg op om de hele familie Ryan te onderhouden. Twee van de jongens hadden werk gevonden bij een bedrijf in het westen. Alleen Brian zou bij zijn vader blijven werken.

Chicky's moeder was altijd moe en haar vader maakte zich altijd zorgen. Ze waren opgelucht toen Chicky een baan vond bij de breifabriek. Niet aan de machines of als thuisbreister, maar op kantoor. Ze moest de kledingstukken die klaar waren naar klanten verzenden en de boekhouding bijhouden. Het was geen geweldige baan, maar zo kon ze tenminste thuis blijven wonen, dat wilde ze. Ze had vrienden genoeg om zich heen en elke zomer werd ze verliefd op een andere jongen uit het gezin O'Hara, maar daar kwam nooit iets van.

Toen liep op een dag Walter Starr, een jonge Amerikaan, de breifabriek binnen, op zoek naar een Aran-trui. Chicky kreeg opdracht hem uit te leggen dat ze hier niet rechtstreeks aan particulieren verkochten en dat ze alleen truien maakten voor winkels of op bestelling.

'Nou, dat is dan een gemiste kans,' zei Walter Starr. 'Mensen die naar dit woeste oord komen, hebben een Aran-trui nodig, en wel nu, niet over een paar weken.'

Hij was erg knap. Hij deed haar denken aan Jack en Bobby Kennedy als jongens, met dezelfde flitsende glimlach en mooie tanden. Hij was zongebruind en heel anders dan de jongens uit de buurt van Stoneybridge. Ze wilde niet dat hij wegging uit de breifabriek en het leek erop dat hij ook niet wilde weggaan.

Chicky bedacht dat ze nog wel een trui in voorraad hadden die gebruikt was voor een foto. Misschien wilde Walter Starr die wel kopen – hij was niet echt nieuw, maar wel zo goed als.

Hij zei dat die trui prima zou zijn.

Hij vroeg of ze met hem een strandwandeling wilde maken en zei tegen haar dat dit een van de mooiste plekken op aarde was.

Stel je voor! Hij was in Californië geweest én in Italië en toch vond hij Stoneybridge mooi.

En hij vond Chicky ook mooi. Hij zei dat ze erg leuk was, met haar donkere krullen en haar grote blauwe ogen. Ze brachten elke vrije minuut samen door. Hij had niet langer dan een paar dagen willen blijven, maar nu zag hij er tegen op ergens anders heen te gaan. Tenzij ze met hem meeging, natuurlijk.

Chicky moest hardop lachen bij het idee haar baan bij de breifabriek vaarwel te zeggen en haar vader en moeder te vertellen dat ze door Ierland ging liften met een Amerikaan die ze amper kende! Ze kon nog beter aankondigen dat ze naar de maan ging.

Walter vond het aandoenlijk en vertederend dat ze dat zo'n schokkend idee vond.

'We hebben maar één leven, Chicky. Zij kunnen dat niet voor ons leiden. Dat moeten we zelf doen. Denk je dat mijn ouders willen dat ik hier een beetje plezier zit te maken in de wildernis? Nee, ze willen dat ik op de Countryclub tennis met meisjes uit keurige families, maar hé, ik wil hier zijn. Zo eenvoudig is het.'

In de wereld van Walter Starr was alles eenvoudig. Ze hielden van elkaar, dus wat was natuurlijker dan met elkaar vrijen? Ze wisten allebei dat het goed zat met de ander, dus waarom zou je je druk maken over wat andere mensen dachten of deden? Een welwillende God wist wat liefde was. Vader Johnson, die zelf plechtig beloofd had nooit verliefd te worden, wist dat niet. Zij hadden toch niet een of ander stom papiertje of getuigschrift nodig?

En na zes heerlijke weken, toen het voor Walter tijd werd om terug te gaan naar de VS, was Chicky bereid om met hem mee te gaan. Het bracht een golf van ruzie en drama en een enorme ontsteltenis teweeg in huize Ryan. Maar daar had Walter geen weet van.

Chicky's vader maakte zich meer zorgen dan ooit, omdat iedereen nu zou zeggen dat hij een sloerie had grootgebracht die het nogal hoog in haar bol had.

Chicky's moeder zag er vermoeider en teleurgestelder uit dan ooit en zei dat alleen God en zijn heilige moeder wisten wat zij had misdaan, dat Chicky zo'n teleurstelling voor hen allemaal was geworden.

Kathleen zei dat het maar goed was dat zij al een verlovingsring om haar vinger had, omdat geen man haar meer zou willen hebben als hij wist uit wat voor familie ze kwam.

Mary, die op het verzekeringskantoor werkte en verkering had met een van de O'Hara's, zei dat voor haar de dagen van romantiek nu wel geteld waren, allemaal door Chicky. De O'Hara's waren een gerespecteerde familie hier in Stoneybridge en zij zouden dit soort gedrag bepaald niet appreciëren.

Haar broer Brian hield zich overal buiten en zei niets. Toen Chicky hem vroeg hoe hij erover dacht, zei Brian dat hij niet dacht. Daar had hij geen tijd voor.

Chicky's vriendinnen, Peggy, die ook in de breifabriek werkte, en Nuala, die dienstmeisje was bij de drie dames Sheedy, zeiden dat ze nog nooit zoiets spannends en avontuurlijks hadden gehoord en was het niet geweldig dat ze al een paspoort had, vanwege dat schoolreisje naar Lourdes?

Walter Starr zei dat ze in New York bij vrienden van hem gingen logeren. Hij zou stoppen met zijn rechtenstudie, want dat was toch niet echt iets voor hem. Als je nou meer dan één leven had, ja dan misschien wel; je had er maar één en het was zonde om dat te vergooien aan een rechtenstudie.

De avond voor haar vertrek probeerde Chicky haar ouders dit duidelijk te maken. Ze was twintig, ze had haar hele leven voor zich, ze hield van haar familie en ze wilde dat zij van haar hielden, ondanks hun teleurstelling.

Haar vaders gezicht stond strak en hard. Ze zou nooit meer welkom zijn in dit huis, want ze had schande gebracht over hen allemaal.

Haar moeder was verbitterd. Ze zei dat Chicky heel, heel dom deed. Het zou niet standhouden; het kon niet standhouden. Dit was geen liefde, dit was een bevlieging. Als deze Walter echt van haar hield, dan zou hij op haar willen wachten en haar een huis bieden en zijn naam en een toekomst, in plaats van deze onzin.

De sfeer in huize Ryan was te snijden.

Van haar zussen kreeg ze ook geen steun. Maar Chicky was vastbesloten. Zíj hadden nooit echte liefde gekend. Ze zou haar plannen niet opgeven. Ze had haar paspoort. Ze ging naar Amerika.

'Wens me het beste toe,' had ze gesmeekt, de avond voor ze vertrok, maar ze hadden hun gezicht afgewend.

'Laat me niet weggaan met zo'n ijskoude herinnering aan jullie.' De tranen stroomden over Chicky's wangen.

Haar moeder slaakte een diepe zucht. 'Het zou koud zijn als wij alleen maar zeiden: "Ga maar, veel plezier." We proberen ons best voor je te doen. Je te helpen het beste van je leven te maken. Dit is geen liefde, het is alleen een bevlieging. Je kunt onze zegen niet krijgen. Dat zit er gewoon niet in. Het heeft geen zin om te doen alsof.'

Dus Chicky vertrok zonder hun zegen.

Op Shannon Airport stonden massa's mensen hun kinderen uit te wuiven, die een nieuw leven gingen beginnen in de Verenigde Staten. Er was niemand om Chicky uit te zwaaien, maar dat kon haar en Walter niets schelen. Ze hadden hun hele leven voor zich.

Geen regels, geen dingen doen vanwege de buren en de familie.

Ze zouden vrij zijn – vrij om te werken waar ze wilden en aan wat ze wilden.

Niet proberen te voldoen aan de verwachtingen van anderen – een rijke boer trouwen in het geval van Chicky, of topadvocaat worden zoals Walters ouders van hun zoon verwachtten.

Walters vrienden verwelkomden hen hartelijk in het grote appartement in Brooklyn. Jonge mensen, vriendelijk en makkelijk in de omgang. Sommigen werkten in een boekhandel, anderen in een bar. Weer anderen waren muzikant. Ze kwamen en gingen wanneer het hun uitkwam. Niemand maakte zich druk. Het was zo anders dan thuis. Er waren een stelletje dat net van de kust kwam en een meisje uit Chicago dat gedichten schreef. Er was een Mexicaanse jongen die gitaar speelde in latinobars.

Iedereen was zo ontspannen. Chicky vond het geweldig. Niemand stelde eisen. Vaak maakten ze een grote pan chili con carne voor het avondeten en dan hielp iedereen mee. Er was geen enkele druk.

Ze klaagden allemaal een beetje over hun familie die niets van hun leven begreep, maar niemand ging daar echt onder gebukt.

Al snel merkte Chicky dat Stoneybridge begon te vervagen. Toch schreef ze elke week een brief naar huis. Ze had vanaf het begin besloten dat zij niet degene zou zijn die de kloof in stand hield.

Als één partij zich normaal bleef gedragen, dan zou de andere daar vroeg of laat op moeten reageren en zich ook normaal gaan gedragen.

Met een paar oude vriendinnen had ze wel contact en zo bleef ze op de hoogte. Peggy en Nuala vertelden in hun brieven over het leven thuis, dat nauwelijks veranderd leek te zijn. Dus kon ze schrijven hoe opgetogen ze was over de plannen voor Kathleens bruiloft met Mikey, maar liet ze niet merken dat ze wist dat Mary's romance met Sonny O'Hara voorbij was.

Haar moeder stuurde kaartjes waarin ze vroeg of ze al een datum voor haar bruiloft had geprikt en of er wel Ierse priesters in de parochie waren.

Chicky vertelde niet over het gemeenschappelijke leven in het grote, volle appartement, met al die mensen die kwamen en gingen en al die gitaarmuziek. Haar ouders zouden daar niets van begrijpen.

Wel schreef ze over openingen van tentoonstellingen en premières van toneelstukken waar ze was geweest. Ze las daarover in de kranten en soms gingen ze inderdaad naar een matinee of kregen ze goedkope kaartjes voor een try-out, via vrienden die graag een volle zaal wilden hebben.

Walter had een baantje: hij hielp oude vrienden van zijn ouders met het catalogiseren van hun bibliotheek. Op die manier hoopte zijn familie hem terug te lokken naar een vorm van academisch leven, zei hij, en het was geen slechte baan. Ze lieten hem met rust en zaten hem niet op zijn nek. Meer kun je niet verlangen in het leven.

Chicky kwam erachter dat dit inderdaad het enige was wat Walter wilde in het leven. Dus zeurde ze hem niet aan zijn hoofd wanneer ze zijn ouders zou leren kennen, of wanneer ze een huis voor hen samen zouden zoeken, of wat ze uiteindelijk zouden gaan doen. Ze waren samen in New York. Dat was genoeg, toch?

En in veel opzichten was het dat ook.

Chicky vond een baantje in een restaurant. De werktijden kwamen haar goed uit. Ze kon heel vroeg opstaan en van huis gaan voordat de anderen wakker werden. Ze hielp bij het openen van de zaak, draaide haar dienst als ontbijtserveerster en was weer thuis voordat de anderen zich met moeite hadden klaargemaakt om aan de dag te beginnen. Chicky bracht dan koude melk mee en bagels die waren overgebleven van het ontbijt. Ze raakten eraan gewend dat zij eten voor hen meebracht.

Ze kreeg nog steeds nieuws van thuis, maar dat raakte almaar verder op de achtergrond.

De bruiloft van Kathleen met Mikey en het nieuws dat zij in verwachting was; Mary die wegliep met JP, een boer die ze niet lang geleden nog spottend een zielig oud mannetje hadden genoemd. Nu was het een serieuze romance. Brian die iets kreeg met een van de O'Hara's, wat Chicky's familie geweldig vond, maar waarover de O'Hara's heel wat minder enthousiast waren. Vader Johnson die in een preek had gezegd dat Onze-Lieve-Vrouw elke keer moest huilen als het Ierse echtscheidingsreferendum ter sprake kwam; een paar parochianen hadden geprotesteerd en gezegd dat hij te ver was gegaan.

Al na een paar maanden was Stoneybridge een totaal onwerkelijke wereld geworden.

Net als het leven dat ze leidden in het appartement, waar steeds weer mensen aankwamen en weggingen, verhalen werden verteld over vrienden die in Griekenland of Italië waren gaan wonen, of over vrienden die nachtenlang muziek maakten in kelders in Chicago. Voor Chicky bestond de werkelijkheid uit de fantasiewereld die ze had bedacht, van een druk, bruisend, succesvol leven in Manhattan.

Niemand uit Stoneybridge kwam ooit naar New York – ze hoefde niet bang te zijn dat iemand haar zou komen opzoeken en zo haar leugens en haar treurige mislukking zou ontmaskeren. Ze kon ze gewoon niet de waarheid vertellen: dat Walter was gestopt met het catalogiseren van de bibliotheek. Het was zulk saai werk en het oude stel bleef maar zeggen dat hij eens een weekend naar huis moest gaan om zijn ouders op te zoeken.

Chicky zag niet in wat daar mis mee was, maar het leek grote ergernis te wekken bij Walter. Dus knikte ze meelevend toen hij met het baantje stopte en ging ze extra uren in het restaurant werken om hun aandeel van de kosten van het appartement te kunnen betalen.

Hij was zo rusteloos de laatste tijd; de kleinste dingetjes maakten hem al van streek. Hij wilde dat zij altijd zijn opgewekte, liefhebbende Chicky was. Dus was ze dat. Vanbinnen was ze ook een vermoeide en bezorgde Chicky, maar dat liet ze niet merken.

Week na week schreef ze naar huis en ze ging steeds meer in het sprookje geloven. Ze begon een blocnote te vullen met de details van het leven dat ze geacht werd te leiden. Ze wilde geen vergissingen maken.

Om zichzelf te troosten schreef ze haar ouders over hun huwelijk. Walter en zij waren voor de wet getrouwd en het was een sobere plechtigheid geweest, legde ze uit. Ze waren gezegend door een franciscaner priester. Het was een prachtige gebeurtenis geweest en ze wisten dat beide families verrukt zouden zijn, nu zij zich op deze manier aan elkaar hadden verbonden. Chicky zei dat Walters ouders op dat moment in het buitenland waren en de plechtigheid niet hadden kunnen bijwonen, maar dat iedereen er heel blij mee was.

In veel opzichten slaagde ze erin te geloven dat dit waar was. Dat was gemakkelijker dan geloven dat Walter rusteloos werd en op het punt stond verder te trekken.

Toen het eind kwam voor Walter en Chicky, kwam het snel, en voor ieder ander leek het onvermijdelijk. Walter zei vriendelijk tegen haar dat het geweldig was geweest, maar dat het nu voorbij was.

Er was een nieuwe kans, weer een andere vriend, die een bar had waar Walter zou kunnen werken. Een nieuwe omgeving. Een nieuw begin. Een nieuwe stad. Hij zou aan het eind van de week vertrekken.

Het duurde eeuwen voor het tot haar doordrong.

Eerst dacht ze dat het een grap was. Of een of andere test. Ze had een leeg, onwerkelijk gevoel in haar borst, als een holte die steeds groter werd.

Het kon niet voorbij zijn. Niet wat zij hadden. Ze bad en smeekte; wat ze ook verkeerd deed, ze zou veranderen.

Met eindeloos geduld had hij haar verzekerd dat het haar schuld niet was, het was niemands schuld. Zo ging het nu eenmaal: de liefde bloeide op, en stierf weer weg. Het was natuurlijk verdrietig, dat waren dit soort dingen altijd. Maar ze zouden vrienden blijven en de tijd die ze samen waren geweest koesteren als een dierbare herinnering.

Ze kon niets anders doen dan naar huis gaan. Terug naar Stoneybridge om langs de woeste kusten te lopen waar ze samen hadden gelopen en waar ze verliefd waren geworden.

Maar Chicky zou niet teruggaan.

Dat was het enige wat ze zeker wist, het enige stevige feit in een wereld van drijfzand die alles om haar heen veranderde. Ze kon niet in het appartement blijven, ook al hoopten de anderen dat ze dat wel zou doen. Buiten dit leven had ze erg weinig vrienden gemaakt. Ze was te gesloten; ze had geen verhalen, geen meningen om in een vriendschap in te brengen. Wat zij nodig had was het gezelschap van mensen die geen vragen stelden of conclusies trokken.

Wat Chicky nodig had was een baan.

Ze kon niet in het restaurant blijven werken. Ze zouden haar graag willen houden, maar als Walter eenmaal weg was, wilde ze niet meer in deze buurt zijn.

Het maakte niet uit wat voor werk het was. Dat kon haar weinig schelen. Ze moest gewoon haar brood verdienen, zichzelf onderhouden tot ze haar hoofd op orde had.

Chicky kon niet slapen toen Walter wegging.

Ze probeerde het wel, maar de slaap wilde niet komen. Dus zat ze rechtop in een stoel in de kamer die ze die vijf heerlijke maanden – en die drie rusteloze maanden – met Walter had gedeeld.

Hij zei dat hij nog nooit zo lang ergens was gebleven. Hij zei dat hij haar geen pijn had willen doen. Hij had haar gesmeekt om naar Ierland terug te gaan, waar hij haar had gevonden.

Ze lachte alleen maar naar hem door haar tranen heen.

Het kostte haar vier dagen om een andere plek te vinden waar ze kon wonen en werken. Een bouwvakker die aan het gebouw naast het restaurant werkte, was gevallen en werd het restaurant binnengebracht om bij te komen.

'Het is niet ernstig, ik hoef echt niet naar het ziekenhuis,' smeekte hij. 'Wil je mevrouw Cassidy voor me bellen, zij weet wel wat er moet gebeuren.'

'Wie is mevrouw Cassidy?' had Chicky gevraagd aan de man met het Ierse accent die zo bang was een dag werk mis te lopen.

'Zij is de eigenares van Select Accommodation,' zei hij. 'Ze is een goed mens, ze bemoeit zich met haar eigen zaken, haar moet je hebben.'

Hij had gelijk gehad. Mevrouw Cassidy regelde alles.

Ze was een kleine, energieke vrouw met scherpe ogen en met haar haar in een strenge knot op haar achterhoofd. Ze was het type dat geen tijd verdoet.

Chicky keek vol bewondering naar haar.

Mevrouw Cassidy regelde dat de gewonde man terug werd gereden naar haar pension. Ze vertelde dat haar buurvrouw verpleegster was en dat ze, als zijn toestand verslechterde, zou zorgen dat hij alsnog naar het ziekenhuis ging.

De volgende dag ging Chicky naar Cassidy's Select Accommodation.

Eerst informeerde ze naar de bouwvakker die gewond bij het restaurant was binnengebracht. Toen vroeg ze om een baan.

'Waarom ben je naar mij toe gekomen?' had mevrouw Cassidy gevraagd.

'Ze zeggen dat u zich met uw eigen zaken bemoeit en niet van alles rondvertelt.'

'Geen tijd voor,' had mevrouw Cassidy ingestemd.

'Ik kan schoonmaken. Ik ben sterk en word niet moe.'

'Hoe oud ben je?' had mevrouw Cassidy gevraagd.

'Morgen word ik eenentwintig.'

Jarenlang mensen observeren en weinig praten had mevrouw Cassidy zeer besluitvaardig gemaakt.

'Gefeliciteerd met je verjaardag,' zei ze. 'Ga je spullen halen en trek hier vandaag in.'

Het duurde niet lang om haar bezittingen te verzamelen; ze hoefde maar een kleine tas op te halen uit het grote, rommelige appartement waar ze als het vriendinnetje van Walter Starr had gewoond met een groep rusteloze jonge mensen, in die gelukkige maanden voordat het circus verdertrok zonder haar.

En zo begon Chicky's nieuwe leven. Een kleine kamer, bijna een kloostercel, boven in het pension, 's morgens vroeg opstaan om het koper te poetsen, de stoep te schrobben en het ontbijt klaar te maken.

Mevrouw Cassidy had acht huurders, allemaal Ieren. Niet het soort mensen dat de dag begon met cornflakes en fruit. Mannen die in de bouw werkten of bij de ondergrondse, mannen die een stevig ontbijt van eieren met spek nodig hadden om op te kunnen teren tot het tijd was om tussen de middag de boterhammen met ham te eten die Chicky had klaargemaakt en in vetvrij papier had verpakt en hun had overhandigd voor ze naar hun werk gingen.

Daarna moesten de bedden worden opgemaakt, de ramen gelapt, kreeg de zitkamer een beurt en ging Chicky boodschappen doen samen met mevrouw Cassidy. Ze leerde hoe ze goedkope stukken vlees lekker kon laten smaken door ze te marineren, en hoe ze het eenvoudigste maal er feestelijk uit kon laten zien. Er stond altijd een vaas bloemen of een bloeiende plant op tafel.

Mevrouw Cassidy kleedde zich altijd mooi aan voordat ze het avondeten opdiende en op de een of andere manier waren de mannen haar voorbeeld gaan volgen. Ze gingen zich allemaal eerst wassen en omkleden, voordat ze aan tafel kwamen. Als je goede manieren toonde, kreeg je goede manieren terug.

Chicky noemde haar altijd mevrouw Cassidy. Ze kende haar voornaam niet, noch haar levensverhaal, wist niet wat er gebeurd was met meneer Cassidy, zelfs niet of er ooit een meneer Cassidy was geweest.

En op haar beurt hoefde Chicky ook geen vragen te beantwoorden.

Het was een erg rustgevende relatie.

Mevrouw Cassidy had ervoor gezorgd dat Chicky haar *green card* kreeg en dat ze zich liet registreren om te kunnen stemmen bij de gemeenteraadsverkiezingen, zodat er weer voldoende Ieren in het stadsbestuur kwamen. Ze legde uit hoe je een postbusnummer kreeg, zodat je post kon versturen en ontvangen zonder dat iemand wist waar je woonde, of wat je verder deed.

Ze gaf haar pogingen op om het meisje zover te krijgen dat ze een sociaal leven opbouwde. Chicky was een jonge vrouw in de meest opwindende stad van de wereld. Ze had alle mogelijke kansen. Maar Chicky was vastbesloten. Ze wilde er niets van weten. Geen publeven, geen Ierse clubs, geen verhalen over wat een prima echtgenoot deze of gene huurder zou kunnen worden. Mevrouw Cassidy begreep de boodschap.

Wel wees ze Chicky de weg naar volwassenenonderwijs en cursussen die ze kon volgen. Chicky leerde verrukkelijk gebak maken. Ze peinsde er niet over om weg te gaan bij mevrouw Cassidy's Select Accommodation, ook al bood een plaatselijke bakkerij haar een fulltimebaan aan.

Chicky gaf weinig uit; haar spaargeld groeide. Als ze niet bezig was voor mevrouw Cassidy, waren er nog genoeg andere klussen. Chicky kookte voor doopfeesten, eerste communies, bar mitswa's en afscheidsfeestjes.

Elke avond zaten ze aan hun tafel vol Select-huurders.

Ze wist nog steeds niets over de levensgeschiedenis van mevrouw Cassidy en die had ook nooit naar de hare gevraagd. Het was dus een verrassing toen mevrouw Cassidy zei dat ze vond dat Chicky eens terug moest gaan naar Stoneybridge voor een bezoek.

'Ga nu, anders is het te laat. Dan wordt teruggaan een te grote stap. Als je dit jaar even heen en terug vliegt, wordt het daarna veel makkelijker.'

En inderdaad, het was veel makkelijker dan ze had gedacht.

Ze schreef naar Stoneybridge en vertelde hun dat Walter een week naar Los Angeles moest voor zaken en dat hij had voorgesteld dat zij die tijd gebruikte om naar Ierland te gaan. Ze zou het heerlijk vinden om even naar huis te komen voor een kort bezoek en ze hoopte dat het iedereen uitkwam.

Het was vijf jaar geleden dat haar vader had gezegd dat ze nooit meer mocht terugkeren in zijn huis. Alles was veranderd.

Haar vader was nu een andere man. Na een paar hartaanvallen had hij moeten inzien dat hij niet de baas was over de wereld en zelfs niet over zijn eigen rol daarin.

Haar moeder was niet meer zo bang als vroeger voor wat de mensen dachten.

Haar zus Kathleen, die nu de vrouw van Mikey was en de moeder van Orla en Rory, was haar harde woorden over het te schande maken van de familie vergeten.

Mary, die nu getrouwd was met JP, de gekke oude boer op de heuvel, was milder geworden.

Brian, die gekwetst was omdat de familie O'Hara hem had afgewezen, had zich op zijn werk gestort en merkte nauwelijks op dat zijn zus terug was.

Dus verliep het bezoek verrassend pijnloos en keerde Chicky voortaan elke zomer terug in de warme schoot van haar familie.

Als ze in Stoneybridge was, maakte ze kilometerslange wandelingen, praatte met de buren en vertelde hun over de laatste ontwikkelingen in haar mythische leven aan de andere kant van de Atlantische Oceaan. Weinig mensen van hier gingen ooit op reis, laat staan helemaal naar de Verenigde Staten – ze kon er veilig van uitgaan dat ze geen onverwacht bezoek zou krijgen. Haar façade zou nooit worden neergehaald door een verrassingsbezoek vanuit Stoneybridge aan een niet-bestaand appartement.

Al snel hoorde ze er weer helemaal bij.

Soms sprak ze af met haar vriendin Peggy, die haar alles vertelde over de dramatische gebeurtenissen in de breifabriek. Nuala was al lang geleden in Dublin gaan wonen en ze hadden nooit meer iets van haar gehoord.

'We weten altijd dat het juli is zodra we Chicky over het strand zien lopen,' zeiden de drie zusters Sheedy vaak tegen haar.

En dan verscheen er een brede glimlach op Chicky's gezicht

die hen allemaal verwarmde en hun en iedereen die het maar horen wilde, vertelde dat er geen plek op aarde zo bijzonder was als Stoneybridge, hoeveel prachtige dingen ze ook in verre oorden zag.

Dit vonden de mensen fijn.

Het was prettig geprezen te worden omdat je zo verstandig was geweest in Stoneybridge te blijven, omdat je de juiste keus had gemaakt.

De familie vroeg naar Walter en leek blij te zijn dat hij zoveel succes had en zo populair was. Als ze zich schaamden omdat ze hem zo verkeerd hadden beoordeeld, zeiden ze dat nooit met zoveel woorden.

Maar toen veranderde alles.

Haar oudste nichtje, Orla, werd zestien. Volgend jaar wilde ze naar Amerika gaan met Brigid O'Hara. Zou ze misschien bij tante Chicky en oom Walter kunnen logeren, vroeg ze zich af. Ze zouden helemaal geen last van hen hebben.

Chicky verblikte of verbloosde niet.

Natuurlijk moesten Orla en Brigid komen. Chicky was er enthousiast over en wilde heel graag dat ze kwamen. Het zou geen enkel probleem zijn, verzekerde ze hun. Haar maag draaide zich om, maar dat zag niemand. Ze moest kalm blijven. Ze zou het later wel oplossen. Nu moest ze gastvrij zijn en zich op het bezoek verheugen en er opgewonden over doen.

Orla vroeg zich af wat ze zouden gaan doen als ze in New York waren.

'Je oom Walter haalt jullie op van Kennedy Airport, thuis frissen jullie je wat op en dan neem ik jullie mee op een boottocht langs Manhattan zodat jullie je kunnen oriënteren. En we gaan ook een keer naar Ellis Island en naar Chinatown. We maken er een geweldige tijd van.'

En terwijl Chicky in haar handen klapte en enthousiast deed over alles, kon ze zich het bezoek werkelijk voorstellen. Ze zag het vriendelijke, vaderlijke gezicht van oom Walter voor zich, met een droevig lachje van spijt om de dochters die ze nooit hadden gekregen, terwijl hij hen door en door verwende. Dezelfde Walter die haar na die paar maanden in New York had verlaten en over het enorme Amerikaanse continent naar het westen was getrokken.

De schok was al lang voorbij en de echte herinnering aan haar leven met hem was vervaagd. Ze ging zelden meer zo ver terug in haar geheugen. Maar het onechte leven, het fantasiebestaan, was haarscherp en zo helder als kristal.

Het had haar geholpen te overleven. De wetenschap dat iedereen in Stoneybridge ongelijk had gekregen en dat zij, Chicky, het op haar twintigste beter had geweten dan zij allemaal. Dat zij een gelukkig huwelijk had en een rijk, succesvol leven in New York. Haar leven zou niets voorstellen als ze wisten dat hij haar verlaten had en dat ze vloeren had geschrobd, wc's schoongemaakt en maaltijden geserveerd voor mevrouw Cassidy, dat ze geschraapt en gespaard had en nooit vakantie had genomen, behalve die ene week in Ierland elk jaar.

Dit verzonnen leven was haar beloning geweest.

Hoe moest ze dat leven herscheppen voor Orla en haar vriendin Brigid? Zou het allemaal ontmaskerd worden, na al die jaren waarin ze het zo zorgvuldig had opgebouwd? Maar daar zou ze zich nu geen zorgen over maken, ze liet haar vakantie niet bederven. Ze zou er later wel over nadenken.

Terug in haar New Yorkse leven kwamen er geen bruikbare ideeën bij haar op. Het was een leven waar niemand in Stoneybridge van zou hebben gedroomd. Chicky zag geen oplossing voor het probleem dat Orla en haar vriendin Brigid, een lid van de roodharige O'Hara-stam, vormden. Het was om woedend van te worden. Waarom had het meisje niet gekozen voor Australië, zoals zoveel Ierse jongeren? Waarom moest het New York zijn?

Terug in mevrouw Cassidy's Select Accommodation, verbrak Chicky de stilzwijgende afspraak die zo lang tussen hen had bestaan.

'Ik heb een probleem,' zei ze eenvoudigweg.

'Na het eten zullen we het over het probleem hebben,' zei mevrouw Cassidy.

Mevrouw Cassidy schonk hun beiden een glas in van wat zij

port noemde en Chicky vertelde het verhaal dat ze nooit eerder aan iemand had verteld. Ze vertelde het vanaf het allereerste begin. De ene schil van teleurstelling na de andere werd afgepeld, als bij een ui, en ze legde uit dat het spel nu over was: haar familieleden, die in oom Walter geloofden, wilden overkomen en hem ontmoeten.

'Ik denk dat Walter dood is,' zei mevrouw Cassidy langzaam.

'Wat?'

'Ik denk dat hij op de Long Island Highway is omgekomen bij een ernstig verkeersongeluk, de lichamen waren nauwelijks herkenbaar.'

'Dat werkt nooit.'

'Het gebeurt elke dag, Chicky.'

En zoals gewoonlijk had mevrouw Cassidy gelijk.

Het werkte.

Een vreselijke tragedie, de waanzin van de snelweg, een uitgedoofd leven. Ze waren er ondersteboven van, thuis in Stoneybridge. Ze wilden naar New York komen voor de begrafenis, maar ze zei tegen hen dat die in heel kleine kring zou plaatsvinden. Dat was hoe Walter het gewild zou hebben.

Haar moeder huilde aan de telefoon.

'Chicky, we zijn zo hardvochtig geweest tegenover hem. Moge God het ons vergeven.'

'Ik weet zeker dat Hij dat lang geleden al heeft gedaan.' Chicky klonk kalm.

'We probeerden te doen wat het beste was,' zei haar vader. 'We dachten dat we genoeg mensenkennis hadden en nu is het te laat om tegen hem te zeggen dat we ongelijk hadden.'

'Geloof me, hij begreep het wel.'

'Maar kunnen we een brief schrijven aan zijn familie?'

'Ik heb jullie condoleances al overgebracht, pap.'

'Die arme mensen. Hun hart moet gebroken zijn.'

'Ze blijven heel positief. Hij heeft een goed leven gehad, zeggen ze.'

Ze vroegen of ze een advertentie in de kranten zouden zetten. Maar nee. Ze zei dat ze het leven zoals ze dat hier met hem had gekend, wilde afsluiten, dat dat haar manier was om met het verdriet om te gaan. Het beste wat ze nu voor haar konden doen was met genegenheid aan Walter terugdenken en haar met rust laten tot de wonden waren geheeld. Ze zou de volgende zomer thuiskomen, zoals gewoonlijk.

Ze zou verder moeten met haar leven.

Dit was een groot raadsel voor degenen die haar brieven naar huis lazen. Misschien was ze gek geworden van verdriet. Tenslotte hadden ze het zo bij het verkeerde eind gehad over Walter Starr tijdens zijn leven. Misschien moesten ze hem respecteren in zijn dood. Haar vrienden begrepen nu haar behoefte om alleen te zijn. Ze hoopte dat haar familie dat ook zou doen.

Orla en Brigid, die van plan waren geweest op bezoek te komen in het appartement aan Seventh Avenue, waren diep teleurgesteld.

Niet alleen zou er geen oom Walter zijn om hen te verwelkomen op het vliegveld, er zou helemaal geen vakantie zijn. Het zat er ook niet meer in dat tante Chicky hen zou meenemen op een boottochtje langs Manhattan. Zij ging blijkbaar verder met haar leven.

En trouwens, hun kans om toestemming te krijgen voor het tripje naar New York was nu toch verkeken. Had het allemaal nog ongelukkiger kunnen uitkomen? vroegen ze zich af.

Ze hielden contact en vertelden haar al het plaatselijke nieuws. De O'Hara's waren gek geworden en kochten land rondom Stoneybridge op om er vakantiehuizen te ontwikkelen. Twee van de oude dames Sheedy waren in de winter bezweken aan longontsteking – de oudemensenvriend, zoals hij werd genoemd, maakte een vredig einde aan het leven van degenen die niet meer genoeg adem hadden.

Juffrouw Queenie Sheedy was er nog, excentriek als altijd, levend in haar eigen wereld. Stone House stortte praktisch boven haar hoofd in. Men zei dat ze nauwelijks genoeg geld had om haar rekeningen te betalen. Iedereen had gedacht dat ze dat grote huis op de rots wel zou verkopen.

Chicky las het allemaal alsof het berichten waren van een andere planeet. Maar de volgende zomer boekte ze zoals altijd haar vlucht naar Ierland. Deze keer bracht ze donkerder kleren mee. Geen officiële rouw, zoals haar familie misschien graag had gezien, maar rokken en blouses die minder vrolijk geel en rood waren, meer grijs en donkerblauw. En dezelfde gemakkelijke wandelschoenen.

Ze wandelde meer dan twintig kilometer per dag over de stranden en de rotsen rond Stoneybridge, door het bos en langs de bouwplaatsen waar de O'Hara's bezig waren villa's te bouwen in Spaanse stijl, compleet met zwart smeedijzer en open zonneterrassen die geschikter waren voor een milder en warmer klimaat dan hier aan de winderige Atlantische kust bij Stoneybridge.

Op een van haar wandelingen kwam ze juffrouw Queenie Sheedy tegen, broos en eenzaam zonder haar twee zusters. Ze condoleerden elkaar met hun verlies.

'Kom je hier weer wonen, nu je leven daar voorbij is en je arme lieve man naar de heilige Vader is gegaan?' vroeg juffrouw Queenie.

'Dat denk ik niet, juffrouw Queenie. Ik zou hier niet meer passen. Ik ben te oud om bij mijn ouders te wonen.'

'Ik begrijp het, lieverd, alles loopt anders dan je denkt, hè? Ik had altijd gehoopt dat jij in dit huis zou komen wonen. Dat was mijn droom.'

En zo begon het.

Het hele, krankzinnige idee om het grote huis op de rots te kopen. Stone House, waar ze als kind in de verwilderde tuin had gespeeld, waar ze vanuit de zee naar had opgekeken als ze ging zwemmen, waar haar vriendin Nuala voor de lieve dames Sheedy had gewerkt.

Het zou zomaar kunnen. Walter zei altijd dat we zelf in de hand hadden wat er gebeurde.

Mevrouw Cassidy had altijd gezegd, als iets anderen kan gebeuren, waarom dan niet ons?

Juffrouw Queenie zei dat dit het beste idee was sinds gebakken brood.

'Ik kan u nooit zoveel betalen als anderen u voor het huis zouden geven,' zei Chicky.

'Waar heb ik nou nog geld voor nodig?' had juffrouw Queenie gevraagd.

'Ik ben al te lang weg,' zei Chicky.

'Maar je komt toch terug; je vindt het heerlijk om hier rond te wandelen, het geeft je kracht en het is hier zo licht en de lucht ziet er elk uur anders uit. Daar in New York zul je heel eenzaam zijn zonder die man die al die jaren zo goed voor je is geweest – je wilt daar niet blijven, waar alles je aan hem herinnert. Kom lekker naar huis, dan ga ik in de ontbijtkamer beneden wonen. Ik kan die oude trap toch nauwelijks meer op.'

'Doe niet zo raar, juffrouw Queenie. Het is uw huis. Dit slaat nergens op. En wat moet ik in mijn eentje met zo'n groot huis?'

'Je maakt er toch gewoon een hotel van?' In de ogen van juffrouw Queenie lag het allemaal voor de hand. 'Die O'Hara's willen het huis al jaren van me kopen. Zij zouden het afbreken. Dat wil ik niet. Ik zal je helpen er een hotel van te maken.'

'Een hotel? Echt? Hoteleigenaar worden?'

'Jij zou er iets bijzonders van maken, een plek voor mensen zoals jij.'

'Zo iemand als ik bestaat niet, zo vreemd en gecompliceerd.'

'Daar zou je van staan te kijken, Chicky. Zo zijn er heel wat. En ik zal er niet lang meer zijn; binnenkort lig ik naast mijn zussen op het kerkhof. Dus je moet nu beslissen of je het doet, dan kunnen we gaan bedenken hoe we van Stone House weer een heerlijke plek maken.'

Chicky was sprakeloos.

'Weet je, het zou voor mij echt fijn zijn als je hierheen komt, voordat ik heenga. Ik zou het heerlijk vinden om mee te doen met plannen maken,' pleitte juffrouw Queenie. En ze gingen aan de keukentafel in Stone House zitten om er serieus over te praten.

Terug in New York hoorde mevrouw Cassidy de plannen aan en ze knikte goedkeurend.

'Denkt u echt dat ik het kan?'

'Ik zal je missen, maar natuurlijk maak jij er een succes van.'

'Komt u me dan opzoeken? In mijn hotel logeren?'

'Ja, ik kom een week in de winter. Ik hou van het Ierse land in de winter, niet als het lawaaiig en druk en een en al folkloristisch gedoe is.'

Mevrouw Cassidy had nog nooit vakantie genomen. Dit was ongehoord.

'Ik moet nu gaan, nu juffrouw Queenie nog leeft.'

'Je moet er zo snel mogelijk mee aan de slag.' Mevrouw Cassidy hield er niet van om ergens gras over te laten groeien.

'Hoe moet ik het allemaal uitleggen... aan iedereen?'

'Meestal hoef je lang niet zoveel uit te leggen als je denkt. Zeg gewoon dat je het hebt gekocht van het geld dat Walter je heeft nagelaten. Dat is de waarheid, per slot van rekening.'

'Hoe kan dat nou de waarheid zijn?'

'Je bent vanwege Walter naar New York gekomen. En omdat hij je liet zitten, ben je het geld gaan verdienen dat je nu hebt gespaard. In zekere zin hééft hij het je dus nagelaten. Ik zie daar geen leugen in.' Mevrouw Cassidy's gezicht maakte duidelijk dat het onderwerp hiermee was afgedaan.

In de weken die volgden maakte Chicky haar spaargeld over naar een Ierse bank. Er waren eindeloze onderhandelingen met banken en juristen. Er moesten vergunningen worden aangevraagd, aannemers gezocht, hotelvoorschriften geraadpleegd, belastingkwesties besproken. Ze had nooit gedacht dat er zoveel zaken geregeld moesten worden voordat ze hun plannen bekendmaakten. Juffrouw Queenie en zij vertelden niemand waar ze mee bezig waren.

Uiteindelijk leek het allemaal voor elkaar.

'Ik kan het niet veel langer meer uitstellen,' zei Chicky tegen mevrouw Cassidy terwijl ze na het eten de tafel afruimden.

'Ik vind het verschrikkelijk, maar je moet morgen maar gaan.'

'Morgen?'

'Juffrouw Queenie kan niet veel langer wachten en je moet het toch ooit aan je familie vertellen. Dat kun je beter zelf doen, voordat ze het via via horen.'

'Maar binnen een dag klaar zijn om te gaan? Ik bedoel, ik moet inpakken en mensen gedag zeggen...'

'Inpakken kun je in twintig minuten. Je hebt nauwelijks spullen. De mannen in dit huis hebben het niet zo op lange, bloemrijke afscheidstoespraken, net zomin als ikzelf.'

'Ik lijk wel gek dat ik dit doe, mevrouw Cassidy.'

'Nee, Chicky, je zou gek zijn als je het niet deed. Jij was altijd goed in je kansen grijpen.'

'Misschien was het beter voor me geweest als ik niet de kans had gegrepen om met Walter Starr mee te gaan,' zei Chicky spijtig.

'O ja? Dan had je promotie gemaakt in de breifabriek. Een gekke boer getrouwd, zes kinderen gekregen, voor wie je nu op zoek moest naar werk. Nee, ik denk dat je geweldige keuzes hebt gemaakt. Je nam een besluit, kwam bij mij voor een baan en dát heeft twintig jaar lang goed gewerkt, toch? Je hebt er goed aan gedaan naar New York te komen en nu ga je terug naar huis als eigenares van het grootste huis in de streek. Ik zie niet in wat er mis is aan zo'n loopbaan.'

'Ik hou van u, mevrouw Cassidy,' zei Chicky.

'Als je zo begint, is het maar goed dat je teruggaat naar de Keltische mist en schemering,' zei mevrouw Cassidy, maar haar gezicht stond veel zachter dan anders.

De Ryans zaten met open mond te luisteren toen ze hun over haar plannen vertelde.

Chicky die voorgoed thuiskwam? Die het huis van de Sheedy's kocht? Die een hotel begon dat 's zomers en 's winters open zou zijn? De algemene reactie was er een van totaal ongeloof.

Alleen haar broer Brian toonde pure vreugde over het plan. 'Dat zal de O'Hara's een toontje lager doen zingen,' zei hij met een brede lach. 'Ze hebben jarenlang op dat huis geloerd. Ze wilden het slopen en er zes luxe villa's neerzetten.'

'Dat is precies wat juffrouw Queenie niet wilde!' stemde Chicky met hem in.

'Ik zou er graag bij zijn als ze het te horen krijgen,' zei Brian. Hij was er nooit overheen gekomen dat de O'Hara's hem niet goed genoeg hadden bevonden voor hun dochter. Zij was getrouwd met een man die het had klaargespeeld een groot deel van het O'Hara-kapitaal te verliezen met wedden op de paardenrennen, zoals Brian vaak tevreden vaststelde.

Haar moeder kon niet geloven dat Chicky meteen de volgende dag al bij juffrouw Queenie zou intrekken.

'Ik moet er wel zelf bij zijn daar,' legde Chicky uit. 'En trouwens, het kan geen kwaad als iemand juffrouw Queenie af en toe een kop thee geeft.'

'En een kom havermout of pak koekjes zou ook geen slecht idee zijn,' zei Kathleen. 'Mikey zag haar een tijdje geleden bramen plukken. Die waren gratis, zei ze.'

'Weet je zeker dat dat huis van jou is, Chicky?' Haar vader maakte zich zorgen, zoals altijd. 'Ga je daar niet gewoon als dienstmeid werken, zoals Nuala vroeger, maar dan met de belofte dat ze je het huis nalaat?'

Chicky klopte hem op zijn schouder en verzekerde hem dat het huis echt van haar was.

Langzamerhand begonnen ze te beseffen dat het echt zou gebeuren. Elk mogelijk bezwaar waar ze mee kwamen, had ze zelf ook al bedacht. Haar jaren in New York hadden een zakenvrouw van haar gemaakt. Het verleden had hun geleerd Chicky niet te onderschatten. Die vergissing zouden ze niet nog een keer maken.

Haar familie liet nog een mis voor Walter opdragen, omdat Chicky tijdens die eerste mis voor hem niet thuis was geweest. Chicky zat in de kleine kerk van Stoneybridge en vroeg zich af of er daarboven echt een God was die dit allemaal aanzag en aanhoorde.

Dat leek haar niet erg waarschijnlijk.

Maar iedereen hier leek te denken dat het wel zo was. De hele parochie bad mee voor de rust van Walter Starrs ziel. Zou hij erom hebben gelachen als hij het had geweten? Zou hij geschokt zijn geweest over het bijgeloof van deze mensen in dit Ierse kustplaatsje waar hij eens een vakantieliefde had beleefd?

Nu ze terug was, wist Chicky dat ze weer naar de kerk zou moeten. Dat zou makkelijker zijn; mevrouw Cassidy was in New York elke zondagochtend naar de mis gegaan. Nog zo'n onderwerp waar ze nooit over hadden gepraat.

Ze keek de kerk rond waar ze gedoopt was, haar eerste communie had gedaan en het vormsel had ontvangen. De kerk waarin haar zussen waren getrouwd en waar de mensen nu baden voor de zielerust van een man die nooit was gestorven. Het was allemaal heel eigenaardig.

Toch hoopte ze dat ergens iemand iets aan de gebeden zou hebben.

Er waren heel wat mijnenvelden die ze voorzichtig moest oversteken. Chicky wilde de mensen in de omgeving die al overnachtingsmogelijkheden aanboden of zomerhuisjes verhuurden, niet tegen zich in het harnas jagen. Ze begon een diplomatiek offensief waarin ze telkens weer uitlegde dat zij iets heel nieuws ging doen in deze streek, en dat het hun geen klandizie zou kosten.

Ze ging langs bij de vele pubs die verspreid in het gebied lagen en vertelde over haar plannen. Haar gasten zouden tochtjes willen maken over de rotsen en heuvels rond Stoneybridge. Ze zou hun aanraden om het echte Ierland te ontdekken en te gaan lunchen in de traditionele pubs, bars en taveernes hier in de buurt. Dus als zij soep en eenvoudige maaltijden serveerden, zou ze dat graag willen weten, dan zou ze klanten naar hen toe sturen.

Chicky koos bewust aannemers uit een ander deel van het land, om geen voorkeur te hoeven tonen voor de O'Hara's of hun belangrijkste concurrenten in de bouw. Dat was veel gemakkelijker dan de ene dorpsgenoot verkiezen boven de ander. Hetzelfde gold voor het inkopen van voorraden. Als ze meer bij de een kocht dan bij de ander, zou dat algauw scheve ogen opleveren.

Chicky zorgde dat iedereen voordeel had bij haar project. Ze wist de mensen heel gemakkelijk voor zich in te nemen.

Eerst moest ze een architect kiezen en werklieden zien te vinden. Ze zou een bedrijfsleider nodig hebben, maar nu nog niet. Ze zou daarvoor iemand willen die hier kwam wonen en haar hielp met koken, maar ook dat kon wachten.

Voor die baan had Chicky haar nichtje Orla op het oog. Dat was een handig en intelligent meisje. Ze hield van Stoneybridge en van het leven hier. Ze was energiek en sportief, deed aan

windsurfen en rotsklimmen. Ze had in Dublin een computer-
cursus gevolgd en een marketingdiploma gehaald. Chicky kon
haar leren koken. Ze was spontaan en kon goed met mensen
omgaan. Ze zou precies de juiste persoon zijn voor Stone
House. Jammer genoeg wilde het meisje naar Londen, om nog
meer cursussen te volgen. Geen tekst en uitleg, ze ging gewoon.
Het was tegenwoordig zoveel makkelijker voor jonge mensen
dan in haar tijd, dacht Chicky. Orla hoefde haar familie geen
toestemming of goedkeuring te vragen. Ze gingen ervan uit dat
Orla volwassen was en dat zij niets over haar leven te zeggen
hadden.

De plannenmakerij ging maar door. Er zouden negen slaapkamers komen en een grote eetkeuken, waar de gasten samen
zouden eten. Ze vond een enorme ouderwetse tafel die elke dag
geschrobd zou moeten worden, maar wel authentiek was. Dit
was geen omgeving voor chic mahonie en placemats of tafel-
kleden van zwaar Iers linnen. Het moest echt zijn.

Bij een plaatselijke timmerman liet ze veertien stoelen maken
en een andere gaf ze opdracht voor de restauratie van een oude
kledingkast waarin het porselein zou worden uitgestald. Ze reed
met juffrouw Queenie naar veilingen en openbare verkopingen
op het platteland en vond de juiste glazen, borden, kommen.

Ze ontmoetten mensen die een deel van de oude tapijten uit
het huis van de Sheedy's konden restaureren en die het gebarsten leer van kleine antieke tafeltjes konden vervangen.

Dit vond juffrouw Queenie het allermooist. Telkens weer
zei ze wat een wonder het toch was dat al die prachtige schatten hersteld werden. Haar zussen zouden zo blij zijn als ze zagen
wat er gebeurde. Juffrouw Queenie geloofde dat zij precies wisten wat er in Stone House gaande was en van boven goedkeurend toekeken. Het was aandoenlijk hoe zij zich voorstelde dat
haar zussen samen op een fijn plekje zaten te wachten tot het
hotel openging, en alles wat in Stoneybridge omging in de gaten hielden.

Verontrustend was wel dat juffrouw Queenie ook Walter Starr
voor zich zag, daar in de hemel met de twee dames Sheedy, ju-

belend over alles wat zijn flinke, dappere weduwe voor elkaar kreeg.

Chicky zorgde dat ze haar familieleden elke week inlichtte over haar plannen, zodat ze eerder dan de rest van het stadje op de hoogte waren. Dat zij als eersten wisten dat de vergunning-aanvragen waren goedgekeurd, dat er een ommuurde moestuin zou komen om zelf groente te verbouwen en oliegestookte centrale verwarming in het hele huis, gaf hun een belangrijke positie.

Ze zou waarschijnlijk ook een professioneel interieurontwer-per nodig hebben. Ook al dachten zij en juffrouw Queenie te weten hoe het huis eruit moest zien, ze moesten de toets der kritiek doorstaan van gasten aan wie ze aardig wat geld zouden vragen. De inrichting moest dus wel kloppen. Misschien zou-den ze wat Chicky elegant vond, wel smakeloos vinden.

Hoewel ze goed had gekeken naar foto's van hotels en land-huizen in tijdschriften, had ze weinig praktische ervaring in het creëren van de juiste sfeer. Als het om stijl ging was mevrouw Cassidy's Select Accommodation geen goede leerschool geweest.

Er moest nog veel werk worden verzet: ze zou een website moeten hebben en een online boekingssysteem – voor haar nog een onbekende wereld. Hierin zou de jonge Orla haar rechter-hand moeten worden, als ze ooit uit Londen terugkwam. Ze had haar twee keer gebeld, maar het meisje had vaag en afstan-delijk gedaan. Chicky's zus Kathleen zei dat Orla een lastpak was en dat er niet met haar te praten viel.

'Ze is nog koppiger dan jij vroeger,' zei Kathleen spijtig, 'en dat wil wat zeggen.'

'En kijk eens hoe goed ik uiteindelijk terecht ben gekomen,' antwoordde Chicky lachend.

'Je hebt de boel nog niet voor elkaar.' Kathleens stem was een en al zwartgalligheid. 'We moeten nog maar zien hoe het je ver-gaat, als Stone House eenmaal open is.'

Alleen mevrouw Cassidy in New York en juffrouw Queenie geloofden dat het echt zou gebeuren en een groot succes zou worden. Alle anderen deden toegeeflijk tegen haar en hoopten dat het allemaal zou lukken, maar op dezelfde manier als ze hoopten dat het een lange, hete zomer werd, of dat het Ierse voetbalelftal goed zou presteren op het wereldkampioenschap.

Soms ging Chicky 's avonds over de rotsen wandelen en uitkijken over de Atlantische Oceaan. Dat gaf haar altijd kracht.

Mensen hadden de moed gehad om in kleine, wankele bootjes te stappen en over deze woelige wateren te gaan varen, zonder te weten wat hun te wachten stond. Dus hoe moeilijk kon het zijn om een gasthuis te beginnen? Dan ging ze weer naar binnen, en juffrouw Queenie maakte voor hen allebei een beker warme chocola, terwijl ze zei dat ze niet meer zo gelukkig was geweest sinds ze een meisje was, sinds de dagen dat zij en haar zussen naar jachtpartijen gingen in de hoop een knappe jongeman te vinden om mee te trouwen. Dat was er nooit van gekomen, maar dit zou wél lukken. Het hotel zou er komen.

En dan gaf Chicky haar een klopje op haar hand en zei dat zij in het hele land het gesprek van de dag zouden zijn. En terwijl ze dat zei, geloofde ze het ook. Dan verdwenen al haar zorgen. Of het nu kwam door de wandeling in de loeiende wind of door de troostende chocolademelk of door het hoopvolle gezicht van juffrouw Queenie of door een combinatie van deze drie, het zorgde ervoor dat ze elke nacht lang en ongestoord sliep.

Wanneer ze dan wakker werd, kon ze weer alles aan, en dat was maar goed ook, want in de maanden die voor haar lagen, zou ze nog heel wat moeten overwinnen.

Rigger

Rigger had zijn vader nooit gekend – er werd niet over hem gepraat. Zijn moeder Nuala was moeilijk te doorgronden. Ze werkte keihard en zei weinig over haar leven vroeger in het westen van Ierland, in een plaatsje dat Stoneybridge heette. Rigger wist dat ze in een groot huis als dienstmeisje had gewerkt voor drie oude vrouwen die de dames Sheedy heetten, maar daar wilde ze nooit over praten, net zomin als over haar familie thuis.

Hij haalde zijn schouders op. Het was toch onmogelijk om volwassenen te begrijpen.

Nuala had nooit iets bezeten wat van haarzelf was. Ze was de jongste van het gezin, dus alle kleren die ze kreeg waren al uit en te na getest op de anderen. Er was geen geld voor luxedingen, zelfs niet voor een eerste communiejurk; en toen ze vijftien was, vonden ze een baantje voor haar, in de huishouding bij de dames Sheedy in Stone House. Heel aardige vrouwen waren het, echte dames, alle drie.

Het was zwaar werk geweest: stenen vloeren en houten tafels schrobben, oude meubels in de was zetten. Ze had een piepklein kamertje met een smal ijzeren bed. Maar het was haar eigen kamer, meer dan ze thuis ooit had gehad. De dames Sheedy bezaten geen cent, het was een voortdurend gevecht tegen vocht en lekkage en er was nooit geld om het huis behoorlijk te verwarmen of een verfbeurt te geven – wat allebei hard nodig was. Ze aten heel weinig, maar dat was Nuala wel gewend. Aan tafel waren het net musjes.

Met verbazing keek ze toe hoe ze hun servet elk in hun eigen ring moesten hebben en een kleine gong luidden om de maaltijd aan te kondigen. Het was net of je in een toneelstuk speelde.

Soms informeerde juffrouw Queenie naar Nuala's vriendjes, maar dan zeiden de andere zusters 'tut tut', alsof het niet gepast was om hierover met het dienstmeisje te praten.

Niet dat er veel te bepraten viel. Er waren maar weinig vriendjes voorhanden in Stoneybridge. Alle jongens die haar broers kenden, waren naar Engeland of Amerika gegaan om werk te zoeken. En Nuala zou niet goed genoeg bevonden worden voor de O'Hara's of een van de andere rijke families in de buurt. Ze hoopte dat ze net als Chicky een zomergast zou ontmoeten die verliefd op haar zou worden en die het niet kon schelen dat ze in de huishouding werkte.

En ze ontmoette inderdaad een zomergast, die Drew heette. Dat was een afkorting van Andrew. Hij was een vriend van de O'Hara's en ze waren op het strand aan het voetballen. Nuala had naar de meisjes in hun mooie badpakken zitten kijken. Wat moest het heerlijk zijn om de stad in te kunnen gaan en zo'n badpak en zulke prachtig gekleurde manden en badhanddoeken te kopen.

Drew kwam naar haar toe en vroeg of ze mee wilde doen met het spel. Na een week was ze verliefd op hem. Na twee weken waren ze minnaars. Het was allemaal zo gewoon en natuurlijk, ze begreep niet waarom zij en de andere meisjes op school er altijd om hadden moeten giechelen. Drew zei dat hij haar aanbad en dat hij haar elke dag zou schrijven als hij weer in Dublin was.

Hij schreef één keer en zei dat het een magische zomer was geweest en dat hij haar nooit zou vergeten. Hij gaf geen adres op. Nuala wilde niet aan de O'Hara's vragen waar ze hem kon vinden. Zelfs niet toen ze besefte dat ze over tijd was en hoogstwaarschijnlijk zwanger.

Toen dit steeds zekerder werd, had ze geen idee wat ze moest doen. Het zou haar moeders hart breken. Nuala had zich nog nooit in haar leven zo alleen gevoeld.

Ze besloot het aan de dames Sheedy te vertellen.

Ze wachtte tot ze de tafel had afgeruimd en de afwas had gedaan na hun karige avondmaal, voor ze haar verhaal begon. Nuala keek naar de stenen keukenvloer, om hen niet te hoeven aankijken, terwijl ze uitlegde wat er gebeurd was.

De gezusters Sheedy waren geschokt. Ze konden geen woorden vinden om te beschrijven hoe afschuwelijk het was dat dit had kunnen gebeuren, terwijl Nuala onder hun dak woonde.

'Wat ga je in hemelsnaam doen?' vroeg juffrouw Queenie met tranen in haar ogen.

Juffrouw Jessica en juffrouw Beatrice hadden minder medelijden, maar konden evenmin een oplossing bedenken.

Wat had Nuala gehoopt dat ze zouden doen? Haar vragen haar baby daar groot te brengen? Zeggen dat ze zich allemaal weer jong zouden gaan voelen met een kind over de vloer?

Nee, zoveel had ze niet verwacht, ze hoopte op een beetje geruststelling, een sprankje hoop dat dit voor haar niet het eind van de wereld zou betekenen.

Ze zeiden dat ze informatie zouden inwinnen. Ze hadden gehoord van een plek waar ze terecht zou kunnen tot de baby geboren was en geadopteerd kon worden.

'O, maar ik geef de baby niet weg,' zei Nuala.

'Maar je kunt de baby niet houden, Nuala,' verklaarde juffrouw Queenie.

'Ik heb nog nooit iets van mezelf gehad, behalve mijn kamer hier en het bed dat jullie me hebben gegeven.'

De zusters keken elkaar aan. Het meisje had geen flauw idee wat haar te wachten stond. De verantwoordelijkheid. De schande.

'Het is 1990,' zei Nuala. 'We leven niet meer in de Middeleeuwen.'

'Ja, maar vader Johnson is nog steeds vader Johnson,' zei juffrouw Queenie.

'Zou de jongeman in kwestie misschien...' begon juffrouw Jessica voorzichtig.

'En als hij een vriend van de O'Hara's is, is het een fatsoenlijk mens en zal hij zijn plicht doen,' stemde juffrouw Beatrice in.

'Nee, dat zal hij niet doen. In zijn brief nam hij afscheid, hij schreef dat het een magische zomer was geweest.'

'En dat was het vast ook, lieverd,' suste juffrouw Queenie vriendelijk, zonder de afkeurende blikken van de anderen te zien.

'Ik kan het niet aan mijn ouders vertellen,' zei Nuala.

'We moeten je zo snel mogelijk in Dublin zien te krijgen. Daar weten ze wel wat ze moeten doen.' Juffrouw Jessica wilde dit met spoed uit de weg hebben.

'Ik zal navraag doen.' Juffrouw Beatrice was de zus met de contacten.

Nuala's oudere broer Nasey woonde al in Dublin. Hij was het buitenbeentje van de familie, altijd heel stil; hij sloot zich af, zeiden ze altijd met een zucht. Hij had een baan in een slagerij en leek zijn plek gevonden te hebben.

Hij was vrijgezel en had een huis voor zichzelf, maar Nuala zou geen beroep op hem kunnen doen. Hij was al te lang van huis om haar te kennen en zich om haar te bekommeren. Ze had wel zijn adres, voor noodgevallen natuurlijk, maar ze zou geen contact met hem opnemen.

De dames Sheedy hadden een plek voor Nuala gevonden. Het was een opvanghuis en er woonden meer meisjes die zwanger waren.

De meeste meisjes werkten in een supermarkt of als schoonmaakster. Nuala was gewend hard te werken en vond het werk hier makkelijk vergeleken bij al het sloven en zwoegen in Stone House. Ze vond een baan via mond-tot-mondreclame. Mensen vertelden elkaar dat ze heel aardig was en dat geen moeite haar te veel was. Ze spaarde genoeg geld om een kamer te huren voor zichzelf en de baby als die geboren was.

Ze schreef brieven naar haar familie waarin ze vertelde over Dublin en de mensen voor wie ze werkte, maar niet over haar bezoeken aan de kraamkliniek. Aan de dames Sheedy schreef ze wel de waarheid en uiteindelijk ook het nieuws dat Richard Anthony was geboren, zesenhalf pond woog en in alle opzichten een volmaakte baby was. Ze stuurden haar een biljet van vijf pond ter ondersteuning en juffrouw Queenie stuurde een doopjurk.

Die had Richard Anthony aan tijdens de doopplechtigheid in een kerk aan de rivier de Liffey, waar zestien baby's tegelijk werden gedoopt.

'Wat jammer dat je daar nu geen familie om je heen hebt,' schreef juffrouw Queenie. 'Misschien zou je broer het wel fijn vinden je te zien en kennis te maken met zijn nieuwe neefje.'

Nuala betwijfelde dat. Nasey was altijd afstandelijk en teruggetrokken geweest, voorzover zij zich herinnerde.

'Ik wacht maar tot hij een echt mensje is, voordat ik ze aan elkaar voorstel,' zei ze.

Nuala moest nu werk zien te vinden waar ze haar baby mee naartoe kon nemen. Dat was in het begin niet gemakkelijk, maar toen mensen eenmaal zagen hoe lang ze doorwerkte en hoe makkelijk het kind was, vond ze genoeg werk.

Ze leerde heel wat over het leven, via de huishoudens waar ze werkte. Er waren vrouwen bij die een drukte over hun huis maakten alsof het een voortdurend examen was waar ze voor zouden kunnen zakken. En er waren gezinnen waar de man en de vrouw het nauwelijks konden opbrengen beleefd tegen elkaar te doen. In sommige huizen werden de kinderen verwend met alle mogelijke spullen en nóg waren ze niet tevreden.

Maar ze ontmoette ook goede, vriendelijke mensen die hartelijk waren tegen haar en haar zoontje en dankbaar als ze iets extra's deed, aardappelkoekjes voor ze bakte of dof geworden koperwerk poetste tot het weer glom als nieuw.

Toen Richard drie was, werd het moeilijker om hem mee te nemen naar de huizen van mensen. Hij wilde op onderzoek uitgaan en rondhollen. Een van Nuala's favoriete klanten was iemand die Signora werd genoemd en Italiaanse les gaf. Ze was een heel ongewone vrouw: totaal wereldvreemd, ze droeg uitbundig gebloemde kleren en had lang haar met grijs, rood en donkerbruin erin, dat was samengebonden met een lint.

Voor zichzelf had ze geen schoonmaakster nodig, maar ze betaalde Nuala twee middagen in de week voor haar moeder. Haar moeder was een moeilijk, veeleisend mens, dat geen goed woord overhad voor Signora. Ze zei dat Signora altijd dwaas en koppig was geweest en dat het slecht met haar zou aflopen.

Maar Signora lette hier niet op, als ze het al wist. Ze vertelde Nuala over een enige peuterspeelzaal. Een vriendin van haar had er de leiding.

'O, dat zou veel te duur voor mij zijn,' zei Nuala treurig.

'Ik denk dat ze graag willen dat hij komt, als jij in ruil daarvoor een paar uur schoonmaakt.'

'Maar misschien vinden de andere ouders dat niet prettig. Het kind van de schoonmaakster tussen hun kinderen.'

'Zo denken ze vast niet, en trouwens, ze hoeven het niet te weten.' Signora was heel zeker van haar zaak.

'Jij zou het wel leuk vinden op de speelzaal, hè Richard?' Signora had de geweldige gewoonte om kinderen te behandelen als volwassenen. Ze zette nooit een babystemmetje op.

'Ik ben Rigger,' zei hij. En zo werd hij vanaf dat moment genoemd.

Rigger vond het heerlijk op de speelzaal, en niemand heeft ooit geweten dat hij er twee uur eerder was dan de andere kinderen, terwijl zijn moeder poetste en boende en de speelzaal klaarmaakte voor de dag.

Via Signora vond Nuala nog meer werk in de buurt. Ze maakte schoon in een kapsalon waar ze haar het gevoel gaven dat ze erbij hoorde en haar zelfs gratis dure highlights gaven. Ze werkte een paar uur per week bij Ennio, een restaurant op de kade, waar ze ook helemaal werd opgenomen en de eigenaars haar altijd vroegen om bij een lunch een bepaalde pasta uit te proberen. Daarna haalde ze Richard op en nam hem mee, terwijl ze op andere kinderen paste en met ze naar St.-Stephen's Green ging om de eendjes te voeren.

Nuala's familie was zich totaal niet bewust van Riggers bestaan. Het was gewoon makkelijker zo.

Zoals dat in grote families gaat, raken de kinderen die zijn weggegaan los van hun ouderlijk huis. Soms, met Kerstmis, verlangde ze wel terug naar Stoneybridge en naar de tijd dat ze de boom versierde voor de dames Sheedy terwijl zij haar het verhaal achter elke versiering vertelden. Dan dacht ze aan haar

moeder en vader en de gans die ze zouden eten bij het kerst-
maal en de gebeden die ze zouden zeggen voor alle emigranten
– vooral voor haar twee zusjes in Amerika, haar broer in Birmingham en Nasey en Nuala in Dublin. Maar ze leidde geen
eenzaam leven. Hoe zou je eenzaam kunnen zijn als je Rigger
had? Ze waren erg aan elkaar gehecht.

Ze wist zelf niet waarom ze haar broer Nasey ging opzoeken.
Mogelijk was het een brief van juffrouw Queenie die alles altijd rooskleurig inzag. Juffrouw Queenie zei dat Nasey vast een
eenzaam leven leidde in Dublin en dat hij het fijn zou vinden
als er iemand van thuis bij hem was.

Ze kon zich hem nauwelijks herinneren. Hij was de oudste en
zij de jongste van een groot gezin. Hij zou niet geschokt en ontzet zijn dat ze een zoon had die nu bijna naar de grote school ging.

Het was het proberen waard.

Ze ging naar de slagerswinkel waar Nasey werkte, met Rigger
aan de hand. Ze herkende hem meteen, in zijn witte slagersjas,
terwijl hij bedreven lamskarbonades stond los te snijden met een
hakmes.

'Ik ben je zus Nuala,' zei ze eenvoudig. 'En dit is Rigger.'

Rigger keek angstig naar hem op en Nuala lette scherp op
haar broers gezicht. Toen zag ze daarop een brede lach verschijnen. Hij vond het echt fijn om haar te zien. Wat zonde van die
vijf jaar die ze had verspild omdat ze bang was dat hij haar niet
zou accepteren.

'Ik heb over tien minuten pauze. Dan kom ik naar jullie toe
in het café aan de overkant. Meneer Malone, dit is mijn zus, met
haar zoontje Rigger.'

'Ga maar meteen, Nasey. Jullie hebben vast heel veel om over
te praten,' zei meneer Malone goedhartig. En ze bleken inderdaad heel wat te bepraten te hebben.

Het was eigenaardig wat een kalmerende uitwerking Nasey
had. Hij vroeg niet naar Riggers vader of waarom het zo lang
had geduurd voor ze naar hem toe was gekomen. Hij toonde
belangstelling voor de adressen waar ze werkte en vertelde dat
de Malones iemand zochten om in de huishouding te helpen
en dat het een erg aardig gezin was. Ze zou het veel slechter kun-

nen treffen. Hij had ook contact met een neef van hen, Dingo, een goeie jongen, vol dromen en onzin. Hij had een eigen busje waarmee hij bestellingen rondbracht. Hij woonde alleen, maar zei altijd dat de mensen voor wie hij werkte dat goedmaakten en dat hij graag hun levensverhalen hoorde. Hij zou het leuk vinden te ontdekken dat hij er een neefje bij had.

Nasey vroeg naar thuis en ze hield haar antwoord een beetje vaag.

'Ze weten het eigenlijk niet, van Rigger,' zei ze. Dat had ze niet hoeven zeggen. Hij begreep het.

'Waarom zou je mensen met al te veel informatie belasten,' zei hij en hij knikte wijs.

Hij vertelde dat hijzelf nooit iemand had gevonden die bij hem paste, maar dat hij nog altijd hoopte dat hij op een dag iemand zou tegenkomen. Hij hield er niet van een meisje op te pikken in een pub en om eerlijk te zijn, waar moest het anders? Hij was te oud voor hippe dansfeesten en clubs.

En vanaf die ontmoeting hoorde hij bij het leven van Nuala en Rigger.

Hij was de lievelingsoom die een oppasser kende in de dierentuin, die de jongen leerde fietsen, die hem voor het eerst meenam naar het stadion. En toen Rigger elf was, was het Nasey die Nuala vertelde dat het joch omging met een onguur stel op school en dat ze uit verschillende winkels waren verbannen vanwege winkeldiefstal.

Ze was ontzet, maar Rigger deed onverschillig. Iedereen deed het; de winkels wisten ervan. Het hoorde erbij.

Toen was hij betrokken bij een incident waarbij oude mensen onder bedreiging werden gedwongen hun weekpensioen af te staan. Dat leidde naar de kinderrechter en een voorwaardelijke straf.

En toen Rigger in een pakhuis werd betrapt op het stelen van tv-toestellen, betekende dat tuchtschool.

Nuala had niet geweten dat je zoveel kon huilen. Ze was totaal ondersteboven. Wat was er met haar kleine jongen gebeurd? En wanneer? Niets had nog zin voor haar. Haar baantjes waren alleen nog maar dat: baantjes.

Ze luisterde nauwelijks meer naar de gesprekken in Katies kapsalon, bij Ennio of bij de Malones in St.-Jarlath's Crescent – plekken waar ze eens zo gelukkig was geweest, zo bij had gehoord.

Ze besloot dat ze hem elke week zou schrijven, maar had geen idee wat hem interesseerde.

Voetbal, waarschijnlijk, dus zocht ze in het avondblad op waar het team de volgende keer zou spelen en om te kijken of er een film draaide die Rigger mooi zou vinden. Week na week schreef ze hem. Soms schreef hij terug, soms niet, maar zij bleef elke week een brief sturen.

Ze vertelde hem dat haar vader ziek was geworden en gestorven was en dat ze terug naar Stoneybridge was gegaan voor de begrafenis. Ze zei dat het zo vreemd was hoe klein het nu allemaal leek na al die jaren dat ze weg was geweest. Ze kende er nauwelijks meer iemand en haar zussen en broers waren net vreemden. Haar moeder zag er zo klein en oud uit. Er was zoveel veranderd, alsof je naar een andere plek was gegaan.

Op die brief schreef Rigger terug.

Naar voor je dat je pa is gestorven. Waarom hebben we hem nooit gezien of zijn we daar nooit heen gegaan? De jongens hier hebben het steeds over hun opa's en oma's.

Nuala schreef terug.

Als je thuiskomt gaan we samen met de trein naar Stoneybridge en dan kun je het met je eigen ogen zien. Het is zo'n lang verhaal, maar het zal makkelijker zijn om het je zelf te vertellen dan het allemaal op te schrijven.

Tegen de tijd dat hij van de tuchtschool af kwam, was Rigger zestien en was Nuala's moeder gestorven.

Nasey ging alleen naar de begrafenis, Nuala ging niet mee. Ze had zich totaal niet op haar gemak gevoeld toen ze voor haar vaders begrafenis naar huis was gekomen. Ze had het idee dat sommige buren haar vreemd aankeken en dat de zussen in

Amerika boos op haar waren omdat ze niet vaker terugkwam. Haar broer uit Birmingham had haar heel onaangenaam de les gelezen, dat het tijd was dat ze zich ergens vestigde en een gezin stichtte in plaats van altijd maar plezier te maken in Dublin.

Nasey zei tegen de familie dat hij Nuala van tijd tot tijd zag, maar meer vertelde hij niet. Hij hield zich aan zijn theorie dat je mensen niet met al te veel informatie moest belasten. Hij bracht nieuws van thuis mee terug. Twee van de dames Sheedy waren gestorven. Nu was alleen juffrouw Queenie Sheedy er nog.

Toen kwam het nieuws dat Chicky Starr uit Amerika was teruggekomen en Stone House ging kopen. Juffrouw Queenie zou er de rest van haar leven blijven wonen en ze zouden in het huis een hotel beginnen.

Nuala kon zich Chicky nog heel goed herinneren. Ze hadden samen op school gezeten. Chicky was met een Amerikaan getrouwd die Walter Starr heette en was in New York gaan wonen. Haar arme echtgenoot was omgekomen bij een verschrikkelijk auto-ongeluk. Blijkbaar kwam ze elk jaar naar huis.

Ze zou heel wat werk moeten verzetten om iets van dat grote verwaarloosde oude huis te maken en het te verbouwen tot een hotel waar mensen tegen betaling wilden logeren.

Rigger praatte niet veel over zijn tijd op de tuchtschool, toen hij terugkwam. Hij had een beetje van dit geleerd en een beetje van dat, zei hij. Maar hij was nergens echt voor opgeleid. Ze hadden wat bouwwerkzaamheden gedaan op school, de ene week stukadoren, de andere week graafwerk. Nasey zei dat hij meneer Malone zou vragen of Rigger een baantje in de slagerij kon krijgen, maar dat het een moeilijke tijd was. Mensen kochten steeds vaker voorverpakt vlees in de supermarkt.

Signora vroeg Nuala of Rigger misschien terug wilde naar school. Ze zou hem les kunnen geven om hem bij te spijkeren, maar dat wilde hij niet.

Hij had genoeg van school, zei hij.

Nuala had vurig gehoopt dat hij zijn oude leven achter zich zou hebben gelaten, dat hij nieuwe vrienden zou vinden en een andere manier van leven.

Maar Rigger was amper een paar weken thuis of Nuala besefte dat haar zoon op zoek was gegaan naar de jongens van vroeger. Sommigen waren er niet meer. Twee zaten in de gevangenis, een was op de vlucht – waarschijnlijk in Engeland – en de anderen werden vrijwel voortdurend door de politie in de gaten gehouden.

Rigger was van alle kanten gewaarschuwd voor het gevaar dat hij een strafblad zou krijgen als hij weer over de schreef ging.

Hij ging 's morgens vroeg de deur uit en kwam laat thuis, zonder uitleg en zonder te vertellen wat hij die dag had gedaan. Op een nacht hoorde ze geschreeuw en rennende voeten en dichtslaande deuren. Trillend lag ze in het donker te wachten op de zwaailichten van de politie. Maar er kwam niemand.

De volgende ochtend was ze gespannen en angstig, maar Rigger had duidelijk goed geslapen en leek zich nergens zorgen over te maken. Ze voelde zich opgelucht toen hij vertelde dat hij werk ging zoeken.

Nasey was verrast toen hij Rigger de slagerswinkel binnen zag komen met een paar vrienden. Verrast en niet echt blij.

Rigger vroeg of er een klusje te doen was, misschien konden ze bijvoorbeeld het achtererf opruimen?

Nasey vond het fijn dat de jongens belangstelling toonden voor legaal werk en hij liep naar meneer Malone en vroeg hem of ze een paar uur voor hem mochten werken. En hij moest het hun nageven: ze deden hun best. Blij vertelde Nasey het hele verhaal aan Nuala. De jongens hadden de klus geklaard, wat geld gekregen en waren tevreden weggegaan.

Nuala kon weer opgelucht ademhalen. Misschien had ze zich zorgen om niets gemaakt.

Twee dagen later kwam Nasey op zijn avondwandeling langs de slagerij. Uit gewoonte keek hij op naar het inbrekersalarm en tot zijn verbazing zag hij dat het niet aanstond. Hij had nog nooit de zaak verlaten zonder het alarm op AAN te zetten. Ontsteld opende hij de deur met zijn eigen sleutel en hoorde geluiden vanuit de koelcel achter in de winkel. Hij ging naar binnen en daar zag hij hoe drie jongemannen bezig waren runderkarkassen in een busje te laden dat op het achtererf geparkeerd stond.

Hij holde naar hen toe; een van de mannen liet een groot stuk vlees vallen en kwam met een koevoet op hem af.

'Wat doen jullie daar?' riep Nasey. Toen de man op hem in wilde slaan, schreeuwde uit het niets een stem: 'Laat hem, laat hem met rust, in godsnaam.'

De klap werd tegengehouden en Nasey herkende zijn redder: het was zijn neef Rigger.

'Ik kan het niet geloven, Rigger.' Nasey was bijna in tranen. 'Je hebt geld gekregen voor je werk en nu kom je terug om hun vlees te stelen.'

'Hou je kop, Nasey, stomme idioot. Ga nou maar weg. Je bent hier nooit geweest, snap je? Ga naar huis en hou je mond. Niks aan de hand.'

'Dat kan niet. Ik kan de spullen van meneer Malone niet zomaar laten weghalen, het is zijn brood...'

'Hij is heus wel verzekerd, Nasey. Denk toch na, man.'

'Je kunt dit niet maken. Wat ga je met die karkassen doen?'

'In stukken snijden. Verkopen in de buurt van de Mountainview Estates. Iedereen daar wil goedkoop vlees. Nasey, ga nou weg, alsjeblieft.'

'Ik ga niet weg en ik vergeet het ook niet.'

'Rigger, of jij zorgt dat hij zijn kop houdt, of ik doe het,' zei een van de anderen.

Nasey merkte hoe hij de deur uit werd geduwd en hij voelde de warmte van Riggers adem op zijn gezicht.

'Jezus, Nasey, doe niet zo stom. Ze slaan je de hersens in. Verdwijn. Rennen. RENNEN!'

Nasey rende de hele weg naar het huis van Nuala en vertelde haar wat er was gebeurd. Met witte gezichten zaten ze samen thee te drinken.

'Ook al zou ik het niet aan meneer Malone vertellen, dan weet hij het toch. Hij is niet gek. Wie kunnen er anders binnengekomen zijn om het terrein te verkennen en te zien wat er in de winkel te halen viel, dan die drie? En hij weet dat Rigger mijn neef is.'

'Het spijt me zo, Nasey,' snikte Nuala.

'We moeten erover nadenken wat we met hem doen. Hij zal hiervoor naar de gevangenis moeten,' zei Nasey.

'Het is allemaal mijn schuld. Ik had hem in het gareel moeten houden. Ik was te druk bezig met geld verdienen, voor hem. Om te sparen voor een opleiding die hij nooit zal krijgen.'

'Hou daarmee op. Het komt niet door jou.'

'Wiens schuld is het anders dan de mijne?'

'Dit is niet het moment om daarover te piekeren. We moeten hem verbergen. De politie zal hem hier komen zoeken.'

'Zouden we hem terug naar Stoneybridge kunnen sturen?' Haar gezicht stond wanhopig.

'Maar wie moet daar voor hem zorgen? En ik dacht dat je niet wilde dat iemand van zijn bestaan wist.'

'Ik wil ook niet dat hij naar de gevangenis gaat. Wie er van hem weet is nu niet belangrijk meer.'

'Niemand daar kan hem in de hand houden,' zei Nasey. 'Als er nou een plek was waar hij kon wonen en werken...'

Nuala spande zich tot het uiterste in om zo'n plek te bedenken.

'Zou hij voor Chicky kunnen werken op Stone House? Juffrouw Queenie schreef me pasgeleden dat ze iemand zocht om haar te helpen.'

Nasey schudde zijn hoofd. 'Dat houdt hij nooit vol.'

'Wel als hij weet dat het of dat is, of de gevangenis.'

'Bel Chicky,' zei Nasey.

Nasey was niet bij het telefoongesprek. Hij stond buiten op straat te wachten tot Rigger terugkwam. Hij zag de jongen komen aanrennen door de straat. Zijn gezicht was bleek en zijn handen trilden. Hij gaf iedereen de schuld behalve zichzelf.

'Als ik moet zitten, Nasey, komt het door jou. De andere jongens hebben me er gewoon uitgegooid. Ze willen me niet eens mijn deel van de opbrengst geven. Het is niet eerlijk. Ik heb het georganiseerd. Ik heb gezorgd dat ze binnen konden komen.'

'Ja, dat heb je gedaan,' zei Nasey grimmig.

'Ik zei nog tegen de anderen dat jij ons niet zou verlinken, maar ze geloven me niet. Ze zeggen dat je al naar de politie bent gegaan. Is dat zo?'

'Nee,' zei Nasey.

'Nou, godzijdank, dat is tenminste iets. Waarom kon je niet gewoon vertrekken?'

'Dat heb ik gedaan, ik ben weggerend, precies zoals je zei.'

'En je gaat het niet vertellen?' Rigger zag eruit als een klein kind.

'Ik hoef het niet te vertellen, Rigger. Meneer Malone weet het zo ook wel.'

'O god, meneer Malone voor en meneer Malone na. Je moest jezelf eens horen!' spotte Rigger. 'Ben je niet oud en wijs genoeg om je eigen baas te zijn in plaats van altijd maar ja en amen tegen hem te zeggen?'

'Ze vinden je toch wel, al zou ik van het ene op het andere moment stom worden en nooit meer spreken,' zei Nasey.

'Hou je mond, Rigger en luister goed,' zei Nuala plotseling.

Hij keek haar geschrokken aan. Haar gezicht stond hard en onverzoenlijk. Hij had nooit eerder meegemaakt dat ze haar stem tegen hem verhief.

'We gaan ervoor zorgen dat je vanavond nog uit Dublin verdwijnt. En je komt niet meer terug.'

'Wat?'

'Er is een vrachtwagenchauffeur die vanavond terugrijdt naar Stoneybridge. Hij zal je naar Stone House brengen.'

'Wat is Stone House? Is dat een school?' Rigger klonk angstig.

'Het is waar je moeder werkte toen ze jong was. Waar ze al die jaren geleden wegging om jou te krijgen. En wat heeft ze daar een plezier van gehad.' Nasey had nog nooit zo bitter geklonken.

Rigger probeerde iets te zeggen, maar zijn oom liet hem niet aan het woord. 'Ga je spullen bij elkaar pakken, geef je telefoon aan mij, zeg tegen niemand waar je heen gaat. Je bent al in Stoneybridge voordat morgenochtend de winkel van de Malones opengaat.'

'Maar je zei dat de politie me toch wel zal vinden.'

'Niet als je hier niet bent. Niet als niemand weet waar je bent.'

'Is dat waar, mam?'

'Chicky wil me voor deze ene keer een dienst bewijzen. De chauffeur was haar idee. Je kunt een week bij haar blijven om te zien hoe het gaat. Als je terugvalt in je oude streken, belt ze ter plekke de politie en zit je voor je het weet hier achter de tralies.'

'Mam!'

'Hou op met dat "mam". Ik ben nooit een goede moeder voor je geweest. Ik deed alleen maar of we een gezinnetje waren, dat was alles en na vanavond is het afgelopen.'

'Nasey?'

'Wat is er?'

'Kom jij niet in moeilijkheden?' vroeg Rigger. Het was het eerste teken dat hij ook om iemand anders dacht dan alleen zichzelf.

'Dat weet ik niet. Dat moeten we afwachten. Ik zal tegen meneer Malone zeggen dat het me heel erg spijt dat ik hem heb overgehaald om jullie die klus op het erf te laten doen. En dat is ook zo, ik heb er enorm veel spijt van.'

'Hij zal je toch niet ontslaan?'

'Wie weet? Ik hoop van niet. Jaren daar gewerkt. Eén fout.'

'En de andere jongens...'

'Zoals je zei, ze hebben je eruit gegooid, je in de steek gelaten. Zij bekommeren zich niet om jou. Jij hoeft je ook niet om hen te bekommeren.'

'Maar als ze gepakt worden?'

'Dat worden ze zeker, maar jij bent dan al ver weg en begint met een nieuwe baan.' Nasey klonk rustig en kil.

Daarna ging het allemaal snel. Riggers tas werd in stilte gepakt. De man met de lege vrachtwagen arriveerde. Zonder woorden gebaarde de chauffeur naar de voorbank. Er zou niet veel gesproken worden op de weg dwars door Ierland.

Zijn moeder wendde zich af toen hij afscheid van haar wilde nemen. Riggers ogen vulden zich met tranen.

'Het spijt me, mam,' zei hij.

'Ja,' zei Nuala.

En toen was hij weg. Hij had nooit geweten dat een reis zo lang kon duren. Hij had ook geen idee wat hem te wachten stond. Ze hadden hem streng geïnstrueerd om er niet over te beginnen met de chauffeur. Hij keek door het raam naar de donkere velden aan weerskanten van de vrachtwagen. Hoe konden mensen op dit soort plekken wonen? Soms lag er een dood konijn of een dode vos op de weg. Hij had graag willen vragen waarom die dieren zich in het verkeer waagden, maar een gesprek voeren was verboden, dus luisterde hij naar een eindeloze stroom country-and-westernliedjes die allemaal gingen over zielepoten en dronkenlappen en mensen die bedrogen waren.

Tegen de tijd dat ze in Stoneybridge aankwamen voelde Rigger zich ellendiger dan ooit in zijn leven.

De chauffeur liet hem achter bij het hek van Stone House. Hier had zijn moeder gewerkt. Gewoond. Geen wonder dat ze nooit terug was gegaan. Zou ze hier in de buurt nog familieleden hebben? Woonde zijn vader hier? Getrouwd met iemand anders misschien?

Rigger vroeg zich af waarom hij deze dingen nooit had gevraagd of ze nooit had willen weten. Wat moest hij hier in hemelsnaam doen tot alles in Dublin was weggezakt, als het dat ooit zou doen?

Hij liep naar de voordeur en klopte aan. Een vrouw met kort, krullend haar deed meteen open en legde haar vinger op haar lippen.

'Kom binnen en doe zachtjes, anders wordt juffrouw Queenie wakker,' fluisterde ze met een licht Amerikaans accent.

Wie waren deze mensen, met namen als Chicky en Queenie?

Wat deed hij hier in deze oude stal van een huis? Hij ging een armoedige keuken binnen met een gebarsten fornuis waarvoor een jong katje zich zat te warmen. Het was wit met een piepklein zwart driehoekig staartje en zwarte oortjes. Toen het katje hem zag begon het meelijwekkend te miauwen.

Rigger pakte het beestje op en streelde zijn kopje. 'Hoe heet het?'

'Het is vanavond pas gekomen, net als jij. Een uur geleden.'

'Mag het blijven?'

'Dat hang ervan af.' Chicky gaf niets zomaar weg.

Voor het eerst keek Rigger haar aan. 'Waar hangt het van af?' vroeg hij.

'Of het bereid is hard te werken, muizen te vangen, of het niet lastig is en of het lief is voor juffrouw Queenie. Dat soort dingen.'

'Ik snap het,' zei Rigger. En dat was ook zo.
'Wat moet ik eerst doen?' vroeg hij.
'Ik vind dat je eerst maar eens moet ontbijten,' zei zij.

En zo begon het. Zijn nieuwe leven.

Het was een krankzinnig idee om van dit huis een hotel te willen maken. Wat voor mensen dachten ze dat hierheen zouden komen, naar dit oord? Maar ja, iets anders was er ook niet.

Juffrouw Queenie was degene die het katje in huis had gebracht. Als jongste van een nestje dat was geboren in een van de boerenhuisjes onder aan de heuvel, was het de vraag of het zou overleven. Juffrouw Queenie had die vraag opgelost door het piepkleine schepseltje op te pakken, in haar zak te stoppen en mee naar huis te nemen. Ze hield het in de palm van haar hand en praatte er sussend tegen, terwijl het katje haar eerbiedig aankeek met zijn enorme grijsgroene ogen; ze had besloten, zei ze tegen Rigger, om het Gloria te noemen. Hij begreep al snel dat juffrouw Queenie net iemand was uit een oude zwart-witfilm, ze wilde graag de tradities van het huis in stand houden, dat er een kleine gong was die aangaf wanneer het etenstijd was en dat de tafel op de juiste manier werd gedekt. Altijd als ze de deur uit ging, droeg ze een keurig hoedje en handschoenen.

Ze leek Rigger te beschouwen als een vriend en als een zeer behulpzaam persoon die precies op tijd was verschenen toen zij hem nodig hadden. Ze vertelde hem lange, verwarde verhalen over mensen die Beatrice en Jessica heetten en anderen die allang gestorven waren. Ze was totaal ongevaarlijk, maar had ze niet allemaal op een rijtje.

Met de woorden van Chicky in gedachten besefte Rigger hoe belangrijk het was om aardig te zijn voor juffrouw Queenie. Hij maakte elke ochtend een kop thee voor haar en bracht die haar in wat ze de 'ochtendkamer' noemden. Hij nam dan meteen ook een kommetje water mee voor Gloria.

Juffrouw Queenie wist dat je katten geen schoteltje melk moest geven, alleen veel water en een zakje kittenvoer; en daar leek Gloria heel goed op te gedijen. Ze sliep het grootste deel van de dag en was duidelijk geen al te snugger katje: ze had angstaanvallen, omdat ze haar staart steeds aanzag voor een ander dier dat achter haar aan zat. Juffrouw Queenie zei dat Gloria dit niet echt kon helpen. Per slot van rekening had haar staart een andere kleur. Juffrouw Queenie had een klein kattenbedje opgemaakt in de hoek van de keuken, bij het fornuis. Als Gloria daarin lag te slapen, kon juffrouw Queenie urenlang tevreden naar haar zitten kijken.

Chicky was minder toeschietelijk. Ze werkte keihard en verwachtte dat hij dat ook deed. Ze had weinig tijd voor een praatje.

Er was zoveel te doen daar.

Hij spitte de wilde, verwaarloosde tuinen van Stone House tot zijn rug pijn deed en zijn gezicht schraal was van de vochtige zeelucht. De grond was hard en stenig en er stonden enorme doornstruiken en braambossen. Ook al probeerde hij zichzelf te beschermen, toch kwam hij onder de schrammen en sneeën te zitten. Hij vond het leuk als Gloria besloot hem gezelschap te houden, met haar driehoekige zwarte staartje recht omhoog terwijl ze snuffelde aan de aarde waarin hij aan het spitten was. Ze dook op blaadjes af en hapte naar twijgen en werd meer dan eens op een snorhaartje na onthoofd als Rigger door de braambossen hakte. Haar nieuwsgierigheid was grenzeloos en onverzadigbaar; onvermoeibaar bleef ze op onderzoek uitgaan, terwijl hij doorwerkte. En als hij even op zijn spade stond te leunen om uit te rusten, rolde ze zich plechtig op haar rug en staarde hem ondersteboven aan.

Op dagen dat de Atlantische stormen tegen het huis beukten en de regen horizontaal aankwam, waren er oude zolders om leeg te ruimen, meubels om te verplaatsen, houtwerk om te schilderen. De oude bijgebouwen werden aangepakt door een paar bouwlieden die het druk hadden met slopen en repareren. Rigger werkte ook voor hen, hij sjouwde bakstenen en tegels aan en houten planken. Hij hakte hout voor de haarden en haalde er elke ochtend de as uit, daarna gaf hij Gloria vers water en voer en zette thee voor juffrouw Queenie.

Ze was een lief oud mensje, een beetje getikt, natuurlijk, maar er zat geen kwaad bij. Ze had overal belangstelling voor en vertelde hem lange verhalen over vroeger toen haar zusters nog leefden. Ze hadden heel graag een tennisbaan willen hebben, maar er was nooit geld geweest om er een aan te leggen.

'Jouw moeder was geweldig in de tijd dat ze hier was. We misten haar heel erg toen ze weg was,' zei juffrouw Queenie soms. 'Niemand kon zulke lekkere aardappelkoekjes bakken als Nuala.'

Dat was nieuws voor Rigger. Hij kon zich niet herinneren dat ze thuis ooit aardappelkoekjes hadden gegeten.

Rigger had een slaapkamer achter de keuken, waar hij, uitgeput, zeven uur per nacht sliep. Op een zaterdag gaf Chicky hem geld voor de bus, een bioscoopkaartje en een hamburger in het naburige stadje.

Niemand had het ooit over de reden waarom hij hier was, of dat hij ondergedoken zat. Er was weinig tijd om vrienden te maken in de buurt, en dat was ook prima wat Rigger betrof. Hoe minder mensen van hem afwisten hoe beter.

En toen kreeg hij het nieuws waar hij op had gewacht.

Nasey belde om het hem te vertellen. Twee jongens waren gearresteerd wegens het stelen van vlees uit de slagerswinkel. Ze waren voor de rechtbank verschenen en hadden zes maanden gevangenisstraf gekregen. De politie had het huis van Nuala een paar weken in de gaten gehouden, maar toen Rigger niet kwam opdagen en niemand wist waar hij heen was gegaan, lieten ze de zaak rusten.

'Hoe hebben ze ze te pakken gekregen?' vroeg Rigger fluisterend.

'Iemand tipte de politie om in de buurt van de Mountainview Estates te gaan kijken en daar waren ze, hondsbrutaal, bezig het vlees langs de deuren te verkopen.'

Rigger wist dat die 'iemand' Nasey zelf moest zijn geweest, maar hij zei er niets over. 'En je eigen baan, Nasey?'

'Heb ik nog. Meneer Malone heeft soms medelijden met me omdat jij bent weggelopen. Hij heeft zelfs een keer tegen me gezegd dat het voor jou misschien wel beter is dat je weg bent uit Dublin.'

'Ik snap het.'

'En misschien heeft hij wel gelijk, Rigger.'

'Nogmaals bedankt, Nasey. En mam?'

'Ze is nog steeds niet over de klap heen. Ze had zich er zo op verheugd dat jij thuis zou komen uit die school, ze telde de dagen, kun je wel zeggen. Ze had zoveel plannen voor je en nu is dat allemaal voorbij.'

'Ach nee, het is niet allemaal voorbij. Niet voorgoed. Ik kan toch terugkomen, nu de anderen vastzitten?'

'Nee, Rigger, die jongens hebben vrienden. Ze horen bij een bende. Ik zou je aanraden om een hele tijd weg te blijven.'

'Maar ik kan toch niet voor altijd hier blijven,' klaagde Rigger.

'Je zult er toch nog wel even zitten,' waarschuwde Nasey.

'Ik vind het naar dat mam me niet schrijft, zoals toen ik op die school zat.'

'Ik denk dat ze dat niet kan opbrengen. Nog niet in elk geval. Je kunt zelf natuurlijk altijd aan haar schrijven,' zei Nasey.

'Ja, dat zou ik kunnen doen, denk ik...'

'Goed zo, goed zo.' En weg was Nasey.

Misschien wilde juffrouw Queenie hem wel helpen om zijn moeder te schrijven.

En inderdaad, ze hielp hem daar geweldig bij. Ze vertelde hem dingen die Nuala zouden interesseren: dat de garage verkocht was, dat de nieuwe huizen van de O'Hara's – waarmee ze miljonair hadden willen worden – al hun waarde verloren hadden en net witte olifanten waren zonder kopers. Dat vader Johnson een nieuwe kapelaan had die nu het grootste deel van het werk in de parochie deed.

Rigger wist niet of zijn moeder dit allemaal interesseerde, want ze schreef nooit terug.

'Waarom zou ze me niet terugschrijven, denkt u?' vroeg hij aan juffrouw Queenie.

De oude dame had geen idee. Haar lichtblauwe ogen stonden bezorgd en bedroefd om hem, terwijl ze Gloria aaide die op haar knie zat. Het was vreemd, zei ze, Nuala was altijd zo trots op hem geweest en had zelfs foto's gestuurd van zijn doop en zijn eerste communie. Misschien dat Chicky het wist.

Zenuwachtig vroeg hij het aan Chicky, die kortaf zei dat hij blijkbaar een al te zonnige kijk had op het leven als hij echt dacht dat zijn moeder over alles heen was.

'Het was voor haar niet gemakkelijk om midden in de nacht mij te bellen. We hadden elkaar twintig jaar niet gezien en nu moest ze tegen me zeggen dat ik de enige persoon op aarde was die haar kon helpen. Dat was vast niet leuk voor haar. Ik zou het verschrikkelijk hebben gevonden.'

'Ja, dat weet ik. Maar kunt u niet tegen haar zeggen dat ik veranderd ben?' smeekte hij.

'Dat heb ik gedaan.'

'En waarom schrijft ze dan niet terug?'

'Omdat ze denkt dat het allemaal háár schuld is. Ze wil niets meer met je te maken hebben. Het spijt me dat ik zo hard ben, maar je vroeg ernaar.'

'Ja, dat is zo.' Hij was totaal van zijn stuk.

Langzamerhand had Rigger echt belangstelling gekregen voor dit idiote plan om het oude huis te veranderen in een chic gasthuis. Het grove werk was gedaan en het terrein was vrij gemaakt; het was tijd om met de herbouw te beginnen. Daarvoor zouden echte aannemers worden ingeschakeld. Vol verbazing keek hij toe hoe de tekeningen voor de badkamers en de centrale verwarming werden uitgespreid over de keukentafel, waar Gloria ze van de ene kant naar de andere mepte. Hij wist dat er besprekingen gaande waren met bankiers en verzekeringsadviseurs, dat er in de toekomst ontwerpers zouden komen.

Hij was er niet op voorbereid dat Chicky hem ander werk zou aanbieden.

'Je woont hier nu zes maanden en je bent een geweldige hulp geweest, Rigger,' zei ze op een avond, nadat juffrouw Queenie naar bed was gegaan. Hij was heel blij met haar compliment. Zoveel had hij er tot nu toe niet gekregen. Rigger wachtte af wat er nog meer zou komen.

'Als de bouwvakkers goed en wel bezig zijn over een paar weken, heb ik hulp nodig om juffrouw Queenie heen en weer te brengen naar dokter Dai en het gezondheidscentrum. Kun je rijden?'

'Ja, dat kan ik,' zei Rigger.

'Maar heb je een rijbewijs? Heb je rijexamen gedaan of zoiets?'

'Ik ben bang van niet,' gaf Rigger toe.

'Dat moet je dan eerst doen – neem rijles bij Dinny van de garage en doe examen. Kun je dingen verbouwen?'

'Wat voor dingen?'

'We hebben hier straks onze eigen producten nodig: aardappelen, groenten, fruit. We moeten ook kippen hebben.'

'Meen je dat nou?' Soms dacht Rigger dat Chicky gek was.

'Ja, dat meen ik. We moeten onze gasten iets speciaals te bieden hebben; ze het gevoel geven dat dit huis ze van voedsel voorziet in plaats van dat we naar de stad gaan en het allemaal in de supermarkt kopen.'

'Ik snap het,' zei Rigger, die er niets van snapte.

'Dus ik zat te denken: als ik je benoem tot mijn bedrijfsleider en je een behoorlijk salaris betaal, dan heb je meer het gevoel dat je een aandeel hebt in deze zaak. Dan is het niet meer alleen een plek om je te verbergen. Het is dan een echte baan met een echte toekomst.'

'Hier? In Stoneybridge?' Rigger kon zich niet voorstellen dat iemand voor hem een toekomst zag in dit oord.

'Ja, precies, hier in Stoneybridge. Het ziet er voorlopig niet naar uit dat je naar Dublin terug kunt. Ik hoopte dat je ervoor zou voelen je hier te vestigen en iets van je leven te maken.'

'Ik ben je dankbaar en alles, maar...'

'Maar wat, Rigger? Maar je ziet een glanzende toekomst voor jezelf in Dublin, met het stelen van vlees en het in elkaar slaan van fatsoenlijke slagers die proberen hun zaak te beschermen?'

'Ik heb niemand in elkaar geslagen,' zei hij verontwaardigd.

'Dat weet ik. Waarom denk je anders dat ik je in huis heb genomen? Je hebt Nasey het leven gered, zegt hij. Hij was ervan overtuigd dat je een nieuwe start moest krijgen. Die probeer ik je te geven, maar je maakt het me niet makkelijk.'

'Mag je me eigenlijk wel, Chicky?'

'Ja, toch wel. Ik had het niet verwacht, maar ik mag je. Je bent heel aardig tegen Queenie, je bent lief voor het poesje, je hebt veel goede kanten. Je bent nog heel jong. Ik wilde ervoor zorgen dat je wat dingen leerde en dat je een beetje een leuk leven kreeg. Maar je smijt het me terug in mijn gezicht en zegt dat het leven hier niets waard is. Dus nu ben ik een beetje in de war.'

'Het is gewoon niet hoe ik me mijn leven had voorgesteld,' zei hij.

'Ik had me mijn leven ook niet zo voorgesteld. Maar ergens onderweg moeten we oprapen wat we vinden en daarmee verdergaan.'

'Jouw pech was niet je eigen schuld,' zei Rigger.

'Op een bepaalde manier waarschijnlijk wel.' Ze keek hem niet aan.

'Maar dat je man omkwam en alles – daar kon jij niets aan doen.'

'Nee, dat is zo.'

'Ik wil graag je bedrijfsleider worden, als je me nog wilt,' zei hij.

'Morgenochtend beginnen we met het aanleggen van de moestuin en morgenmiddag heb je je eerste rijles bij Dinny. Morgenavond kun je beginnen met het leren van de verkeersregels. Daar zorgt juffrouw Queenie voor.'

'Ik ben er klaar voor,' zei Rigger.

'En ik zal een rekening voor je openen bij het postkantoor. Ik stort daarop elke week de helft van je salaris en de andere helft geef ik je contant. Zo kun je wat leuke kleren kopen en een meisje meevragen om te gaan dansen of wat dan ook.'

'Mag ik het aan mijn moeder en Nasey vertellen?'

'O ja, natuurlijk. Maar ik zou van je moeder niet al te veel verwachten.'

'Het zal de eerste keer zijn dat ze goed nieuws over mij krijgt,' zei hij.

'Nee, ze was dolblij met jou, toen je was geboren. In een brief vertelde ze er alles over aan juffrouw Queenie. Je woog zes pond, blijkbaar. Maar nu is alles anders. Volgens Nasey heeft ze een soort depressie en zou ze naar een dokter moeten, maar daar wil ze niet van horen.'

Chicky dacht dat ze tranen in Riggers ogen zag, maar ze wist het niet zeker.

De rijlessen gingen goed. Volgens Dinny was Rigger onbevreesd maar roekeloos, alert maar ongeduldig. De verkeersregels waren een kwelling, maar juffrouw Queenie vond het heerlijk om hem elke avond te overhoren.

'Wat betekent een rond bord met een diagonale streep erdoor aan de rand van een stad?' vroeg ze dan.

'Dat je zo hard mag als je wilt?' probeerde Rigger.

'Nee, fóút, het betekent dat je de maximumsnelheid mag,' riep juffrouw Queenie triomfantelijk.

'Dat bedoelde ik ook.'

'Je bedóélde zo hard als je wilt,' zei juffrouw Queenie. 'Daarop hadden ze je laten zakken.'

Hij slaagde moeiteloos voor het examen.

Hij reed juffrouw Queenie overal naartoe: naar haar afspraken met dokter Dai, naar het ziekenhuis voor onderzoek, naar de dierenarts om Gloria te laten steriliseren.

'Eigenlijk wel sneu voor haar dat ze geen jonkies kan krijgen,' had juffrouw Queenie gezegd terwijl ze het kleine katje op haar schoot aaide.

'Dan zouden we die toch ergens moeten zien onder te brengen, juffrouw Queenie. We kunnen geen huis vol katten hebben als de gasten komen.' Hij besefte dat hij zichzelf begon te zien als deelnemer aan het hele project.

'Zou jij later kinderen willen hebben, Rigger?' Alleen zij stelde zulke vreemde, directe vragen.

'Ik denk het niet, eerlijk gezegd. Volgens mij krijg je er meer verdriet van dan plezier. Uiteindelijk stellen ze je alleen maar teleur.' Hij wist dat hij bitter klonk, en probeerde te lachen om zijn toon te verzachten. Juffrouw Queenie had het niet echt opgemerkt.

'Wij zouden heel graag kinderen hebben gewild, Jessica, Beatrice en ik. We stelden ons altijd voor hoe onze kinderen rond Stone House zouden spelen, wat nogal dom was, want als we echt waren getrouwd, zouden we hier niet eens meer hebben gewoond. Het was maar een droom, natuurlijk.'

'En is er wel eens iemand geweest met wie u had willen trouwen, juffrouw Queenie?' Rigger was zelf verbaasd dat hij zoiets aan juffrouw Queenie vroeg.

'Er was één jongeman… O, wat had ik graag met hem willen trouwen, maar helaas, er kwam tbc voor in zijn familie, dus hij kon helemaal niet trouwen.'

'Waarom niet?'

'Omdat het een longziekte was, en anderen zouden besmet kunnen raken en dan zouden de kinderen het ook krijgen. Hij stierf in een sanatorium, die arme, arme jongen. Ik heb de brieven nog die hij me schreef.'

Rigger gaf een klopje op haar hand en daarna, verlegen, ook op het kopje van Gloria. Zwijgend reden ze verder tot ze bij de dierenarts waren.

'Wees maar niet bang, Gloria, je voelt er niets van, lieverd. En ach, er is meer in het leven dan seks en jonkies,' zei juffrouw Queenie geruststellend, terwijl ze de spinnende poes overhandigde.

De dierenarts en Rigger wisselden een blik. Dit was niet wat er meestal in de behandelkamer werd gezegd.

Terwijl Gloria werd geopereerd, gingen Rigger en juffrouw Queenie boodschappen doen aan de hand van Chicky's lijstje. Verwonderd merkte Rigger op hoeveel mensen hem van naam kenden in Stoneybridge en de streek daaromheen. Zijn moeder zou vast blij zijn als ze wist dat hij zo ingeburgerd was op de plek waar zij was opgegroeid.

Maar nog steeds liet ze niets van zich horen.

Hij had Nuala geschreven over de kuikentjes van een dag oud die ze hadden gekocht en hoe ze die moesten beschermen tegen Gloria, die haar vaardigheden als jager op ze wilde oefenen; en hoe moeilijk het was om aardappels te poten. Hij schreef haar dat de aannemer een fortuin had begroot om een ommuurde tuin aan te leggen en dat Rigger die muur dus maar zelf had gebouwd, steen voor steen en daarbinnen plantenbedden had aangelegd. Hoe elke keer als hij een gat groef om iets te planten, Gloria eraan kwam en erin ging zitten, en hem ernstig aanstaarde. Desondanks groeiden er nu struiken en planten tegen de muur omhoog, die leiplanten werden genoemd. Ze hadden stokbonen en courgettes en hele rijen sla en kruiden.

Hij schreef zijn moeder niet over de mooie Carmel Hickey, een meisje dat hard voor haar eindexamen leerde, maar af en toe over te halen was om mee naar de bioscoop te gaan of een ritje langs de kust te maken met Rigger.

Sommige buren, en zelfs Carmels eigen familieleden, maakten zich er zorgen over dat Rigger in Stone House woonde met die twee vrouwen.

Chicky moest daarom lachen. Mensen zeiden dat het een vreemde indruk maakte, dat was alles. Maar zij wuifde het weg en hun leventje ging gewoon door, ze maakten lange dagen en hadden heel wat te stellen met mensen die niet op tijd of helemaal niet kwamen opdagen. Ze leerde Rigger om het soort eten klaar te maken dat juffrouw Queenie lekker vond: kleine scones en omeletten. Hij had het snel onder de knie. Het was gewoon weer iets om te leren.

Soms vroeg Rigger Chicky om raad over wat meisjes leuk vonden. Hij wilde iets bijzonders doen voor Carmel. Had zij een idee?

Chicky dacht dat Carmel het wel leuk zou vinden om naar de kermis te gaan die elk jaar in een naburig stadje kwam. Er zou vuurwerk zijn en botsautootjes, een reuzenrad en heel veel plezier.

En Carmel vond het inderdaad heel leuk.

Het was ontroerend om te zien hoe Rigger zich piekfijn aankleedde om zijn meisje mee uit te nemen in het oude busje. Chicky zuchtte, terwijl ze ze weg zag rijden in de richting van de kliffen. Rigger dronk niet, dus ze maakte zich nooit zorgen over mogelijke gevaren. Ze had niet kunnen voorzien welk gesprek ze een paar maanden later zou voeren.

Carmel was zwanger.

Carmel Hickey, zeventien jaar oud en op het punt haar eindexamen te doen, zou een kind krijgen van Rigger, die achttien was. Ze hielden van elkaar, dus ze zouden samen weglopen naar Engeland en daar trouwen. Het speet Rigger heel erg om Chicky zo in de steek te laten, maar het was het enige wat ze konden doen. Van een abortus kon geen sprake zijn en de ouders van Carmel zouden hen allebei vermoorden. De familie Hickey zou dit niet accepteren.

Chicky bleef onnatuurlijk kalm.

Om te beginnen, zei ze, mochten ze het niemand vertellen. Helemaal niemand.

Carmel moest gewoon examen doen, alsof er niets aan de hand was. Dan, over drie weken, als het examen achter de rug was, konden ze trouwen, hier in Stoneybridge, en dan verder zien.

Rigger keek haar aan alsof ze gek was geworden.

'Chicky, je hebt geen idee hoe ze zijn. Ze villen me levend. Ze hebben zulke hoge verwachtingen van haar: een carrière, een mooi leven en uiteindelijk een goede vangst als echtgenoot. Ze willen niet dat ze trouwt met een misbaksel als ik. Ze vinden het nooit goed. In nog geen miljoen jaar. We moeten wel weglopen.'

'Er is al te veel weggelopen,' zei Chicky. 'Je moeder is weggelopen. Ik ben weggelopen. Jij bent weggelopen. Eens moet het ophouden. Laat het nu ophouden.'

'Maar wat heb ik Carmel te bieden?'

'Je hebt een baan hier – een goede baan – je hebt nu al spaargeld. Je mag van mij in het huis naast de moestuin wonen. Daar kun je voor jullie een thuis maken. Jij levert alle verse producten aan Stone House en aan wie je ze maar kunt verkopen. Je bent een echte zakenman, in godsnaam. Het zal vandaag de dag niet meevallen om iemand te vinden die zo goed in staat is om hun dochter een thuis te bieden.'

'Nee, Chicky, je weet niet hoe ze zijn.'

'Ik weet wél hoe ze zijn. Ik ken de Hickeys al mijn hele leven. Ik zeg niet dat ze er blij mee zullen zijn, maar dat is heel wat minder erg dan dat ze de politie op jullie afsturen om jullie in Engeland te zoeken of het Leger des Heils vragen om jullie op te sporen.'

'Trouwen? Hier in Stoneybridge?'

'Als dat is wat je wilt, ja. Ik vind dat jullie allebei nog te jong zijn. Je zou ook veel later kunnen trouwen, maar als je het nu wilt, laat vader Johnson dan maar aan mij over.'

'Het zal nooit werken.'

'Wel als je je mond houdt en eerst dat huis afbouwt. Je moet het aan de Hickeys kunnen laten zien op de dag dat jullie hun over Carmels zwangerschap vertellen.'

'Chicky, denk na. Als het al zou werken, krijgen we dat nooit voor elkaar in drie weken of een maand.'

'Wel als ik tegen de bouwvakkers zeg dat Stone Cottage nu voorgaat. En je kunt wat meubels nemen die we hier hebben opgeslagen.'

Hij keek haar aan met een sprankje hoop in zijn ogen. 'Denk je echt...'

'We mogen geen minuut verspillen, en vertel het ook niet aan je moeder. Nog niet.'

'O god, zij zal ook woest zijn. Nog meer slecht nieuws.'

'Niet als ze het in één keer hoort. Niet als ze hoort dat je een huis hebt, een goede baan en een bruid. Wat is daar voor slecht nieuws aan? Zijn dat niet de dingen die ze altijd heeft gehoopt voor jou?'

Carmel Hickey bleek verbazingwekkend praktisch. Ze zwoer dat ze zich op haar examens zou concentreren, en hield vol dat ze boekhouden en handelskennis ging studeren om carrière te maken. Ze stond erop dat Rigger elke minuut van de dag besteedde aan het op orde krijgen van Stone Cottage. Ze leek enorm opgelucht dat ze niet het emigrantenschip naar Engeland zouden nemen om daar van de wind te gaan leven.

Carmel had het volste vertrouwen in Chicky, zelfs als het erom ging vader Johnson uit hun buurt te houden.

En het vertrouwen van Carmel was terecht. Tegen de tijd dat de eindexamens voorbij waren, was vader Johnson ervan overtuigd dat een goed christelijk huwelijk, voltrokken tussen twee inderdaad nogal jonge en ook wel min of meer zwangere mensen, iets goed was in plaats van iets slechts.

En toen de Hickeys begonnen te klagen en protesteren, berispte vader Johnson ze en herinnerde hij hen eraan dat ze God niet in de weg mochten staan.

De Hickeys waren al wat met het idee verzoend na hun eerste bezoek aan Stone Cottage en nadat ze hadden gezien dat Rigger eigen baas was, in plaats van de klusjesman van Chicky. Ze moesten toegeven dat het huis heel comfortabel was en 'goed ingericht', zoals zij het noemden.

Gloria had besloten om het plaatje compleet te maken. Ze zat zich te wassen bij het kleine fornuis, en zorgde zo voor een huiselijke sfeer. Ze hadden oude lampen waar de dames Sheedy dol op waren geweest, tevoorschijn gehaald en gepoetst, tapijten gemaakt door de beste gedeelten uit oude kleden te snijden en alles fris geschilderd.

Het zou een bescheiden en rustige huwelijksplechtigheid worden. Ze wilden geen gedoe.

Nuala wenste ze geluk in een briefje en een kort telefoongesprek, maar zei dat ze niet naar de bruiloft kon komen.

'Ach, mam, ik zou het zo fijn vinden als je kwam om Carmel te leren kennen en ons huis te zien.' Rigger had niet verwacht dat ze zou weigeren te komen.

'Ik kan het niet, Rigger. Het zou niet werken. Ik wens jullie beiden geluk en het beste voor de toekomst. Ik weet zeker dat ik jullie op een dag zal komen opzoeken.'

'Maar ik trouw maar één keer, mam.'

'Dat is één keer vaker dan ik,' zei Nuala.

'Waarom ben je nog steeds tegen me, mam? Ik heb al dat stomme gedoe achter me gelaten. Waarom wil je niet komen en erbij zijn als we trouwen?'

'Ik heb jou in de steek gelaten, Rigger. Ik heb je niet goed opgevoed. Ik kon niet voor je zorgen of je de weg wijzen. Ik heb je een puinhoop van je leven laten maken. Ik heb geen rol gespeeld in wat je nu bent. Dat heb je allemaal zonder mij gedaan.'

'Praat niet zo, ik zou nergens zijn, als jij er niet was geweest. Ik was de sufferd die niet wilde luisteren. Kom alsjeblieft, mam.'

'Deze keer niet, Rigger. Later misschien.'

'En over de baby... als het een meisje is, willen we haar Nuala noemen.'

'Niet doen! Alsjeblieft, doe dat niet. Ik weet dat jullie me daar een plezier mee willen doen, maar echt, ik wil het niet.'

'Waarom niet, mam? Waarom zeg je dat?'

'Omdat ik het niet waard ben. Wanneer heb ik ooit iets goed gedaan voor jou, Rigger? Iets wat werkte? Dat vraag ik me telkens opnieuw af en ik kan er geen antwoord op vinden.'

Als huwelijkscadeau stuurde ze een dure glazen vaas met een kaart waarop stond dat het haar erg speet dat ze niet persoonlijk aanwezig kon zijn.

Carmel begreep het.

'We moeten haar met rust laten tot ze er klaar voor is. Als de baby is geboren, staat ze ineens voor onze neus en dan kunnen we haar laten zien wat een goede zoon ze heeft afgeleverd.'

De huwelijksdag zelf verliep beter dan ze hadden durven hopen. Nasey kwam over uit Dublin met Riggers neef Dingo.

Nasey streek alles glad bij de Hickeys. Riggers moeder zou er zeker bij zijn geweest als ze had gekund, maar helaas, ze had zich niet sterk genoeg gevoeld om te reizen. Ze wenste iedereen veel geluk.

Alleen aan Chicky vertelde hij dat zijn zus zich steeds verder terugtrok.

Niet nodig om dit aan de jongen te vertellen en hem van streek te maken, maar het leek of ze zich helemaal van hem had losgemaakt.

Juffrouw Queenie had zich schitterend uitgedost voor de bruiloft, in een donkerroze jurk die ze vijfendertig jaar geleden voor het laatst had gedragen, en een bijpassende hoed met bloemen langs de rand. De Hickeys kregen waar voor hun geld op deze trouwerij.

Bij de lunch in Stone Cottage serveerde Chicky een heerlijke geroosterde lamsbout en ze hadden een bruidstaart gemaakt die zich kon meten met elke taart die de Hickeys in een vijfsterrenhotel hadden kunnen zien, als ze daar ooit geweest waren. Er was geen huwelijksreis; het jonge paar had het druk met het bouwen van de kippenrennen en de nieuwe melkstal. Drie koeien die op de veemarkt waren gekocht, stonden al in de wei te grazen. Stone Cottage zou melk van eigen land produceren voor de gasten, en ook yoghurt en zelfs biologische boter. Er was een heleboel te doen.

Carmel hielp Chicky met het maken van de kleurenschema's voor de slaapkamers. Ze had er oog voor en leerde snel waar materialen tot hun recht kwamen. Ze twijfelde grondig aan de dure adviezen en smaak van sommige interieurontwerpers die ze in de loop van de tijd ontmoetten.

'Echt, Chicky, zij weten er niets meer van dan wij. Minder eigenlijk, want jij kent dit huis nog van vroeger. Zij proberen alleen maar hun eigen stempel erop te drukken.'

Maar Chicky zei dat ze al zoveel uitgaven dat de kosten voor een interieurontwerper er ook nog wel bij konden. En dan zouden ze tenminste weten of ze in de juiste richting zaten.

Chicky's nicht Orla was hier niet zeker van, maar stemde met haar in. Laat de ontwerpers het maar eens proberen. Orla was voor een vakantie uit Londen overgekomen. Maar ze had nog steeds niet toegezegd dat ze lid zou worden van Chicky's team.

'Ik kan nu echt niet terugkomen naar Stoneybridge, niet na Londen en ik word gek van mijn moeder. Chicky, kan ik bij jou in Stone House logeren? Er is ruimte genoeg,' smeekte Orla.

'Nee, ik heb in het verleden al genoeg gedaan om de familie te ergeren, ik heb geen zin om ervan beschuldigd te worden dat ik jou heb ingepikt. Ga maar gewoon bij je moeder thuis slapen.'

'Dat kan ik niet. Ze zit me de hele tijd op mijn nek: waarom ben ik niet verloofd met een bankier, zoals Brigid O'Hara? Wat heb ik gedaan in Londen, dat ik niet een of andere stinkend rijke jongen heb ontmoet, net als Brigid?'

'Ik wil Kathleen ook niet op mijn nek. Je zult het moeten volhouden, Orla. En mocht je toch besluiten om bij mij te komen werken, zoek dan een huis voor jezelf. Er staan allerlei vervallen huisjes te koop voor een appel en een ei. Koop er een en knap het op.'

'Dat zou betekenen dat ik voor eeuwig hier in Stoneybridge blijf.'

'Welnee. Je kunt het altijd verhuren of verkopen. Ik zou je een geweldige opleiding geven. Als ik met je klaar ben, kook jij de sterren van de hemel. Maar je moet niet in dit huis gaan wonen. Aan het eind van de werkdag moet je het huis van je af kunnen schudden.'

'Je bent een tiran, dat ben je.'

'Nee, ik heb gewoon veel ervaring,' zei Chicky.

Rigger en Carmel, die zich hadden voorgenomen om zich tegenover iedereen te bewijzen, werkten van 's morgens vroeg tot 's avonds laat om hun plannen waar te maken. Rigger wilde groenten gaan verkopen bij afgelegen boerderijen in de buurt van Rocky Ridge, maar Carmel waarschuwde hem dat haar neven, die de plaatselijke groentewinkel runden, dit niet zouden waarderen en zouden zeggen dat Rigger en Carmel hun het brood uit de mond stootten. Dus in plaats daarvan gingen ze marmelades en jams maken. Die deden ze in aardige glazen potjes met een afbeelding van Stone Cottage erop.

Net zoals Chicky moesten ze zaken zien te doen zonder de plaatselijke winkeliers, die hun brood hier in de streek verdienden, tegen zich in het harnas te jagen. Ze moesten met nieuw aanbod komen, zonder het bestaande te verdringen.

Het duurde niet lang voordat hotels en toeristenwinkels afnemers van ze werden en om meer vroegen.

Carmel vond een paar oude kookboeken en leerde chutneys maken en pickles en een erg lekkere, typisch Ierse pudding, gemaakt van het roodbruine zeewier dat hier op het strand aanspoelde. Chicky wist nog dat vroeger, toen zij jong was, de mensen hiervan een saaie, melkachtige pudding hadden gemaakt, maar het gerecht van Carmel was andere koek. Met eieren en citroen en suiker was het zo licht als een veertje en ze gaf er stijfgeslagen room bij, afgemaakt met een scheutje Ierse whiskey.

Juffrouw Queenie had erg veel belangstelling voor de nieuwe baby. Zij was de eerste die het nieuws te horen kreeg toen Carmel en Rigger verbijsterd terugkwamen uit het ziekenhuis waar ze hadden gehoord dat er niet één baby zou komen, maar twee.

Dokter Dai Morgan, afkomstig uit Wales en als tijdelijk vervanger naar Stoneybridge gekomen, nu bijna dertig jaar geleden, was dolblij voor hen.

'Twee keer zoveel plezier voor de helft van de moeite,' zei hij tegen de twee jonge mensen, die het nog niet konden bevatten.

'Wat geweldig! In één keer een kant-en-klaargezin, en ze kunnen elkaar mooi gezelschap houden.' Juffrouw Queenie klapte in haar handen.

Dat was precies wat Rigger en Carmel nodig hadden na hun eigen eerste reactie: dat het al moeilijk genoeg zou zijn om één baby te hebben, laat staan twee.

Het viel niet mee om Carmel zover te krijgen dat ze het rustiger aan ging doen. Maar samen slaagden ze erin haar te doen beseffen dat dit nu het belangrijkst was.

Langzaam gingen de weken voorbij. Carmel had haar koffertje klaarstaan. Rigger sprong al op als ze een keer diep ademhaalde.

Het gebeurde midden in de nacht. Rigger hield het hoofd koel. Hij belde dokter Morgan, die tegen hem zei dat hij meteen Chicky wakker moest maken en haar moest vragen alles klaar te zetten. Het klonk alsof het te laat was voor het ziekenhuis. Hij zou er in tien minuten zijn, en voor ze het in de gaten hadden, stond hij al voor de deur van Stone Cottage.

Chicky was er ook, met handdoeken, en zij leek alles zo onder controle te hebben dat ze tot rust kwamen. Ruim voor het aanbreken van de dag waren het meisje en het jongetje geboren en lagen ze in de armen van Carmel.

Toen juffrouw Queenie aan het ontbijt verscheen, trof ze daar Chicky en dokter Dai aan met een cognacje bij hun koffie.

'Ik heb het allemaal gemist,' zei ze teleurgesteld.

'U kunt over een halfuurtje naar ze toe. Nu is de verpleegster er. Ze maken het allemaal goed,' zei de dokter.

'Dank de Lieve Heer daarvoor. Nou, ik denk dat ik ook wel een drupje cognac kan gebruiken, om de hoofdjes van de baby's te besprenkelen.'

Ze liepen de hele dag in en uit om naar de nieuwe baby's te kijken.

Juffrouw Queenie zag nu al een familiegelijkenis, al waren ze pas een paar uur oud. Het jongetje was sprekend Rigger, het meisje had de ogen van Carmel. Ze was razend benieuwd hoe ze ze zouden noemen.

Chicky wilde net zeggen dat de ouders waarschijnlijk wat tijd nodig hadden, maar nee, ze hadden de namen al. De jongen zou Macken heten, naar de vader van Carmel, en het meisje zou Rosemary heten. Of misschien Rosie.

'Hoe komen jullie bij die naam?' vroeg Chicky.

'Het is de naam van juffrouw Queenie. Zij is Rosemary gedoopt,' zei Rigger.

Chicky glimlachte door haar tranen heen naar hem. Stel je voor, Rigger, de chagrijnige, opstandige jongen die voor haar deur was verschenen, die dit wist en zo lief was geweest om het oude dametje eer te bewijzen. Ze voelde een golf van verdriet opkomen omdat Nuala niet in de feestvreugde kon delen. Het was of zijzelf Nuala's rol had overgenomen als tweede grootmoeder van de baby's. Nuala had hier moeten zijn en de strijd om de macht moeten aangaan met oma Hickey, in plaats van zich in Dublin onder te dompelen in een onzinnig schuldgevoel en zich dood te werken voor niets.

Maar wat bood juffrouw Queenie een heerlijke aanblik. Niemand had ooit zo graag op kinderen willen passen als zij.

'O, ik had nooit gedacht dat ik dit nog zou meemaken!' zei juffrouw Queenie vol verwondering. 'Weet je, eigen kinderen zijn er niet gekomen en ik heb nooit nichtjes gehad, dus er zou niemand naar mij worden vernoemd, en nu gebeurt dat toch.'

Er werd neuzen gesnoten en kelen geschraapt en toen vroeg juffrouw Queenie ineens: 'Is Nuala niet dolblij dat de baby's er zijn?'

Nuala.

Nog niemand had het haar verteld.

'Als je wilt dat ik het...' begon Chicky.

'Nee, ik bel haar zelf,' zei Rigger. Hij maakte zich los van het groepje en toetste zijn moeders nummer.

'O, Rigger?' Ze klonk moe, maar waarschijnlijk was ze ook moe. Wie weet hoeveel schoonmaakwerk ze tegenwoordig aannam.

'Ik dacht dat je het wel zou willen weten. De baby's zijn er: een jongen en een meisje.'

'Dat is goed nieuws. Is alles goed met Carmel?'

'Ja, prima. Het ging allemaal heel snel en de kinderen zijn volmaakt. Volmaakt. Ze wegen allebei vierenhalf pond. Ze zijn prachtig, mam.'

'Dat geloof ik graag.' Haar stem klonk eerder vlak dan enthousiast.

'Mam, toen ik geboren werd, ging het toen snel, of duurde het lang?'

'Het duurde lang.'

'En was je helemaal in je eentje in het ziekenhuis?'

'Nou, er waren natuurlijk verpleegsters en andere moeders die een baby kregen.'

'Maar was er niemand speciaal voor jou bij je?'

'Nee. Wat maakt dat nu nog uit? Het is lang geleden.'

'Dat moet heel naar voor je geweest zijn.'

Het bleef stil.

'We noemen ze Rosie en Macken,' zei hij.

'Dat is mooi.'

'Je hebt zelf gezegd dat je niet wilde dat we haar Nuala noemden.'

'Ja, dat is zo, Rigger, en ik meende het. Hou op met je te verontschuldigen. Rosie is prima.'

'Ze gaat de wereld veroveren, mam. Zij en haar broer.'

'Ja, natuurlijk.'

En weg was ze.

Wat voor soort vrouw kon onverschillig blijven bij de geboorte van haar kleinkinderen? Het was niet normaal. Maar sinds die avond na de gebeurtenissen in de slagerij van Malone was mam niet meer normaal geweest. Had hij haar gek gemaakt?

Rigger weigerde zich hierdoor uit het veld te laten slaan. Dit was de mooiste dag van zijn leven.

Die zou hij niet laten bederven.

Er waren mensen genoeg om met de tweeling te helpen en de baby's voelden zich in het grote huis al snel net zo op hun gemak als thuis in de cottage. Vaak lagen ze in de kinderwagen te slapen, terwijl Chicky en Carmel aan de keukentafel catalogi en staaltjes stof zaten te bekijken. Of, als iedereen weg was, zat juffrouw Queenie daar naar hun gezichtjes te kijken. Waarbij ze af en toe Gloria op schoot nam, omdat de kat anders misschien jaloers werd.

Nasey kondigde aan dat hij in Dublin ging trouwen met een geweldige vrouw die Irene heette. Hij hoopte dat Rigger en Carmel naar de bruiloft konden komen.

Ze bespraken het. Ze wilden niet weg van huis, maar toch wilden ze erheen, om Nasey te steunen, zoals hij hun had gesteund. En ze waren ook razend nieuwsgierig naar Irene. Ze hadden gedacht dat Nasey veel te oud was voor romantiek. Het zou ook de ideale manier zijn om Nuala te ontmoeten op neutraal terrein.

'Ze is vast helemaal weg van de kinderen, zodra ze ze ziet,' zei Rigger.

'We kunnen Rosie en Macken niet meenemen.'

'Maar we kunnen ze ook niet achterlaten.'

'Jawel, dat kan best. Voor één nachtje. Chicky en juffrouw Queenie willen wel voor ze zorgen. Mijn moeder ook. Er zijn wel tien mensen die dat willen doen.'

'Maar ik wil dat zij ze ziet.' Rigger klonk als een jongetje van zes.

'Ja, als ze er klaar voor is, zal ze ze heus wel leren kennen. Ze is er nu nog niet aan toe. Trouwens, wij zouden dan op de trouwerij in het middelpunt van de belangstelling komen te staan met onze babytweeling. Het is de dag van Nasey en Irene.'

Hij zag de redelijkheid hiervan in, maar zijn hart was zwaar om de moeder die niet in staat was tot een klein beetje toenadering. Hij wist dat Carmel gelijk had. Deze keer niet: het was genoeg dat hij zelf zijn moeder weer zou zien. Je moest de dingen stap voor stap doen.

Toen Rigger zijn moeder zag, herkende hij haar nauwelijks.

Ze leek veel ouder geworden. Ze had lijnen in haar gezicht die hij zich niet herinnerde en ze liep gebogen.

Kon dat allemaal in zo'n korte tijd gebeurd zijn?

Nuala deed heel vriendelijk tegen Carmel, maar leek ook zo afwezig dat het bijna beangstigend was. Op het feest in de pub nam Rigger zijn neef Dingo apart.

'Weet jij wat er aan de hand is met mijn moeder? Ze is zichzelf niet.'

'Zo is ze al een hele tijd,' zei Dingo.

'Hoe? Alsof ze er maar half bij is?'

'Alsof ze er niet is. Volgens Nasey komt het door de schok van… Nou ja, wat er toen ook gebeurd is.'

Dingo wilde geen nare herinneringen oprakelen.

'Maar daar zou ze nu toch wel overheen moeten zijn,' riep Rigger uit. 'Alles is nu anders.'

'Zij heeft het idee dat ze een puinhoop heeft gemaakt van jouw opvoeding. Dat zegt Nasey tenminste. Het lukt hem niet om haar ervan te overtuigen dat dat onzin is.'

'Wat kan ik doen om het haar duidelijk te maken?'

'Het heeft te maken met hoe ze zich vanbinnen voelt. Je weet wel, net als die mensen die zichzelf uithongeren omdat ze denken dat ze dik zijn. Ze hebben geen goed zelfbeeld. Ze zou naar de psychiater moeten,' zei Dingo.

'Allemachtig, wat een ellende,' zei Rigger ontzet.

'Nou moet je hier niet somber van worden. Het is de dag van Nasey en Irene. Zet een lachend gezicht op, alsjeblieft.'

Dus toonde Rigger een lachend gezicht en slaagde hij er zelfs in om mee te zingen met 'The Ballad of Joe Hill', wat hem nog goed afging ook.

En toen Nasey zijn toespraak hield, legde hij zijn armen rond de schouders van Rigger en Dingo en zei dat hij de twee allerbeste neven van de westerse wereld had.

Rigger keek naar zijn moeder. Haar gezicht was leeg.

Carmel merkte alles op en begreep het meeste, zonder dat het haar uitgelegd hoefde te worden. Het duurde niet lang voor ze doorhad hoe het zat. Ze had met haar schoonmoeder zitten praten over dingen die zo ver mogelijk uit de buurt bleven van

Rigger en de familie. Maar elk onderwerp waarover ze begon, liep op de een of andere manier dood. Het had geen zin om naar tv-programma's te vragen – Nuala had geen televisietoestel. Ze ging zelden naar de bioscoop. Ze had geen tijd om te lezen. Ze gaf toe dat het door de recessie moeilijker was om fatsoenlijk werk te krijgen. Niemand betaalde je meer dan het minimumloon. Vrouwen gaven je niet meer, zoals vroeger, hun kleren, die verkochten ze tegenwoordig via internet.

Ze beantwoordde vragen alsof ze werd verhoord op het politiebureau. Er was geen sprake van een normaal gesprek. Ze zei wel dat ze hoopte dat alles goed was thuis in Stoneybridge, maar vroeg niet naar haar kleinzoon en kleindochter.

'Drink jij helemaal niet, Nuala?' vroeg Carmel.

'Nee, nee, ik ben er nooit aan begonnen.'

'Rigger drinkt ook niet, wat nogal vreemd is in ons deel van de wereld, maar ik hou wel van een wijntje af en toe. Zal ik er voor jou ook een halen?'

'Als je dat wilt doen, ja,' zei Nuala.

Carmel kwam met twee glazen witte wijn terug bij hun tafeltje.

'Op het geluk van het bruidspaar,' zei ze.

'Proost, ja,' zei Nuala en ze hief werktuiglijk haar glas.

'Ik neem een groot risico, maar ik ga je iets vertellen. Ik hou van Rigger, met heel mijn hart. Hij is de perfecte echtgenoot en de perfecte vader. Jij weet dit vast niet, want je hebt hem nooit in die rol gezien. Hij is elk uur dat God hem geeft aan het werk. Maar één ding is hij niet – hij is geen zoon. Hij is niemands zoon. Nu hij zelf vader is, zou hij heel graag iets over zijn eigen vader willen weten, maar hij zou jou daar nooit naar vragen, in geen miljoen jaar. Maar het belangrijkste van alles is: hij wil zijn moeder terug. Hij wil zo graag het goede leven dat hij nu heeft, met jou delen.'

Nuala keek haar verbijsterd aan.

'Ik ben niet weggegaan,' zei ze.

'Alsjeblieft, laat me uitpraten en ik beloof dat ik er daarna nooit meer over zal beginnen. Hij is gewoon niet compleet. Jij bent het enige puzzelstukje dat ontbreekt. Hij vindt helemaal niet dat jij een slechte moeder was. Alles wat hij over je zegt is alleen maar lovend. Als ik dacht dat mijn zoon Macken later zoveel goeds over mij zou zeggen, zou ik gelukkig sterven. Je hoeft helemaal niets te doen, Nuala. Je kunt alles vergeten wat ik heb gezegd. Ik zal het niet aan hem vertellen. Hij wilde de kinderen meebrengen om ze aan je te laten zien, maar ik heb hem gevraagd dat niet te doen. Ik zei dat ze hun oma Nuala op een dag wel zouden leren kennen, maar pas als zij daar zelf klaar voor was. Jij zegt dat je je schuldig voelt omdat je hem het verkeerde pad op hebt laten gaan. Hij voelt zich nu schuldig omdat hij jou onevenwichtig heeft gemaakt en je leven heeft geruïneerd.'

'Onevenwichtig?'

'Ja, dat is toch zo? Je bent uit je evenwicht. Je hebt iemand nodig die de weegschaal weer in balans brengt. Net zoals wanneer je een been hebt gebroken. Dan heb je ook iemand nodig die het bot goed zet.'

'Ik hoef niet naar de dokter.'

'We moeten allemaal wel eens naar de dokter. Waarom probeer je het niet? Baat het niet, het schaadt ook niet, en dan heb je het tenminste geprobeerd.'

Nuala zei niets.

Dus besloot Carmel om een eind aan het gesprek te maken. 'Wij zullen altijd klaarstaan voor jou. En hij moet weer zoon kunnen zijn. Dat is alles wat ik wilde zeggen, eigenlijk.' Ze durfde Nuala nauwelijks aan te kijken. Ze was te ver gegaan.

De vrouw was niet gezond. Ze leefde in haar eigen wereldje. Carmel had haar alleen nog maar erger van streek gemaakt.

Toch had ze het idee dat er iets veranderd was in het getekende, strakke gezicht. Nuala zei nog steeds niets, maar ze zag er duidelijk minder gespannen uit, haar handen klemden zich niet meer zo krampachtig vast aan de rand van de tafel.

Verbeeldde ze zich dit of was het echt?

Carmel wist dat ze meer dan genoeg had gezegd. Ze zou verder haar mond houden. Ze bleef stilzitten, een hele tijd, leek het, al konden het maar een paar minuten zijn geweest. Om hen heen zongen de bruiloftsgasten 'Stand by Your Man'.

Rigger kwam naar hen toe.

'Ze vertrekken over een paar minuten, willen jullie wat confetti om mee te gooien?' vroeg hij.

Nu wist Carmel zeker dat Nuala's gezicht veranderd was. Ze keek echt met andere ogen naar het gretige, blije gezicht van haar zoon. Het was of ze kon zien dat dit niet iemand was die zij had verwoest, maar een trotse, gelukkige man, die zelfverzekerd was en stevig in zijn schoenen stond.

'Ga even zitten, Rigger, Nasey kennende duurt het nog uren voor ze echt weggaan.'

'Oké.' Hij was verrast en blij.

'Ik vroeg me af wie er vanavond voor Rosie en Macken zorgt?' vroeg ze.

'Chicky en juffrouw Queenie. Ze hebben ons mobiele nummer. Chicky heeft een uur geleden nog gebeld om te zeggen dat ze, behalve zijzelf, allemaal sliepen, juffrouw Queenie, de tweeling, Gloria...'

'Gloria?'

'De poes. Dat is een echte slaapmuts.'

'De poes zal toch niet in de wieg gaan liggen?' Nuala keek bezorgd.

'Nee, hoor, Gloria is veel te lui om zo hoog te springen. In elk geval worden ze voortdurend in de gaten gehouden.'

'Goed, goed.'

'Chicky wilde weten hoe het hier ging,' zei Rigger.

'En wat heb je tegen haar gezegd?' Zijn moeder stelde hem zowaar een vraag, ze wilde iets van hem weten.

'Ik heb gezegd dat het een geweldige bruiloft was,' antwoordde Rigger.

'Spreek je haar vanavond nog?' vroeg Nuala.

'O ja, zeker weten. Dit is de eerste keer dat we ze achter hebben gelaten,' zei Carmel.

'Kun je dan tegen haar zeggen dat ze goed op ze moet passen en dat ze ze moet vertellen dat ik ze snel kom opzoeken? Ik moet even een paar medische zaken regelen, maar dan kom ik.'

Rigger zocht naar woorden. Hij wilde de stemming niet bederven. Dit was niet het moment voor omhelzingen en tranen.

'En wat zullen ze blij zijn dat te horen, mam,' zei hij. 'Heel erg blij.'

Op dat moment haastte iedereen zich naar de uitgang. De bruid en bruidegom gingen nu echt weg.

Carmel keek Nuala aan. Ze wilde haar zeggen dat ze met deze woorden haar zoon compleet had gemaakt.

Maar dat hoefde niet. Nuala wist het.

Orla

Orla was tien, toen ze op de kloosterschool van St.-Anthony een nieuwe lerares kregen. Ze heette juf Daly, had lang rood haar en was totaal niet bang voor de nonnen, vader Johnson of de ouders, die eisten dat de meisjes hoge cijfers haalden en een beurs voor de universiteit. Ze gaf Engels en geschiedenis en ze wist alles boeiend te maken. Alle meisjes waren dol op haar en wilden net zo worden als zij, als ze groot waren.

Juf Daly had een racefiets en je kon haar, trappend als een bezetene, over de wegen langs de kliffen zien razen. Ze moesten allemaal aan beweging doen, zei ze tegen de meisjes, anders zouden ze eindigen als strompelende, verschrompelde oude vrouwtjes. Met een betere conditie zouden ze meer plezier hebben in hun leven. Opeens werden de meisjes van St.-Anthony ware fitnessfanaten. Juf Daly leidde 's morgens vroeg een dansklasje, en ze verdrongen zich om daaraan mee te doen en steeds nieuwe passen te leren.

Juf Daly zei dat het heel dom van ze was als ze niet naar de computerlessen gingen; dat was de toekomst, het zou hun paspoort zijn, weg uit een akelig leven. En zelfs lawaaiige, lastige leerlingen als Orla en Brigid O'Hara luisterden naar haar en vonden dat er iets in zat. Ze deden zelfs mee aan een geldinzamelingsactie om meer computers op de school te krijgen.

Hun ouders hadden gemengde gevoelens over juf Daly. Ze waren blij, ja zelfs stomverbaasd, dat ze zo'n grote invloed had op de kinderen en dat ze ze veel beter in de hand wist te houden dan welke andere lerares ook. Aan de andere kant: juf Daly droeg wel een erg kort broekje op haar racefiets; ze was bijna te gezond, ze liep altijd rond met nat haar, alsof ze zo uit zee kwam, in alle seizoenen. Ze dronk bier in de plaatselijke pubs, en dat was hier vrij ongewoon voor een vrouw.

Er werd verteld dat een oudere bareigenaar een keer had geaarzeld om een glas bier voor haar te tappen: dat hoorde niet voor een dame, vond hij. Het schijnt dat juf Daly hem beleefd voor de keus stelde: of het biertje tappen, of een klacht bij de Commissie Gelijke Behandeling aan zijn broek krijgen, en dat hij toen maar het bier tapte.

Juf Daly werd niet elke zondag bij de mis gesignaleerd, maar op school maakte ze meer uren dan iedere andere leerkracht. Een halfuur voor de lessen begonnen, was zij al aan het werk met haar dansklasje en na de bel van vier uur zat ze in het computerlokaal uitleg te geven en leerlingen aan te moedigen. Een hele generatie meisjes op St.-Anthony kreeg zelfvertrouwen dankzij het voorbeeld van juf Daly. Ze zei tegen hen dat ze alles konden bereiken wat ze maar wilden en zij geloofden haar onvoorwaardelijk.

Toen Orla zeventien was, kondigde juf Daly aan dat ze wegging bij St.-Anthony, weg uit Stoneybridge. Ze vertelde aan iedereen, ook aan de nonnen, dat ze een geweldige jongeman had ontmoet, Shane, uit Kerry. Hij was eenentwintig en bezig een tuincentrum op te zetten. Hij was erg aantrekkelijk, twaalf jaar jonger dan zij en smoorverliefd op haar. Ze ging Shane helpen zijn tuincentrum van de grond te krijgen.

De nonnen schrokken hier erg van en vonden het jammer dat ze wegging.

Moeder-overste was zo onverstandig iets te zeggen over de valkuilen van een huwelijk met een veel jongere man. Juf Daly stelde haar gerust: een huwelijk was wel het laatste waar ze aan dacht en trouwen vond ze eerlijk gezegd sowieso achterhaald.

Moeder-overste was geshockeerd, maar juf Daly toonde geen berouw.

'Maar dat had u zelf toch ook al bedacht, moeder-overste? Ik bedoel, u was uw tijd ver vooruit toen u besloot die hele poppenkast aan u voorbij te laten gaan...'

De meisjes organiseerden op een avond in juni een afscheids-picknick voor juf Daly, met een groot kampvuur op het strand. Ze liet hun foto's zien van Shane, de jongeman uit Kerry en ze smeekte ze om te gaan reizen en iets van de wereld te zien. Ze raadde hun aan om elke dag een gedicht te lezen en daarover na te denken, en om altijd als ze op een nieuwe plek kwamen, op zoek te gaan naar de geschiedenis daarvan, erachter te komen hoe die plek zo geworden was.

Ze zei dat ze van alles moesten leren nu ze nog jong waren, zoals bridgen, een wiel van een auto verwisselen, en je eigen haar goed föhnen. Op zichzelf waren de dingen niet enorm be-langrijk, maar zo hoefde je later geen tijd en geld te verspillen.

Ze gaf hun haar e-mailadres en zei dat ze drie of vier keer per jaar iets van ze wilde horen, van nu af aan, voor altijd. Ze ver-wachtte van ze dat ze grote dingen zouden bereiken. Allemaal moesten ze huilen en ze smeekten haar om niet weg te gaan, maar ze liet ze nog eens naar de foto van Shane kijken: dachten ze nou echt dat een verstandige vrouw dát door haar vingers kon laten glippen?

Orla schreef inderdaad aan juf Daly, en vertelde haar over de cursus die ze had gevolgd in Dublin en hoe ze als beste van haar jaar was geëindigd. Ze vertelde juf Daly dat ze haar moeder to-taal onverdraaglijk vond, met haar provinciaalse opvattingen; als Orla uit Dublin thuiskwam, hadden zij en haar moeder binnen drie dagen knallende ruzie over totaal onbelangrijke dingen, zoals Orla's kleren of hoe laat ze 's avonds thuiskwam. Haar vader smeekte haar geen moeilijkheden te maken. Alles voor een ge-makkelijk leventje. Haar tante Chicky, die over was uit Amerika, was heel anders; een echt vrije geest, en Orla hoopte dat ze samen met Brigid met vakantie naar New York kon, om haar op te zoeken. Orla vroeg altijd naar Shane en het tuincentrum, maar kreeg daar geen reactie op. Juf Daly wilde wel alles weten over het leven van haar leerlingen, maar hun niet vertellen over het hare.

Daarna schreef Orla dat het reisje naar New York niet door-ging, omdat oom Walter was gestorven bij een verschrikke-lijk ongeluk op een snelweg. Juf Daly herinnerde haar eraan dat ze haar leven zelf in de hand had. Ze moest haar eigen keuzes maken.

Waarom zocht ze niet ergens anders een baan en kwam ze af en toe even naar huis? De wereld was groot: er viel nog meer te ontdekken dan alleen Dublin.

Dus liet Orla haar weten dat Brigid en zij naar Londen gingen.

Brigid vond een baan bij een publicrelationsbureau dat de publiciteit verzorgde voor een rugbyclub en nog een aantal opdrachtgevers. Zo zouden ze geweldig veel mannen kunnen ontmoeten. Orla vond werk bij een bureau dat tentoonstellingen en beurzen organiseerde. Het was heel gevarieerd werk: de ene keer hielden ze zich bezig met verantwoorde voeding, dan weer met klassieke auto's. James en Simon, de twee eigenaren van het bureau, waren workaholics en leerden Orla om stevig in haar schoenen te staan en onder druk te werken. Na een maand daar kon ze ferm en met groot gezag optreden tegenover mensen voor wie ze vroeger doodsbang zou zijn geweest.

Tot haar verrassing vond zowel James als Simon Orla erg aantrekkelijk en allebei probeerden ze haar te versieren. Ze lachte ze bijna in hun gezicht uit – twee minder onwaarschijnlijke aanbidders kon ze zich niet voorstellen. Getrouwde mannen die hun gezin nauwelijks zagen en aan weinig anders dachten dan aan manieren om de concurrentie voor te zijn. Ze wilden alleen maar een snel pleziertje tussendoor.

Ze vatten haar afwijzing luchtig op. Orla deed het af als een kinderachtige vergissing en ging door met haar werk, waarbij ze steeds meer leerde.

Ze schreef aan juf Daly dat die trots op haar kon zijn. Deze baan was een opleiding op zich en zij werd in snel tempo expert op het gebied van taxaties, websites, netwerken en het organiseren van tentoonstellingen.

Orla en Brigid deelden een flat in Hammersmith. Ze konden zo heerlijk hun eigen gang gaan, vergeleken bij thuis. En er was zoveel te doen. Op dinsdagavond gingen Brigid en zij naar tapdansles in Covent Garden. En Orla ging elke maandag tussen de middag naar een cursus kalligraferen.

In het begin hadden James en Simon hier bezwaar tegen gemaakt. Ze toonde geen volledige inzet voor haar werk als ze per se tijd wilde vrijmaken om mooi te leren schrijven. Orla trok zich niets van hen aan. Als zij haar brood moest verdienen in hun drukke, nare, egocentrische zakenwereldje, zei ze, dan had ze dit beetje kunstzinnige inspiratie aan het begin van haar werkweek hard nodig, als uitlaatklep. Daarna durfden ze er nooit meer iets van te zeggen.

En 's avonds gingen de meisjes naar het theater of naar een ontvangst die Orla had georganiseerd of hielpen ze mee op een beurs. Ze waren jong, vrolijk en niet op hun mondje gevallen en dat maakte ze populair. Tot dan toe had geen van beiden een speciaal iemand leren kennen; noch Brigid noch Orla had haast om aan een vaste relatie te beginnen.

Tot Foxy Farrell in beeld kwam.

Foxy was het type man waar ze allebei een hekel aan hadden. Luidruchtig, zelfverzekerd, grote auto, lamsleren jack, hoge baan bij een handelsbank, hoge pet op van zichzelf. Maar hij was volkomen idolaat van Brigid. En vreemd genoeg begon Brigid dit minder hilarisch en gênant te vinden dan het in het begin had geleken.

'Eigenlijk is het een prima vent, Orla,' zei ze verdedigend.

'Dat weet ik wel,' zei Orla zonder nadenken. 'Maar zou je het kunnen verdragen? Ik bedoel, stel je voor dat je 's morgens naast hem wakker wordt.'

'Dat heb ik al gedaan,' was alles wat Brigid zei.

'Dat meen je niet! Wanneer dan?'

'Vorig weekend, toen ik in Harrogate was. Hij kwam speciaal voor mij helemaal daarheen gereden.'

'Dus jij maakte dat de moeite waard.' Orla's hoofd tolde nog van dit nieuws.

'Hij is echt heel aardig. Al die poeha hoort gewoon bij zijn wereldje.'

'O, vast, als je hem behoorlijk leert kennen…' begon Orla terug te krabbelen, in de hoop dat het nog niet te laat was.

'Ja, nou, dit weekend ga ik hem onbehoorlijk leren kennen. We gaan samen naar Parijs,' giechelde Brigid.

'Dit weekend gaan we naar huis, naar Stoneybridge,' protesteerde Orla.

'Ik weet wel dat dat het plan was. Je zult een excuus voor me moeten verzinnen.'

'Kun je niet een ander weekend met Foxy naar Parijs gaan?'

'Nee, dit is een speciale gelegenheid.'

'Dus ik moet jou excuseren en uitleggen waarom je er niet bent? Wát moet ik dan eigenlijk vertellen?' Orla was geïrriteerd. Ze gingen trouw drie of vier keer per jaar samen naar huis. Dat was de prijs die ze voor hun vrijheid betaalden. Alleen maar een lang weekend.

'O, zo weinig mogelijk, voorlopig.' Brigid deed er luchtig en achteloos over. 'Ik wil niet al te hoge verwachtingen bij ze wekken.'

'Hóge verwachtingen? Van Foxy?' Het ongeloof in Orla's stem was weinig vleiend.

'Natuurlijk,' zei Brigid. 'Hij is steenrijk. Als ik Foxy door mijn vingers laat glippen, blijven ze me dat eeuwig nadragen.'

Dus ging Orla in haar eentje terug naar Stoneybridge met een vaag verhaal over Brigid die het zo druk had met haar werk.

In Stoneybridge veranderde nooit iets, behalve dat Orla elke keer weer was vergeten hoe mooi het er was en haar adem inhield als ze over het pad over de kliffen liep en naar de lange zandstranden en donkere, grillige rotswanden keek.

Haar tante Chicky werd in beslag genomen door al het werk om Stone House op te knappen, terwijl de oude juffrouw Queenie door het huis dwaalde en in haar handen klapte van plezier. Rigger, die Chicky hielp, was veel minder stug. Hij had leren autorijden en stopte zelfs om Orla een lift te geven als hij haar op de weg zag lopen. Hij vroeg haar of ze zich nog iets kon herinneren van zijn moeder, maar dat kon Orla niet. Ze had wel van Nuala gehoord, maar die was al voor Orla's geboorte naar Dublin vertrokken.

'Ik denk dat Chicky wel alles over haar weet,' zei Orla.

'Ik vraag Chicky nergens naar,' zei Rigger. 'Zij vraagt mij ook nergens naar, dat is prettig.'

Dit nam Orla ter harte. Ze had op het punt gestaan Rigger naar zijn eigen leven te vragen. Nu begreep ze dat ze dat beter niet kon doen.

Dus hadden ze het over de renovatie van Stone House, de nieuwe moestuin, de bouwplannen. Hij dacht kennelijk dat het hotel een groot succes zou worden en vond het geweldig dat hij er vanaf het begin bij betrokken was.

Orla's moeder had juist erg zuur gedaan over de hele onderneming. Het was altijd hetzelfde met Chicky, altijd liet ze zich meeslepen door krankzinnige ideeën, net als die keer dat ze vertrok naar Amerika zonder iemand toestemming te vragen.

'Nou, dat heeft toch heel goed uitgepakt?' verdedigde Orla de tante die haar altijd als een volwassene had behandeld. 'Ze heeft een geweldig huwelijk gehad en hij heeft haar genoeg geld nagelaten om Stone House te kopen.'

'Maar het is wel vreemd dat hij nooit hier is geweest, toch?' Kathleen was nooit helemaal tevreden.

'O mam, hou toch op. Voor jou is met alles altijd wel iets mis.'

'En dat is meestal ook zo,' stemde Kathleen met haar in. 'En nog iets: er wordt over gekletst dat Chicky alleen daarboven in dat huis woont met die jongen en de oude vrouw. Dat geeft geen pas, het is gewoon niet zoals het hoort.'

'Mam!' Orla schaterde het uit. 'Wat leef jij toch in een fantastische wereld. Denk je soms dat Rigger tante Chicky verwent in de moestuin? Misschien doen ze wel een triootje, met juffrouw Queenie!'

Het gezicht van haar moeder werd rood van ergernis. 'Doe niet zo grof, Orla, alsjeblieft. Ik zeg alleen maar wat er hier wordt rondverteld, meer niet.'

'Wie vertelt dat dan rond?'

'De O'Hara's, bijvoorbeeld.'

'Dat is alleen maar omdat ze woest zijn dat juffrouw Sheedy het huis niet aan hén heeft verkocht.'

'Jij bent net zo erg als je oom Brian – altijd op hen vitten! Brigid is toch je beste vriendin?'

'Ja, maar haar ooms zijn een stel inhalige speculanten. Dat weet zij ook.'

'Waar moest ze trouwens zo nodig heen dat het te veel moeite was om haar familie te komen opzoeken?'

'Ze werkt hard om haar brood te verdienen, mam. Net als ik, en dus bof jij veel meer dan de O'Hara's, want ik laat jou wel altijd voorgaan, of niet soms?'

En daar had haar moeder geen weerwoord op.

Orla bracht zoveel mogelijk tijd door met Chicky. Ondanks de drukte en het komen en gaan van mensen in Stone House, werd je bij Chicky rustig. Ze vroeg nooit of Orla een vriendje had in Londen en of ze van plan was daar voorgoed te blijven. Ze zei nooit dat mensen het raar zouden vinden als Orla een kort rokje droeg of een lange rok, of een gescheurde spijkerbroek of wat ze op dat moment ook aanhad. Chicky had geen flauw idee wat mensen zeiden of dachten of vreemd vonden. Chicky zei nooit tegen haar wat ze met haar leven moest doen.

Dus was het verrassend dat Chicky haar dit keer vroeg of ze goed kon koken.

'Redelijk, geloof ik. Brigid en ik maken twee of drie keer per week een gerecht uit een kookboek. Zij is erg goed met vis. Die is daar anders, er zitten niet zoveel graten in en het smaakt niet naar levertraan, zoals hier.'

Chicky moest lachen. 'Dat is hier ook niet meer zo. Kun je ook gebak maken?'

'Nee, dat is me te moeilijk, te veel gedoe.'

'Ik zou je geweldig kunnen leren koken,' bood Chicky aan.

'Kun jíj goed koken, Chicky?'

'Ja, toevallig wel. Het is het laatste wat ik zou hebben verwacht van mezelf, maar ik doe het graag.'

'Kookte oom Walter ook?'

'Nee, dat liet hij vooral aan mij over. Hij had het altijd zo druk, zie je.'

'Ik weet het.' Orla wist het helemaal niet, maar ze had wel door wanneer Chicky een gespreksonderwerp afsloot. 'Waarom zou je me willen leren koken?' vroeg ze.

'In de hoop dat je op een dag, nu nog niet, maar op een dag, terugkomt en me helpt dit huis te runnen.'

'Ik denk niet dat ik ooit naar Stoneybridge terug kan komen,' zei Orla.

'Dat weet ik.' Chicky leek dat logisch te vinden. 'Ik wilde ook nooit meer terugkomen, maar hier ben ik.' Die dag liet ze Orla zien hoe je een heel simpel bruin brood bakte en hoe je pastinaaksoep klaarmaakte. Het leek allemaal erg gemakkelijk en ze aten het op bij de lunch. Juffrouw Queenie zei dat ze haar hele leven niet zulk heerlijk eten had geproefd tot Chicky hier was komen wonen.

'Stel je voor, Orla, die pastinaken komen uit onze eigen tuin en de appels komen uit de oude boomgaard en dankzij Chicky smaken ze nu zo lekker!'

'Ja, ik weet het, ze is een genie!' zei Orla met een glimlach.

'Dat is ze zeker. Hebben we niet geboft dat ze bij ons terug is gekomen en niet daar in de Verenigde Staten is gebleven? Maar vertel eens, heb jij het fijn in Londen?'

'Ja, dat gaat best, juffrouw Queenie. Druk natuurlijk, en vermoeiend, maar fijn.'

'Ik wou dat ik meer had gereisd,' zei juffrouw Queenie. 'Maar zelfs al had ik dat gedaan, dan nog zou ik denk ik altijd hier teruggekomen zijn.'

'Wat vindt u hier dan zo bijzonder, juffrouw Queenie?'

'De zee, de rust, de herinneringen. Het lijkt wel of alles hier klopt. We zijn een keer naar Parijs geweest, en naar Oxford. Heel, heel mooi, allebei. Jessica en Beatrice en ik hebben het er nog vaak over gehad. Het was geweldig, maar het was niet écht, als je begrijpt wat ik bedoel. Het was alsof we een rol speelden in een toneelstuk. Hier is dat niet zo.'

'O, ik begrijp wat u bedoelt, juffrouw Queenie.' Ze zag dat Chicky haar een dankbare blik toewierp. Orla had geen idee wat die arme juffrouw Queenie had bedoeld, maar ze was blij dat ze het goede antwoord had gegeven.

Terug in Londen maakte ze pastinaaksoep met zelfgebakken bruin brood, als welkomstmaal voor Brigid na Parijs.

'O god, je bent een huismus geworden,' zei Brigid.

'En jij hebt mij iets te vertellen,' zei Orla.

'Ik ga trouwen,' zei Brigid.

'Fantastisch! Wanneer?'

'Over een jaar. Maar alleen, natuurlijk, als jij mijn bruidsmeisje wilt zijn.'

'Alleen, natuurlijk, als ik geen paarse tafzijde of limoengroene chiffon aan hoef.'

'Ben je blij voor me?'

'Kom op nou. Kijk eens naar jezelf. Je ziet er zo gelukkig uit. Ik vind het heerlijk voor je.' Orla hoopte dat ze genoeg enthousiasme in haar stem legde.

'Zie je hem niet meer als die rare oude Foxy?'

'Wat zeg je nou? Natuurlijk zie ik hem niet zo. Ik vind hem Foxy de bofkont. Vertel: waar en wanneer heeft hij je gevraagd?'

'Ik hou echt van hem, weet je,' zei Brigid.

'Dat weet ik toch,' loog Orla, terwijl ze naar het gezicht van haar vriendin Brigid keek, die om een of andere onverklaarbare reden genoegen nam met Foxy Farrell.

Daarna ging het snel.

Brigid zei haar baan op en bracht veel tijd door bij Foxy's familie in Berkshire. De bruiloft zou in Stoneybridge zijn.

'Wat jammer dat Chicky's hotel niet op tijd klaar en open is. Het zou geweldig zijn als de Farrells het konden afhuren voor de bruiloft. Ze zullen Stoneybridge afschuwelijk vinden,' zei Brigid.

'Ik zat erover te denken om terug te gaan,' zei Orla plotseling.

'Dat meen je niet.' Brigid was geschokt. 'Weet je nog hoe moeilijk het was om daar überhaupt weg te komen?'

'Ik weet het niet... het is maar een idee.'

'Nou, laat dat idee meteen maar weer varen,' zei Brigid beslist. 'Binnen twintig minuten ga je er als een haas weer vandoor. En waar zou je in hemelsnaam gaan werken? Bij de breifabriek?'

'Nee, ik zou met Chicky kunnen meedoen.'

'Maar dat hotel is ten dode opgeschreven, geloof me. Het gaat niet langer dan twee seizoenen mee. Dan zal ze het moeten verkopen, met een aardig verlies. Dat weet iedereen.'

'Chicky weet dat niet. Ik weet dat niet. Alleen jouw ooms zeggen dat, omdat ze zelf het huis hadden willen kopen.'

'Ik ga geen ruziemaken met mijn bruidsmeisje,' zei Brigid.

'Zweer dat je geen paarse tafzijde neemt,' smeekte Orla, en het was weer goed tussen hen. Afgezien van Orla's ongeloof dat iemand zou willen trouwen met Foxy Farrell.

Zoals ze vaak deed in tijden van verandering, vroeg Orla juf Daly om raad.

'Ben ik gek aan het worden dat ik misschien wel terug wil naar Stoneybridge? Is het alleen maar een reactie op het besluit van Brigid om met die sufferd te trouwen? Vond jij het heel saai toen je daar was?'

Juf Daly schreef terug.

Ik vond het werk heerlijk. Jullie waren geweldige kinderen daar op die school. Ik hield echt van die plek. Ik kijk er nog steeds met plezier op terug. Hier zit ik in de bergen. Het is prachtig en ik kan ook naar de zee rijden, maar dat is niet hetzelfde als in Stoneybridge, waar je de zee aan je voeten hebt. Waarom probeer je het niet voor een jaar? Zeg tegen je tante dat je je niet voor de rest van je leven wilt vastleggen. Bedankt dat je niet naar Shane hebt gevraagd. Hij is er even tussenuit met iets wat een tikje interessanter is dan ik, maar hij komt wel weer terug. Dan neem ik hem terug. De wereld zit raar in elkaar. Als je dat eenmaal doorhebt, ben je al een heel eind.

Op Orla's werk waren James en Simon de laatste tijd erg zwijgzaam. De zaken gingen niet goed. De economie zat in een dip, wat de politici ook zeiden. Zij wisten het wel. Mensen reserveerden geen stand meer op een tentoonstelling, zoals vroeger. De beurzen waren kleiner dan vorig jaar. De vooruitzichten waren somber. Ze hadden al hun hoop gevestigd op Marty Green, die heel groot was in de conferentiewereld. Om indruk op Marty te maken gaven ze een borrel op kantoor.

'Vraag aan die sexy roodharige vriendin van je of ze ook komt om het hier een beetje aan te kleden,' stelde James voor.

'Brigid is pas verloofd. Ze wil tegenwoordig vast geen feestmeisje meer zijn.'

'Nou, laat ze dan haar verloofde meebrengen. Is hij een beetje presentabel?'

'Je bent nog erger dan mijn moeder en die van Brigid bij elkaar. Heel presentabel ja, schathemeltjerijk,' zei Orla.

Het leek Brigid en Foxy wel grappig en ze kwamen in vol ornaat aanzetten. Marty Green was erg met hen allemaal ingenomen en leek hun offerte te willen accepteren. Hij had ook veel belangstelling voor Orla, die zich verpletterend had uitgedost in een bloedrood zijden jurkje dat ze bij een tweedehandswinkeltje had gevonden en met peperdure, glimmend rood met zwarte hoge hakken. Ze ging rond met de witte wijn en het blad borrelhapjes.

'Deze zijn erg lekker,' zei Marty Green waarderend, 'wie is jullie cateraar?'

'O, ik heb ze zelf gemaakt,' zei Orla en ze lachte naar hem.

'Echt waar? Niet alleen een leuk snoetje, dus?' Hij was duidelijk onder de indruk en daar ging het om bij dit feestje. Maar Orla had het gevoel dat hij wat al te veel onder de indruk was van haar en te weinig van het bedrijf.

'Dat is heel vriendelijk van u, meneer Green, maar ik word hier niet betaald om hapjes te maken en vriendelijk te lachen. We werken allemaal heel hard, en zoals James en Simon al zeiden, dat heeft ons succes opgeleverd. We kennen de markt en de ontwikkelingen heel goed. Het is fijn dat we dat nu eens persoonlijk tegen u kunnen zeggen.'

'En het is fijn om het persoonlijk te horen.' Zijn ogen lieten haar gezicht niet los.

Orla liep bij hem vandaan, maar ze wist dat hij naar haar bleef kijken. Zelfs toen James het over de cijfers had, toen Simon over de trends praatte, toen Foxy stond te brallen over geweldige nieuwe restaurants en Brigid vroeg of meneer Green misschien van rugby hield, want dan kon ze kaartjes voor hem regelen.

Marty Green vroeg of Orla met hem uit eten wilde.

Ze zag James en Simon opgelucht tegen elkaar lachen en werd ineens woedend. Ze werd aangeboden aan Marty Green. Zo eenvoudig was het. Ze had zich mooi aangekleed, in haar lunchpauze piepkleine, ingewikkelde hapjes gemaakt, asperge-

puntjes in deeg staan rollen en die opgediend met een dip-
sausje en artistiek geschikt met kwarteleitjes met selderijzout
op blaadjes sla en nu wilden ze haar als een offerlam uitleveren
aan de grijpgrage handen van Marty Green.

'Heel erg bedankt, maar ik kan vanavond helaas niet, meneer
Green,' zei ze.

Hij reageerde hoffelijk, dat moest ze hem nageven. 'Ik kan me
voorstellen dat je al een afspraak hebt. Een andere keer misschien?'

En allemaal toonden ze een andere lach: die van Orla stond
op haar gezicht gebeiteld, die van James en Simon leek op een
griezelmasker. De lach van Brigid moest verhullen hoe geschokt ze was dat Orla een afspraakje met een rijke en char-
mante man als Marty Green afsloeg. Foxy lachte vaag en dom,
zoals gewoonlijk.

Marty Green zei dat hij nog wel van zich zou laten horen en
vertrok. Orla schonk zichzelf een groot glas in.

'Waarom moest je zo ontzettend onbeleefd tegen hem doen?'
vroeg Simon.

'Ik was helemaal niet onbeleefd. Ik heb hem bedankt en gezegd dat ik al een afspraak had.'

'Dat bedoel ik. Je hébt helemaal geen afspraak.'

'O jawel. Ik heb met mezelf afgesproken dat ik níét uitga met
een of andere zakenman alsof ik een escortgirl ben, of een hoer.'

'Ach kom, daar ging het in de verste verte niet om,' zei James.

'Het stond in hoofdletters geschreven.' Orla was nu razend.
'Neem die aardige man mee uit, vrij hem een beetje op en zorg
dat zijn naam onder een contract komt te staan.'

'Dat is in het belang van ons allemaal. We namen aan dat...'

'Waarom hebben jullie niet een paal gekocht en die hier in
het kantoor neergezet, zodat ik mijn kleren had kunnen uit-
trekken en daar omheen had kunnen dansen? Dat zou ook geholpen hebben, toch?'

'Het was maar een etentje,' zei Simon.

'Ja, en aan het eind van een duur diner had ik gewoon op kunnen staan en zeggen, dank u wel en tot ziens, meneer Green? In
wat voor wereld leven jullie? Als ik met hem was gaan eten en

vervolgens niet met hem mee naar zijn hotel was gegaan, zou ik een flirt zijn geweest. Dan had ik hem om de tuin geleid. Hij zou nog bozer zijn geweest. Op deze manier redden we allemaal ons gezicht. Of tenminste, de meesten van ons.'

'Hé Orla, je vat het wel erg zwaar op,' zei Foxy.

Brigid wierp hem een dreigende blik toe, maar hij zag het niet.

'Ik bedoel, daar ging het nou net om, vanavond.'

'Je hebt nooit een waarder woord gesproken,' zei Orla.

De volgende dag waren James en Simon grootmoedig gestemd. Ze hadden het erover gehad. Ze konden de verkeerde indruk hebben gewekt. Het laatste wat zij wilden was... nou ja, waar Orla ze van had beschuldigd.

Orla luisterde beleefd tot ze uitgesproken waren. Toen sprak ze heel weloverwogen.

'Dit zeg ik niet zomaar, uit boosheid. Ik denk er al een hele tijd over om weg te gaan. Mijn tante is bezig een hotel op te zetten in het westen van Ierland. Ik had alleen een laatste zetje nodig om een besluit te nemen, en dat heb ik nu gekregen. Denk alsjeblieft niet dat ik zit te mokken of dat het onderdeel is van een campagne om het jullie betaald te zetten. Verre van dat. Ik zeg mijn baan op met een maand opzegtermijn, en ik ben heel dankbaar voor alles wat ik hier heb geleerd.'

Wat ze ook zeiden, het maakte geen verschil. Uiteindelijk moesten ze haar laten gaan.

Orla had tegen Chicky gezegd dat het voor een jaar zou zijn, alleen maar om de zaak op poten te zetten.

'Ik weet niet of het wel de moeite waard is een droomkok van me te maken.'

'Iemand leren koken is altijd de moeite waard.'

'Misschien moet je een kookschool beginnen voor echte mensen,' stelde Orla voor.

'Het belangrijkste wat we hier te bieden hebben is het landschap. Koken kunnen ze overal leren,' zei Chicky. 'En trouwens, we moeten de magie voor onszelf houden.'

'Hoe kan ik voorkomen dat ik mijn moeder de hersens insla, als ik weer thuis ben?' vroeg Orla zich af.

'Ga niet thuis wonen.'

'Kan ik bij jou wonen?'

'Nee. Dat geeft scheve ogen. We vinden wel iets voor je. De portierswoning. Rigger kan hem opknappen. Je eigen plek. Laat het maar aan mij over. Wanneer kom je?'

'Al heel gauw. Ze vinden het niet nodig dat ik mijn opzegtermijn vol maak. Ze gaan toch alleen maar iemand parttime inhuren om mij te vervangen. Ben ik stapelgek, dat ik dit doe, Chicky?'

'Zoals je zelf zei, het is maar voor een jaar. Voor je het weet is het voorbij.'

Tegen de tijd dat ze aankwam, was Rigger druk bezig een oud huisje naast de moestuin op te knappen voor hemzelf en Carmel Hickey. Hij vertelde dat er nog een oud tuinmanshuisje was, in prima staat, het was er niet eens vochtig geworden. Het had alleen maar goed schoongemaakt hoeven worden om het bewoonbaar te maken.

Orla's nieuwe huis was klaar voor haar.

'Ik hoop dat je niet net zulke losse zeden gaat vertonen als juf Daly, en bij iedereen over de tong gaat,' zei Orla's moeder op de eerste avond dat ze er was.

'O, mam, dat hoop ik ook niet,' stemde Orla vurig met haar in. Ze zag hoe Chicky een glimlach verborg.

'Je vader en ik begrijpen toch al niet waarom je zo nodig in zo'n oud vochtig krot moet gaan wonen. Je hebt hier een prima thuis. Mensen zullen het heel raar vinden.'

'Weet je, mam, dat zullen ze niet. Het zal ze niet eens opvallen,' zei Orla automatisch.

Wat waren juf Daly en Chicky wijs geweest toen ze het hadden over onafhankelijk zijn. Nu maar hopen dat zij er zelf ook verstandig aan had gedaan om haar intuïtie te volgen en hierheen te komen, en dat het geen dwaas idee was geweest.

Ze had weinig tijd om hierbij stil te staan. Ze zaten meteen tot over hun oren in het werk. Achteraf begon Orla haar drukke dagen op het kantoor van James en Simon te beschouwen als één lange vakantie. Ze had het niet voor mogelijk gehouden dat er zoveel te regelen zou zijn.

Chicky's financiële systeem liet veel te wensen over. Alles klopte precies, de boekhouding was zorgvuldig bijgehouden... op een bepaalde manier. Maar het was niet op de computer gedaan. Chicky had nooit boekhoudsoftware gebruikt, ze werkte met een systeem van kasboeken en archiefkaartjes. Dat was iets van vijftig jaar geleden. Dus het eerste wat Orla deed was een ruimte zoeken voor een kantoor. Een plek waar Chicky en zij de computer en de printer kwijt konden en alle naslagwerken, planningen en archiefkasten die ze nodig hadden.

Chicky stelde voor om een van de provisiekamers te nemen die op de keuken uitkwamen. Rigger was druk met het opknappen van zijn eigen huis om de familie van Carmel Hickey te imponeren, maar Orla wist hem zover te krijgen dat hij een paar uur vrij nam om het kantoor te schilderen en van planken te voorzien.

'Uiteindelijk zal het de moeite waard zijn,' hield ze vol. 'Dan zitten we ook niemand meer in de weg, en hoeven we niet meer, zoals nu, alles over de keukentafel uit te spreiden en telkens weer bij elkaar te rapen.' Ze wist een computer op de kop te tikken en installeerde daarop de programma's die ze nodig had. Vervolgens stond ze erop dat Chicky erbij kwam en het vanaf het begin leerde.

'Nee, nee, dat is jouw afdeling,' protesteerde Chicky.

'Pardon? Ik heb gisteravond twee uur lang les gehad in het maken van soesjesdeeg. Toen heb ik ook niet gezegd dat dat jóúw afdeling was. Vandaag ga jij leren werken met het boekhoudprogramma. Dat hoeft maar drie kwartier te duren, als je goed oplet.'

Chicky lette goed op.

'Helemaal niet slecht,' zei Orla goedkeurend. 'Dus morgen zetten we een reserveringssysteem op en dan leer je overmorgen hoe je dingen kunt kopen en verkopen.'

'Weet je zeker dat ik dat moet...' Chicky was bang dat ze straks te veel tijd in het kantoor zou zitten en niet meer zou toekomen aan de gewone dagelijkse dingen.

'Heel zeker. Stel dat je een apparaat voor de keuken wilt kopen? Dit bespaart je tijd die je anders kwijt zou zijn aan rondbellen en naar winkels gaan.'

'Misschien,' stemde Chicky aarzelend in.

Ze vond het inderdaad fijn dat ze alles binnen handbereik hadden en als Orla haar testte, en haar bijvoorbeeld vroeg hoe ze iemand kon vinden die een kamer had gereserveerd voor de volgende maand en die zijn verblijf met een week wilde verlengen, wist Chicky al snel het boekingsscherm te laten verschijnen. En ondertussen leerde Orla hoe je een saus maakte die een vleesgerecht een heel nieuwe dimensie gaf en hoe je vis rechtstreeks uit zee schoonmaakte, fileerde en opdiende, zó dat een ervaren vishandelaar er jaloers op zou zijn.

Een voor een ruimden ze de belemmeringen uit de weg.

De ooms O'Hara deden een zielige poging om hun bouwvergunning te dwarsbomen. Chicky wist dit op te lossen zonder met iemand ruzie te krijgen, een wonder op zich. Ze kregen te maken met de milieubeweging, die bang was dat het nieuwe hotel de leefomgeving van vogels en andere dieren in het wild zou verstoren. De mensen die ongerust kwamen informeren, kregen eerst thee met scones voorgezet en werden daarna mee uit wandelen genomen, zodat ze zelf konden zien hoe de natuur hier op alle mogelijke manieren werd beschermd.

Ze gingen tevreden weer weg.

De bouwers spanden zich extra in met het vooruitzicht van de warme maaltijd die ze elke dag voorgezet kregen; om een uur zette Chicky het eten op de keukentafel en om halftwee had ze iedereen weer aan het werk. Gewend als ze waren aan meegebrachte boterhammen, beschouwden de meeste mannen deze uitgebreide lunch als het hoogtepunt van de dag. Thuis vertelden ze hun vrouw dat de Ierse stoofpot of de kool met spek van mevrouw Starr heel anders smaakte dan die van haar en dat gaf aardig wat wrevel.

Het werk aan het terrein begon vrucht af te werpen en volgens de oude juffrouw Queenie zag het huis er nu weer net zo uit als toen zij een meisje was – voordat ze gebrek aan geld kregen.

En een eindje van Stone House konden ze zien hoe Stone Cottage vorm kreeg. Ze vonden het allemaal leuk om het voor Rigger in te richten. Orla wist dat hij doodzenuwachtig was voor zijn confrontatie met de Hickeys waarbij hij en Carmel hun plannen zouden aankondigen, maar ze leerde van Chicky dat je over dat soort dingen niet praatte.

Het was allemaal zo anders dan het leven met Brigid, waarin alles werd besproken en tot op het bot geanalyseerd. Tenminste, vroeger natuurlijk. Brigid was niet meer dezelfde. Ze werd totaal in beslag genomen door die bruiloft, door gastenlijsten en cadeaulijsten en tafelschikkingen en ze beschouwde Orla als een soort *wedding planner*, omdat ze toch daar zat, in Stoneybridge.

Wilde Orla een kijkje gaan nemen in de kerk en zien wat voor boeketten er aan het eind van elke kerkbank langs het gangpad konden worden gehangen? Tevergeefs zei Orla dat dat nog nooit vertoond was in Stoneybridge. Brigid had last van de 'bruidsgekte' en was niet te stoppen.

Wanhopig vroeg Orla Chicky om raad. Die dacht even na.

'Zeg tegen haar dat haar eigen familieleden het leuk zouden vinden om bij haar huwelijk betrokken te zijn, en dat zij dit soort dingen zouden moeten doen.'

'Maar die vertrouwt ze niet, ze vindt het boerenkinkels.'

'Daar heeft ze vast gelijk in, maar wijs haar er dan op dat haar familie erg vijandig staat tegenover alles wat met Stone House te maken heeft en dat het dus pijnlijk wordt als jij er wel bij betrokken bent. Dat geeft jou een uitweg.'

'Je verspilt je talent hier, je zou in de Verenigde Naties moeten zitten,' zei Orla bewonderend.

Brigid kwam twee keer langs voor de bruiloft, gespannen en bezorgd.

'Mag ik bij jou in je huisje blijven slapen?' smeekte ze Orla. 'Als ik thuis moet logeren is mijn moeder straks de overleden moeder van de bruid.'

Orla voelde er weinig voor om Brigid in huis te hebben. Het zou inderdaad irritatie wekken bij haar familieleden en het zou ook betekenen dat Orla werd meegezogen in de mallemolen van alle voorbereidingen.

'Dat kan niet, Brigid, juf Daly komt logeren.'

'Juf Daly? Onze juf Daly? Van school?'

'Ja, het is allemaal al geregeld.'

'Hemel, je doet wel heel eigenaardig sinds je terug bent in Stoneybridge.'

'Ik weet het, dat komt door al die zeelucht.'

'Sinds wanneer ben jij zulke goede maatjes met juf Daly?'

'Dat ben ik altijd geweest.'

'Volgens mij is de omgang met juffrouw Queenie niet goed voor je, Orla. Je bent excentriek geworden.'

'Maar nog niet zo gek om kanariegeel te dragen. Heb je al een beslissing genomen over de kleur van mijn bruidsmeisjes-jurk?'

'O, trek maar aan wat je wilt. Dat doe je toch wel.'

'Goed. Ik weet precies de goede jurk: donkergoud met room-kleurig kant. Ingetogen, maar mooi.'

'Is hij lang?'

'Ja, natuurlijk.'

'En waar is hij? Gaan we hem bekijken als ik daar ben?'

'Ik heb hem hier.'

'Heb je hem al gekócht?' Brigid was diep verontwaardigd.

'Ik hoef hem niet op de bruiloft te dragen. Kom gewoon even kijken.'

'Maar wat doe je dan als hij niet geschikt is? Kun je hem nog ruilen?'

'Hij komt altijd wel een keer van pas.'

'Van pas? Bij het toiletten schoonmaken in een pension? Goeie god, Orla, wat is er met je gebeurd?'

'God mag het weten,' stemde Orla in.

Haar belangrijkste doel was dat Brigid de jurk te zien kreeg zonder erachter te komen dat die van juffrouw Queenie was ge-weest. Zestig jaar geleden had juffrouw Queenie hem gedragen op een jachtbal waar ze een groot succes was geweest. Hij paste Orla alsof hij voor haar was gemaakt.

Juf Daly zag er nog precies zo uit als altijd. Ze had twee koffers bij zich en haar fiets.

'U bent een schat dat u zo snel wilde komen.' Orla was dankbaar dat haar lerares gehoor had gegeven aan haar noodsignaal.

'Het kwam mij prima uit. Shanes voorbijgaande gril bleek toch blijvender dan we dachten.'

'Dat spijt me.'

'Mij niet, eigenlijk. Het had zijn tijd gehad. Ik had een korte harde dreun nodig.'

'En die hebt u gekregen?'

'Ja, een zeer zwangere achttienjarige en het oude we-zijn-zó-blij-met-de-baby-liedje. Precies het goede moment om er een paar dagen tussenuit te gaan en na te denken.'

'Gaat u dat doen, terwijl u hier bent?'

'Ja, dit is een goede plek om na te denken. Bij de oceaan voel je je kleiner, minder belangrijk, je gaat de dingen weer in de juiste proporties zien.'

'Ik wou dat het voor Brigid ook zo werkte,' zuchtte Orla.

'Je hebt het gevoel dat je haar kwijt bent, hè?' zei juf Daly begrijpend.

'Ja, eerlijk gezegd wel. We zijn al beste vriendinnen sinds we tien waren. Het lijkt net alsof dat allemaal maar een fase was. U weet wel, zoals toen zij en ik een tijdje aan tapdansen deden en balletpakjes droegen en telkens opnieuw *shuffle-hop-step, tap-ball-change* deden. Maar dit is voor altijd. Met Foxy!'

'Misschien houdt ze wel van hem.'

'Nee. Als ze van hem hield zou ze zich niet in allerlei bochten wringen om indruk te maken op zijn familie.'

'Of misschien heeft ze behoefte aan zekerheid.'

'Brigid? Die kan zó goed voor zichzelf zorgen.'

'Heb je zelf wel eens van iemand gehouden, Orla?'

'Nee, houden van niet. Wel verliefd geweest.'

'Nou, je weet tenminste het verschil, dat is meer dan sommige anderen kunnen zeggen. Laat me jullie helpen bij het planten van wat dingen die hier op Stone House kunnen overleven. De helft van wat jullie hebben geplant, gaat in de winter dood.'

Juf Daly fietste rond en dronk een biertje in verschillende plaatselijke pubs om haar territorium af te bakenen. En toen Brigid naar huis kwam, stelde ze alle vragen die Orla niet durfde te stellen. Zoals wat Brigid de hele dag zou gaan dóén na de huwelijksreis, als ze niet zou gaan werken? Wilden ze meteen een gezin stichten? Zou ze veel samen met haar schoonfamilie doen?

De antwoorden waren erg onbevredigend en gingen voornamelijk over vaak naar de paardenrennen gaan en uitstapjes naar het huis van Foxy's zus in Spanje. Maar er waren ook een paar kleine zegeningen. Brigid vond de jurk van juffrouw Queenie prachtig, 'vintage' noemde ze hem goedkeurend. Foxy's zus zou ook een vintage jurk dragen. Hij was dus heel geschikt.

De bruiloft was net zo afschuwelijk als Orla had gevreesd. Het was veel te veel van het goede, met een reusachtig baldakijn en een en al opzichtig vertoon van rijkdom.

De O'Hara's hadden diep in de buidel getast en zelfs een paar huizen in het stadje opgeknapt die ze gekocht hadden in de tijd van de vastgoedbubbel, maar die sinds de crisis leegstonden. Ze hadden ze snel geschilderd en opnieuw ingericht, zodat de familie Farrell er kon logeren, wat goedkeurend werd ontvangen.

Foxy's getuige, Conor, zo'n grapjas die zijn Ierse wortels tegelijk met zijn Ierse accent achter zich had gelaten, hield een ontzettend platvloerse speech waarin hij zei dat een van de voordelen van getuige zijn was dat je het bruidsmeisje mocht naaien, en dat dat vanavond niet al te vreselijk zou zijn. Foxy brulde van het lachen. Orla bleef ijzig voor zich uit kijken en deed haar best Chicky's blik te vermijden.

Chicky fluisterde tegen haar broer Brian dat het maar goed was dat hij aan dat stel ontsnapt was. Maar Brian, die het nooit te boven was gekomen dat de familie O'Hara hem had afgewezen, bleek nog steeds gevoelens te koesteren voor Sheila O'Hara — ze was nu gescheiden van haar gokverslaafde echtgenoot, die ooit zo'n goede vangst had geleken.

Nadat bruid en bruidegom richting Shannon Airport waren vertrokken, kwam Conor naar Orla toe.

'Ik hoor dat je alleen woont,' zei hij.

'Wat ben jij subtiel,' zei ze bewonderend. 'Ik wed dat alle meisjes dol op je zijn.'

94

'We hebben het niet over alle meisjes, we hebben het over jou, vanavond. Zullen we dan maar?' zei hij. Blijkbaar had hij haar opmerking letterlijk opgevat.

Orla keek hem stomverbaasd aan. Hij had niet eens gemerkt dat ze hem het bos in stuurde. Met bankiers als Conor en Foxy was het geen wonder dat de westerse economie er zo beroerd voor stond.

'Al moest ik sterven zonder te weten wat seks was, dan nog zou ik een kilometer bij jou vandaan blijven, Conor,' zei ze, terwijl ze hem vriendelijk toelachte.

'Pot,' beet hij haar toe.

'Dat zal het zijn, ja,' zei Orla opgewekt.

'Oké, kenau dan. Ik vroeg het alleen maar omdat het erbij hoort.'

'Natuurlijk, Conor,' zei Orla sussend.

Juf Daly had een lange fietstocht door de bergen gemaakt om niet bij de bruiloft te hoeven zijn. Ze had twee Franse tandartsen ontmoet die daar met vakantie waren. Morgen gingen ze richting Donegal. Juf Daly ging met ze mee. Ze hadden een auto met imperiaal – perfect voor haar fiets.

Orla ging zitten en staarde haar met open mond aan.

'Ik weet het, Orla, er zijn twee uitersten op de wereld: mensen zoals ik en mensen zoals Brigid. Wees maar blij dat jij de middenweg bewandelt.'

Ze had niet veel tijd om daarover na te denken. De trouwdag van Rigger kwam snel dichterbij. Dat zou een veel eenvoudigere aangelegenheid worden.

Chicky serveerde geroosterd lam in Stone Cottage en ze maakten een prachtige bruidstaart voor Rigger en Carmel. Vergeleken bij die onzin onder het baldakijn en alle aanstellerij van de families O'Hara en Farrell was dit erg ontspannen en intiem.

Na afloop, toen de Hickeys blij naar huis waren, bleven Chicky, Orla en juffrouw Queenie nog even zitten en ze complimenteerden elkaar.

Het belangrijkste werk voor de verbouwing van Stone House was bijna klaar; ze hoefden het nu alleen nog maar eens te worden over de inrichting en aankleding van het huis. Chicky wilde daar professionele ontwerpers voor inhuren en Orla stond erop dat ze geen mensen zouden betalen voordat ze zeker wisten dat die het in hun vingers hadden. Orla vond dat Chicky het best zelf zou kunnen doen. Ze zat per slot van rekening vlak bij de bron. Juffrouw Queenie kon vertellen hoe het huis er in vroeger dagen had uitgezien.

Chicky wist wel wat comfortabel en stijlvol was, maar ze was onzeker en terughoudend over haar eigen ideeën.

'De mensen die hier straks komen logeren, betalen daar veel geld voor. Dan willen we niet dat ze het huis nep vinden, of armoedig of zoiets.'

'Ik heb in Londen veel ontwerpers ontmoet,' zei Orla. 'Sommigen waren heel goed, dat is waar, maar veel deden maar wat. Wat je noemt de nieuwe kleren van de keizer. Je moet ze echt goed in de gaten houden.'

Uiteindelijk kozen ze voor een stel dat Howard en Barbara heette. Ze werden warm aanbevolen door Brigid, die ze had leren kennen op een feestje in Londen waar ze met Foxy Farrell was.

Orla had op het eerste gezicht een hekel aan ze. Ze waren begin veertig, spraken geaffecteerd en gebruikten voortdurend woorden als 'schat', en 'zóóó', meestal om iets af te keuren.

'Schat, die grootvaders klok in de hal moet je echt niet willen. Die is zóóó irritant en hij verstoort het slaapritme.'

'Er heeft altijd een grootvaders klok in de hal gestaan,' zei die arme juffrouw Queenie zachtjes.

'Hallo, we hadden het erover hoe we dit huis toonbaar kunnen maken, toch? Daarvoor zijn we hier, schat.'

Chicky gaf Howard en Barbara een van de mooiste kamers, met de grote ramen en het balkon met uitzicht op zee. Ze snoven terwijl ze de kamer rondkeken. Ze wisselden veelbetekenende blikken toen ze naar beneden kwamen. Ze huiverden licht als ze iets zagen wat hun niet beviel, zoals de stenen vloer in de keuken. Die moest eruit en vervangen worden door een goede massief houten vloer. Orla zei dat de stenen vloer authentiek was en er al lag sinds het huis gebouwd was in 1820.

'Dat bedoel ik,' zei Howard. 'Het is tijd dat hij verdwijnt.' Maar dit gevecht won Orla. Over de stenen vloer viel niet te praten.

Barbara en Howard wilden niet dat de voorkamer de 'Juffrouw Sheedy-kamer' werd genoemd. Volgens hen was dat nogal 'zoet' en, schat, als er íéts dodelijk was voor een huis, dan was het wel dat het iets zoetigs had. Hun eigen kamer lieten ze in grote wanorde achter, met natte handdoeken op de badkamervloer en een verbazingwekkende hoeveelheid vuile kopjes en glazen en volle asbakken, ondanks het nietrokenbeleid waar ze verschillende keren op gewezen waren.

De moestuin stelden ze niet op prijs, ze zeiden dat hij erg amateuristisch was, de gasten zouden gewend zijn aan veel grotere en veel beter aangelegde tuinen. Ze fronsten dreigend naar Gloria en zeiden dat het erg onhygiënisch was om een kat in de buurt van voedsel te laten komen. Tevergeefs probeerden juffrouw Queenie, Chicky en Orla hen ervan te overtuigen dat Gloria een katje met onberispelijke manieren was dat nooit in de buurt van een eettafel kwam als er gegeten werd. Toegegeven, Gloria zag een keer per ongeluk het been van Howard aan voor een krabpaal en schrok zo van zijn gekrijs dat ze in zijn broekspijp omhoog probeerde te klauteren. Barbara schreeuwde en zwaaide met haar armen naar het arme katje dat achter de sofa vluchtte en zich daar trillend verstopte tot juffrouw Queenie het kwam redden. Nu was Orla niet meer de enige die Howard en Barbara haatte.

Verslagen door de pro-Gloria-lobby richtten ze hun pijlen vervolgens op het feit dat Carmel zo overduidelijk zwanger was. Ze hoopten dat zij niet in het hele verhaal voor zou komen als de baby geboren was. Het laatste wat gasten wilden, schat, was het geluid van een krijsend kind. Dat zou zóveel slechte vibraties geven.

Ze gaven geen compliment voor het heerlijke eten dat ze van Chicky en Orla voorgezet kregen; wel beweerden ze dat Stone House een behoorlijke wijnkelder moest hebben en bestelden ze grote glazen cognac na het eten.

Orla nam het heft in handen. Bij het ontbijt op de tweede dag zei ze dat ze nu waarschijnlijk wel zover waren dat ze praktische adviezen konden geven voor de inrichting, voorstellen konden doen voor de materialen en kleuren en adressen konden aanbevelen waar ze alles het beste konden kopen.

Barbara en Howard raakten hierdoor een beetje van hun stuk. Ze hadden zich voorgesteld dat ze hier een aantal dagen zouden blijven om het gevoel van het huis op te zuigen, zeiden ze. Dat had Orla al vermoed. Na het ontbijt zette ze een koffiezetapparaat in het kantoor neer en ging verwachtingsvol achter de computer zitten.

'Het is natuurlijk een laat-Georgiaans huis,' zei Orla zelfverzekerd. 'Ik heb op internet wat hedendaagse foto's opgezocht van dit type huizen en er een paar uitgeprint, als discussiemateriaal. Ik vroeg me af welke referenties jullie ons kunnen geven, zodat we kunnen vergelijken.'

Gealarmeerd keken ze haar aan. 'Nou, natuurlijk kennen we allemaal de klassieke grote Georgiaanse huizen…' begon Barbara. Orla kon het op kilometers afstand ruiken als iemand maar wat zat te kletsen.

'Ja, maar dit is natuurlijk geen groot huis. Het is een klein herenhuis en bijna Victoriaans, eigenlijk, eerder dan dat het duidelijk Georgiaanse kenmerken heeft. We zijn benieuwd welk kleurenschema jullie in je hoofd hebben.'

'Dat hangt er helemaal van af, schat. Dat is zóóó alsof je vraagt hoe lang een eindje touw is. Alleen maar naar kleuren vragen,' begon Howard gewichtig.

'En waar denken jullie dat we het beste stoffen kunnen kopen?' Orla bladerde door een tweede stapeltje prints. Ze zag hoe Barbara en Howard elkaar aankeken.

Chicky mengde zich in het gesprek.

'We hebben natuurlijk zelf ook ideeën, maar we wilden graag wat begeleiding van echte professionals. Jullie hebben natuurlijk veel meer ervaring en veel meer contacten dan wij.'

'Ik wist niet dat je zo handig was met de computer,' zei Barbara koel tegen Orla.

'Dat is nou eenmaal mijn generatie,' glimlachte Orla. 'Ik vroeg me trouwens af waarom jullie geen website hebben.'

'Nooit nodig gehad,' zei Barbara zelfgenoegzaam.

'Dus hoe vinden de mensen jullie dan?' Orla's blik was onschuldig.

'Via persoonlijke aanbeveling.'

'Ja, zo vinden ze jullie náám, maar hoe weten ze wat jullie gedáán hebben?'

Nog steeds stond haar gezicht onschuldig, maar de uitdaging lag op tafel.

Aan het eind van het gesprek was het duidelijk dat hun wegen zich zouden scheiden. Barbara begon over een honorarium voor hun tijd en inbreng. Chicky en Orla keken elkaar verbijsterd aan. Howard stelde voor om als vrienden uit elkaar te gaan, geen probleem. Ze wensten de onderneming veel succes. Ze spraken op spijtige toon waarin hun ongeloof doorklonk dat Stone House langer dan een week open zou blijven, áls het ooit openging.

Rigger reed ze naar het station.

Achteraf vertelde hij dat ze de hele weg geen van drieën een woord hadden gezegd. Toen hij had gevraagd of ze terug zouden komen om toezicht te houden op de inrichting, hadden ze geantwoord dat dat er niet in zat.

'Nou, ik hoop dat jullie een prettig verblijf hebben gehad,' had Rigger gezegd.

'"Prettig" is een groot woord, schat,' hadden ze geantwoord, terwijl hij hun koffers in de trein tilde.

Die avond kozen Chicky en Orla zelf kleuren en stoffen uit en de volgende dag zetten ze alles in gang. Ze hadden hun les geleerd. Er bestonden vast fantastische ontwerpers, maar zij hadden ze niet gevonden. Het was te laat om het nog een keer te proberen. Ze zouden op zichzelf moeten vertrouwen.

Stapje voor stapje kreeg het huis vorm.

Hun website was in bedrijf, met foto's van het uitzicht vanuit Stone House en beschrijvingen van alles wat ze te bieden hadden. Ze kregen veel verzoeken om informatie, maar tot nu toe nog geen definitieve boekingen.

Orla stelde een persbericht op dat ze naar alle kranten, tijdschriften en radioprogramma's stuurde. Ze bood een Winterweek in Stone House aan als prijs voor verscheidene prijsvragen, want daarmee kregen ze gratis publiciteit. Ze kocht een groot plakboek en vroeg juffrouw Queenie om alle eventuele knipsels te bewaren. Ze legde contact met vliegvelden en toeristenbureaus, boekenclubs, vogelaarsgroepen en sportverenigingen; ze begon een Facebook-pagina en een Twitter-account.

Chicky vond het geweldig dat ze vanuit hun kleine kantoortje in Stone House toegang hadden tot de hele wereld. Ze hadden hun menu's vervolmaakt en op internet gezet, daarna hadden ze de dagelijkse gang van zaken met de leveranciers en bestellingen uitgewerkt en er een tijdschema voor gemaakt, zodat alles soepel zou verlopen. Geleidelijk kwamen de definitieve reserveringen binnen en ze waren bijna klaar om hun eerste gasten te ontvangen, toen Carmel haar tweeling kreeg.

Juffrouw Queenie zei tegen Orla dat ze nog nooit zo gelukkig was geweest. Er gebeurde de laatste tijd zoveel in Stone House en zij maakte het allemaal van dichtbij mee. De zitkamer heette nu officieel de Juffrouw Sheedy-kamer. Er hingen gerestaureerde foto's uit hun kindertijd, waarop Beatrice en Jessica en juffrouw Queenie zelf als kinderen stonden. Tegenwoordig kende ze iedereen in Stoneybridge, in plaats van maar een paar mensen. Ze had heerlijk te eten en een warm huis. Wie had kunnen denken dat haar leven zoveel prettiger zou worden nu ze ouder werd?

'Maar ik maak me wel zorgen om Chicky, ze werkt zo hard,' vertrouwde juffrouw Queenie Orla hoofdschuddend toe. 'Ze is nog steeds een jonge vrouw, nou ja, in mijn ogen dan. Ze wordt genoeg nagekeken, maar ze denkt er nooit aan om iemand als mogelijke echtgenoot te zien.'

'En ík dan, juffrouw Queenie? Maakt u zich over mij geen zorgen?'

'Nee, Orla, totaal niet. Jij blijft hier met Chicky werken tot je jaar voorbij is, zoals je hebt beloofd en dan ga je de wereld veroveren. Dat staat op je voorhoofd geschreven.'

In plaats van blij te zijn met dit blijk van vertrouwen, voelde

Orla zich plotseling eenzaam. Ze wílde de wereld niet gaan veroveren. Ze wilde hier blijven en helpen het hotel tot een succes
te maken.

'Ik heb geen haast om hier weg te gaan, juffrouw Queenie,'
hoorde Orla zichzelf zeggen.

'Het is gevaarlijk om te lang in Stoneybridge te blijven. We
kunnen niet met de meeuwen of met de jan-van-genten trouwen, weet je.'

'Maar u hebt zelf gezegd dat u nog nooit zo gelukkig bent
geweest als nu?'

'Ik heb er het beste van gemaakt en ik heb geboft. Erg geboft,'
zei juffrouw Queenie.

De volgende ochtend, toen Orla het oude dametje thee bracht,
zag ze met één blik op het bed dat juffrouw Queenie in haar
slaap was gestorven. Haar handen waren gevouwen. Haar gezicht stond rustig. Ze leek wel twintig jaar jonger, alsof haar
artritis en pijntjes verdwenen waren.

Orla had nooit eerder een dode gezien. Ze vond het niet erg
beangstigend.

Ze ging met het kopje thee naar Chicky's kamer.

Chicky was al wakker. Zodra ze Orla zag, wist ze wat er gebeurd was.

'Er kán geen God bestaan. Hij zou Queenie niet laten sterven voor de opening van het hotel. Dat is zo oneerlijk.' Chicky
begon te huilen.

'Weet je, in een bepaald opzicht is het misschien wel het beste
zo,' zei Orla.

'Hoe kún je dat zeggen, Orla? Ze wilde er zo graag bij zijn.'

'Nee. Ze was zenuwachtig. Ze heeft me meer dan eens gevraagd of ze bij de gasten aan tafel zou moeten eten of niet.'

'Natuurlijk wel.'

'Ze was bang dat ze te oud en te warrig zou zijn. Haar woorden, niet de mijne.'

'Hoe kun je zo rustig doen? Die arme, lieve Queenie. Ze heeft
geen leven gehad.'

'Kom even naar haar kijken, Chicky. Kijk alleen maar naar

haar gezicht. Dan weet je dat ze wél een leven had, en jij hebt haar dat gegeven.'

Ze gingen de kamer binnen, waar juffrouw Queenie meer dan tachtig jaar had geslapen. Sinds 1930, toen de staat Ierland tien jaar oud was.

Poes Gloria kwam ook binnen. Ze sprong niet op het bed, maar bleef vol respect vanuit de deuropening staan kijken, alsof ze wist dat er iets niet klopte. Zo stonden ze allemaal naar het gezicht van juffrouw Queenie te kijken. Chicky boog zich voorover en raakte juffrouw Queenies koude hand aan.

'We zullen zorgen dat je trots op ons kunt zijn, Queenie,' zei ze en ze deden de deur achter zich dicht en gingen het aan Rigger en Carmel vertellen en dokter Dai bellen.

Stoneybridge nam in groten getale afscheid van juffrouw Queenie Sheedy. Bij Stone House verzamelde zich een grote menigte om achter de lijkwagen aan te lopen terwijl die haar langzaam naar de kerk reed.

Vader Johnson zei dat er komende zondag voor het eerst in vele tientallen jaren geen Sheedy in zijn kerk zou zitten. Hij zei dat juffrouw Sheedy de vorige week bij hem was gekomen en gevraagd had of ze 'Lord of the Dance' wilden zingen op haar begrafenis, wanneer die ook zou plaatsvinden. Vader Johnson had nog gezegd dat we allemaal allang voor onze Schepper zouden zijn verschenen voordat juffrouw Queenie zelf klaar was om te gaan. De wegen van de Heer zijn ondoorgrondelijk en nu had ze zich bij haar geliefde zusters gevoegd, met achterlating van de herinnering aan een goed geleefd leven.

De hele gemeente zong 'Lord of the Dance'. Ze snoten hun neus en pinkten een traan weg bij de gedachte aan juffrouw Queenie die jarenlang, zolang ze zich konden herinneren, zo goedmoedig naar hen en hun kinderen had zitten kijken.

Rigger was een van de vier mannen die de kleine kist naar het kerkhof droegen. Zijn gezicht stond strak terwijl hij eraan terugdacht hoe de oude dame hem verwelkomd had in haar huis en hoe enthousiast ze over alles was geweest – van de moestuin en Stone Cottage en hun rondritjes in zijn bus tot en met de komst van de tweeling.

Hij vond het jammer dat Rosie en Macken niet zo'n lieve oude oma-figuur in hun leven zouden hebben. Ze zouden hun alles over haar vertellen. Op een dag, als hij zelf naar dit kerkhof werd gedragen, zouden zij hun eigen kinderen vertellen over die geweldige juffrouw Queenie, die nog stamde uit het vaak stormachtig Ierse verleden.

Er waren geen leden van de familie Sheedy, dus werd Rigger gevraagd om de eerste schep aarde in het graf te gooien. Na hem kwamen Chicky en Orla. En de grote menigte stond daar in stilte, tot dokter Dai, met zijn krachtige Welshe bariton, plotseling 'Abide with Me' inzette en zo liepen ze allemaal de heuvel weer af.

In Stone House stonden thee en sandwiches klaar.

Gloria had het hele huis afgezocht naar juffrouw Queenie. Ze was nu helemaal in de war en zat zich buiten bij de voordeur verwoed te wassen.

Toen Orla eenmaal bezig was de hapjes rond te delen, kwam ze genoeg tot zichzelf om te beseffen hoeveel mensen er naar de begrafenis waren gekomen. Brigid en Foxy waren overgekomen uit Londen. Juf Daly had het van iemand gehoord en was verschenen met een van de Franse tandartsen die nu een dierbare vriend was geworden. Alle O'Hara's waren er, hun vroegere vijandschap was vergeten. Alle bouwvakkers, leveranciers, de plaatselijke boeren, het personeel van de breifabriek en Aidan, een advocaat uit een stadje in de buurt, van wie gezegd werd dat hij verliefd was op Chicky.

Juffrouw Queenie zou in haar handen hebben geklapt en zou hebben gezegd: 'Stel je voor, al die mensen zijn voor mij gekomen. Wat vreselijk aardig van ze!'

Aidan nam Orla even apart om haar te vertellen dat juffrouw Queenie de vorige week haar testament had opgemaakt. Ze had alles wat ze bezat nagelaten aan Chicky, afgezien van twee kleine legaten, één voor Rigger en één voor Orla.

Hij vroeg Orla ook of ze dacht dat Chicky met hem uit eten zou willen als hij het haar vriendelijk vroeg.

Orla zei dat hij beter kon wachten tot Stone House officieel geopend was. Chicky kon op het ogenblik nauwelijks aan iets anders denken, maar Orla verzekerde hem dat er geen kapers op de kust waren.

'Ik zal het haar niet moeilijk maken,' zei hij tegen haar.

'God, als dat geen goede aanbeveling is,' zei Orla, terwijl ze veelbetekenend naar een paar ooms en die betreurenswaardige Foxy keek.

'Ik moet zeggen, Barbara en Howard hebben goed werk geleverd,' zei Foxy goedkeurend.

'Ja, vind je niet?' stemde Chicky in.

Rigger wilde net zijn mond opendoen om te vertellen hoe nutteloos zij waren geweest, maar Orla schudde haar hoofd. Het leven was kort, Chicky had besloten het zo te spelen. Laat het gaan.

Nog een paar dagen en dan zouden de eerste gasten arriveren. Ze zaten bijna vol. Er was nog maar één kamer niet bezet. Elke avond liepen Orla en Chicky samen de gastenlijst door. Ze kwamen uit Zweden, Engeland en Dublin. Sommigen met de auto, anderen per trein. Rigger had van allemaal de aankomsttijden doorgekregen.

Telkens weer namen ze de menu's door om te zien of ze wel alle ingrediënten hadden. Ze probeerden zich voor te stellen hoe al die mensen 's avonds rond hun tafel zouden zitten en er elke ochtend voor het ontbijt zouden verschijnen. Ze hadden in de Juffrouw Sheedy-kamer een verzameling tijdschriften en romans neergelegd; ze hadden kaarten en gidsen en vogelboeken bij de hand. Rubberlaarzen, paraplu's en regenjassen lagen allemaal klaar in de laarzenkamer.

Gloria was langzamerhand hersteld van haar korte rouwperiode; ze kwam weer bij het haardvuur zitten en spinde zo gezellig dat de meest sombere ziel ervan zou opklaren.

'Jij hebt nu je vluchtgeld, Orla,' zei Chicky op de laatste avond.

'Ik heb altíjd vluchtgeld gehad,' zei Orla.

'Het is alleen maar dat ik je niet in de weg wil staan. Je hebt alles gedaan wat je beloofd hebt en meer.'

'Waarom probeert iedereen toch van me af te komen?' vroeg Orla. 'Queenie ook al. De avond voor ze stierf zei ze dat ik niet met de meeuwen of jan-van-genten in Stoneybridge kon trouwen.'

'En daar had ze groot gelijk in,' vond Chicky.

'Maar hoe zit het met jóú?'

'O, schei toch uit, Orla!'

'Ik wed dat Walter graag zou hebben gewild dat je hertrouwde.'

'Ja, dat denk ik ook.'

'Dus?'

'Dus wat? Dokter Dai bij zijn vrouw wegsleuren? Vader Johnson aan het priesterambt ontrukken? Mezelf aanbieden op internet: "rijke weduwe met eigen zaak"?' Chicky moest lachen. 'We hebben het over jou. Je hebt maar één leven, Orla.'

'En wat is er mis mee om dat een tijdje hier te leven?' vroeg Orla. 'Het zou erger zijn dan een mens kan verdragen om weg te gaan voordat het hotel zijn eerste jaar is doorgekomen.'

Chicky liet zich achterovervallen in haar stoel. Gloria rekte zich tevreden uit.

De grootvaders klok in de hal sloeg middernacht.

Dit was de dag dat Stone House zijn deuren zou openen voor het publiek. Voorlopig zouden ze 's avonds niet meer met z'n tweeën in deze keuken zitten.

Ze hieven het glas naar elkaar. Buiten braken de golven op de kust en raasde de wind door de bomen.

Winnie

Natuurlijk had Winnie graag willen trouwen. Of een langdurige relatie willen hebben. Wie niet?

Iemand alleen voor jezelf hebben. Iemand met wie je alles kon delen en uiteindelijk kinderen kon krijgen. Dat wilde ze echt wel. Maar niet tot elke prijs.

Zij zou nooit getrouwd zijn met de dronkenlap met wie een vriendin was getrouwd – een man die op het bruiloftsfeest zo grof was geworden dat sommige gasten jaren later nog beledigd waren.

Ze zou ook niet met de controlfreak zijn getrouwd of met de gierigaard. Maar ze had ook veel vriendinnen die een aardige, hartelijke, gelukkige man hadden, een man die hun leven compleet had gemaakt.

Was er maar ergens zo'n man.

En als er een was, hoe moest Winnie hem dan vinden? Ze had het geprobeerd met internetdaten, met speeddaten, ze was naar clubs gegaan. Het had allemaal niet gewerkt.

Toen ze begin dertig was, had Winnie de gedachte aan een man min of meer opgegeven. Ze leidde een druk leven, werkte als verpleegkundige voor uitzendbureaus, de ene dag hier, de andere nacht daar, in de ziekenhuizen van Dublin. Ze ging naar het theater, sprak af met vrienden, volgde kookcursussen en las veel.

Ze kon niet zeggen dat haar leven droevig en eenzaam was. Verre van dat, maar ze had zo graag de kans willen krijgen om iemand te ontmoeten en te weten dat die de ware was. Het gewoon te weten.

Winnie was optimistisch. Op zaal zeiden ze altijd dat ze een geweldige verpleegster was om mee te werken, omdat ze altijd wel iets zag waar je blij van kon worden. De patiënten mochten haar graag – ze maakte altijd tijd om hen gerust te stellen en tegen ze te zeggen hoe goed ze het deden en hoe goed de medische wetenschap tegenwoordig was. Ze verspilde geen tijd in de ziekenhuiskantine met klagen dat de Ierse mannen een stelletje zielepoten waren. Niet bij de pakken neerzitten, dat was haar motto.

Nog steeds koesterde ze de vage hoop dat er liefde in het verschiet lag – ze was er alleen iets minder zeker van dat ze die ook zou vinden.

Op haar vierendertigste verjaardag ontmoette ze Teddy.

Ze was met drie vriendinnen – allemaal getrouwd, allemaal verpleegkundige – uit eten gegaan bij Ennio, aan de kade langs de Liffey. Winnie had haar nieuwe zwart met zilveren jasje aan. De kapper had haar overgehaald om een erg dure haarverzorgingsbehandeling te nemen. De meiden zeiden dat ze er fantastisch uitzag, maar dat zeiden ze altijd. Het had niet veel geholpen om een levenspartner aan te trekken. Het was een heel gezellige avond, het personeel van het restaurant kwam aan hun tafel 'Happy Birthday' zingen en ze kregen een Italiaans likeurtje van het huis. Aan de tafel naast hen zaten twee mannen bewonderend naar hen te kijken. Ze zongen zo uit volle borst mee dat ook zij het gratis drankje aangeboden kregen. Ze waren beleefd en wilden zich duidelijk niet opdringen.

Peter vertelde dat hij een hotel had in Rossmore en dat zijn vriend Teddy Hennessy heette en kaasmaker was, ook in Rossmore. Ze kwamen elke week naar Dublin, omdat Peters vrouw en Teddy's moeder graag naar een theatervoorstelling gingen. De mannen probeerden elke keer een ander restaurant uit. Dit was de eerste keer dat ze bij Ennio aten.

'En komt jouw vrouw dan niet mee naar Dublin?' vroeg Fiona aan Teddy, nogal opvallend.

Winnie voelde hoe ze bloosde. Fiona was bezig het terrein te verkennen, om te zien of Teddy beschikbaar was. Teddy leek het niet te merken.

'Nee, ik heb geen vrouw. Te druk met kaas maken, zegt iedereen. Nee, ik ben zo vrij als een vogel.' Hij was jongensachtig en enthousiast; hij had zacht bruin haar dat over zijn ogen viel.

Winnie had het idee dat hij naar haar keek.

Maar ze moest niet zo gek doen en meteen van alles verwachten. Misschien zag hij wel dat zij als enige van de vier vrouwen geen trouwring droeg. Misschien was het gewoon verbeelding.

Het gesprek verliep soepel. Peter vertelde over zijn hotel. Fiona had allerlei verhalen over de hartkliniek waar ze werkte. Barbara beschreef een paar rampen die haar man David waren overkomen toen hij zijn aardewerkfabriek begon. Ania, het Poolse meisje dat pas laat de verpleegkundeopleiding had gedaan, liet foto's van haar kindje zien.

Teddy en Winnie zeiden niet veel, maar ze keken elkaar waarderend aan, zodat ze weinig van elkaar te weten kwamen, behalve dat ze zich allebei op hun gemak voelden. Toen moesten de mannen weg om hun dames op te pikken bij het theater. Daarna was het nog twee uur rijden naar Rossmore.

'Ik hoop dat we elkaar nog eens zien,' zei Teddy tegen Winnie.

De drie andere vrouwen waren bezig omstandig afscheid te nemen van Peter.

'Dat hoop ik ook,' zei Winnie. Geen van beiden nam het initiatief om een telefoonnummer of adres te geven.

Uiteindelijk deed Peter het voor ze.

'Dames, mag ik jullie mijn visitekaartje geven, en als jullie nog een restaurant hier in Dublin weten dat zo goed is als dit, willen jullie ons dat dan doorgeven?'

'Dat is prima, Peter. O, Winnie, heb jij een kaartje bij je?' vroeg Fiona veelbetekenend.

Winnie schreef haar e-mailadres en telefoonnummer achter op een kaartje van Ennio's huiswijn. En toen waren de mannen weg.

'Jeetje, Fiona, je had net zo goed WANHOPIGE OUDE VRIJSTER in neonletters op mijn hoofd kunnen zetten,' protesteerde Winnie.

Fiona haalde haar schouders op. 'Hij was leuk. Wat had ik dan moeten doen, hem laten ontsnappen?'

'Kaas maken!' zei Barbara nadenkend. 'Heel rustgevend, lijkt me.'

'Mevrouw Hennessy... Dat klinkt goed,' lachte Ania.

Winnie zuchtte. Hij was inderdaad leuk, maar ze wist wel beter dan te veel te verwachten van een toevallige ontmoeting.

Teddy belde Winnie de volgende dag. Hij zou komend weekend weer in Dublin zijn. Zou Winnie het leuk vinden om een kop koffie met hem te gaan drinken of zoiets?

Ze zaten de hele middag in een groot, zonnig café te praten. Er was zoveel te vertellen en te horen. Ze vertelde hem over haar familie – drie zussen en twee broers die verspreid over de hele wereld woonden. Het was een aaneenschakeling van afscheid nemen op het vliegveld en tranen en beloften om op bezoek te komen, maar Winnie had nooit naar Australië of Amerika gewild. Ze was een echte huismus.

Teddy knikte instemmend. Hij was precies zo. Hij wilde nooit al te ver weg van Rossmore.

Toen Winnie twaalf was stierf haar moeder en verdween het licht uit hun huis. Vijf jaar later was haar vader hertrouwd; Olive was een vriendelijke, maar afstandelijke vrouw, ze maakte sieraden en verkocht die op markten en braderieën in het hele land. Het was moeilijk te zeggen of ze Olive mocht. Olive was afwezig en het leek of ze in een andere wereld leefde.

Teddy was enig kind en zijn moeder was weduwe. Zijn vader was jaren geleden op de boerderij verongelukt. Zijn moeder was in de plaatselijke melkfabriek gaan werken om geld te verdienen zodat ze hem naar een goede school kon sturen. Daar had hij het fijn gevonden, maar zijn moeder was erg teleurgesteld dat hij geen arts of advocaat was geworden. Dat zou haar beloning zijn geweest voor al die uren hard werken.

Hij hield van kaas maken. Hij had verschillende prijzen gewonnen en het was een goedlopend, stabiel bedrijfje. Hij ontmoette veel aardige mensen en kon zelfs arbeidsplaatsen bieden aan arbeiders in Rossmore die anders in het buitenland een baan hadden moeten zoeken. Zijn moeder, die een uitstekende zakenvrouw bleek te zijn, deed zijn boekhouding en was nauw bij het bedrijf betrokken.

Winnie vertelde over haar leven als verpleegkundige en legde uit wat het betekende om bij een uitzendbureau ingeschreven te staan. Je wist letterlijk niet waar je morgen zou werken. Het kon in zo'n grote, glanzend nieuwe privékliniek zijn; maar ook in een druk stadsziekenhuis, op een kraamafdeling of in een verzorgingshuis voor ouderen. In veel opzichten was het fijn, omdat het zo afwisselend was, maar het betekende ook dat je je patiënten niet goed leerde kennen – en dat je minder aanwezig en betrokken was bij de zorg voor hen.

Ze waren allebei een keer op vakantie naar Turkije geweest, ze lazen graag thrillers en ze waren allebei slachtoffer geweest van goedbedoelende vrienden die afspraakjes probeerden te regelen om hen aan iemand te koppelen. Misschien zouden ze een keer trouwen, en misschien ook niet, zeiden ze vriendschappelijk tegen elkaar. Maar ze wisten dat ze elkaar snel weer zouden zien.

'Ik vond het erg leuk, vandaag,' zei hij.

'Zal ik de volgende keer voor je koken?'

Zijn gezicht lichtte op.

En daarna maakte hij deel uit van haar leven. Geen groot deel, hij was er misschien twee keer per week.

Een aantal keren dat hij bij haar in haar flat was, ging hij voor middernacht weg en reed dan de hele weg terug naar Rossmore. Toen vroeg hij op een avond of ze ook niet vond dat hij beter kon blijven overnachten. Winnie zei dat dat inderdaad heel gezellig zou zijn.

Af en toe gingen ze zelfs samen een weekend weg, maar dan moest het wel een kort weekend zijn. Ze kwam er al snel achter dat aan de plannen van zijn moeder niet te tornen viel. Teddy kon nooit op vrijdagavond, want dan nam hij zijn moeder mee uit eten in het hotel van Peter.

Ja, echt elke vrijdag, zei hij spijtig. Het was zo'n kleine moeite en mam vond het zo fijn. En als je bedacht wat zij al die jaren niet voor hem over had gehad…

Winnie dacht hierover na. Hij leek haar geen moederskindje, maar ze merkte wel dat hij ertegen opzag om haar aan zijn moeder voor te stellen. Alsof dat een test was die ze niet zou doorstaan. Maar dat verbeeldde ze zich natuurlijk. Hij was een volwassen man. Ze zou de zaak niet overhaasten.

In plaats daarvan richtte ze zich op het plannen van een korte vakantie samen.

Winnie had gehoord van een hotel aan de westkust dat geopend zou worden, Stone House. In de folder stond een erg aantrekkelijke foto van een grote tafel, waar alle gasten 's avonds bij elkaar zouden komen, en naast een laaiend haardvuur zat een schattig zwart-wit katje. De folder beloofde ook uitstekend eten uit eigen keuken, veel comfort en mogelijkheden om te wandelen, vogels te kijken en de spectaculaire kust te verkennen.

Zou het niet heerlijk zijn om daar met Teddy heen te gaan? Als ze hem maar los kon maken uit de greep van die kostbare vrijdagavonden met zijn moeder.

Zijn moeder!

Ze kon maar beter wachten tot ze die ontmoeting achter de rug had voor ze moeders oogappel zomaar meenam naar West-Ierland! Aan de andere kant, dat hotel zag eruit alsof het heel populair zou kunnen worden. Teddy zou het enig vinden als ze hem ermee verraste en kwam het hem echt niet uit, dan kon ze de reservering altijd nog afzeggen...

En toen wás het tijd om haar te ontmoeten – de moeder die zoveel had opgeofferd voor haar jongen, de moeder die zo gehecht was aan haar vrijdagavonden. Ze had Teddy gevraag om zijn vriendin Winnie uit Dublin mee te brengen, zodat ze op vrijdagavond met hen in het hotel kon eten en de volgende dag bij hen kon lunchen.

Zorgvuldig koos Winnie de kleren uit waarvan ze dacht dat ze de goedkeuring van mevrouw Hennessy zouden wegdragen.

De oude dame kwam zelden buiten Rossmore. Iets al te flitsends zou haar kunnen afschrikken.

Winnies zwart met zilveren jasje was misschien te chic. Dus trok ze een praktisch marineblauw broekpak aan.

'Ik zie er een beetje tegen op haar te ontmoeten,' vertrouwde ze Teddy toe.

'Onzin. Ik weet zeker dat jullie twee binnen de kortste keren de beste vriendinnen zijn,' zei hij.

Ze zou de trein naar Rossmore nemen met haar weekendtas. Peter en zijn vrouw Gretta hadden haar uitgenodigd om in hun hotel te logeren als hun gast. Mevrouw Hennessy wist vast niet dat ze wel eens bij elkaar sliepen, dus dit leek een verstandige oplossing.

'We geven je onze beste kamer. Je zult alle comfort nodig hebben die je kunt krijgen na je ontmoeting met de draken-dame,' had Peter gezegd.

'Maar ik dacht dat je haar aardig vond!' Winnie was geschrokken.

'Het is echt een prima mens en erg goed gezelschap, maar zelfs in het wild zul je geen moederdier tegenkomen dat zo be-schermend is tegenover haar jong als Lillian. Ze schrikt ze alle-maal af, een voor een,' lachte Peter.

Winnie deed alsof ze hem niet hoorde. Er zou niet om Teddy gevochten worden. Hij was volwassen, een man die zijn eigen keuzes kon maken en dat ook zou doen.

Teddy haalde haar af van het station. 'Mam heeft een hele rits gasten uitgenodigd voor de lunch morgen,' zei hij verrukt. 'Ze zegt dat we het voor jou de moeite waard moeten maken dat je helemaal hierheen bent gekomen.'

'Dat is heel aardig van haar,' mompelde Winnie. 'En zo krijg ik je huis ook te zien.' Ze was erg blij dat ze een cadeautje voor mevrouw Hennessy bij zich had. Het zou allemaal prima gaan.

In het hotel waren Gretta en Peter in alle staten. 'Wil je nu je kamer zien en je vast omkleden voor het avondeten?' vroeg Gretta.

'Nee, helemaal niet. Ik ga gewoon zo naar binnen,' zei Winnie. Ze wist dat mevrouw Hennessy een pietje precies was als het op tijd aankwam en dat ze een hekel had aan wachten.

Winnie stapte vastberaden de bar en eetzaal van het Rossmore Hotel binnen. Ze zou het oude dametje op haar gemak stellen en haar voor zich winnen. Ze hoefde haar alleen maar te laten inzien dat ze geen bedreiging vormde, geen rivale. Ze stonden aan dezelfde kant.

Ze zag geen oude dame zitten in een van de grote leunstoelen. Misschien was de legendarische punctualiteit van mevrouw Hennessy een beetje overdreven. Toen zag ze Teddy naar een glamoureuze vrouw zwaaien die aan de bar zat.

'Daar ben je, mam! Je was me weer voor, zoals altijd! Mam, dit is mijn vriendin Winnie.'

Winnie stond ongelovig te staren. Dit was geen afhankelijke, broze oude vrouw. Dit was iemand van begin vijftig, goed verzorgd en prachtig opgemaakt en gekleed. Ze droeg een jasje van goudbrokaat op een wijnkleurige zijden jurk. Zo te zien kwam ze rechtstreeks van de kapper. Haar handtas en schoenen waren gemaakt van zacht, kostbaar leer. Ze droeg duur ogende sieraden.

Er moest een vergissing in het spel zijn.

Winnies mond ging open en dicht. Zij, die altijd wel iets te zeggen had, kon nu geen woorden vinden.

Mevrouw Hennessy slaagde er beter in om haar verrassing te verbergen.

'Winnie, wat leuk om je te ontmoeten! Teddy heeft me alles over je verteld.' Haar ogen namen Winnie van top tot teen op.

Winnie was zich zeer bewust van haar grote comfortabele schoenen. En wáárom had ze dat ellendige blauwe broekpak aangetrokken? Ze zag eruit alsof ze was gekomen om met meubels te sjouwen in het hotel, niet om chic te gaan eten met deze modekoningin.

Teddy keek stralend van de een naar de ander, en zag alleen wat hij altijd had willen zien: een prettige kennismaking tussen zijn moeder en zijn vriendin. En hij bleef de hele maaltijd lang opgetogen, terwijl zijn moeder neerbuigend deed tegen Winnie, haar kleineerde en bijna recht in haar gezicht uitlachte. Teddy Hennessy zag dat allemaal niet. Hij zag alleen maar hoe zij drieën samen een familieportret vormden.

Mevrouw Hennessy zei dat Winnie haar natúúrlijk Lillian mocht noemen, per slot van rekening waren ze vriendinnen nu. 'Je bent zo anders dan ik had verwacht,' zei ze bewonderend.

'O ja?' Die arme Winnie vroeg zich af of ze zich ooit zo onhandig en ongemakkelijk had gedragen.

'Jazeker. Toen Teddy me vertelde dat hij in Dublin een verpleegstertje had leren kennen dacht ik automatisch aan iemand die veel jonger was, naïever op de een of andere manier. Het is heerlijk om iemand te ontmoeten die zo rijp en verstandig is.'

'O, ziet u me zo?' Ze herkende de woorden voor wat ze betekenden: *rijp* en *verstandig* stonden voor *dik, saai, gewoontjes* en *oud*. Ze hoorde de zucht van opluchting die Lillian tussen haar perfect opgemaakte lippen door liet ontsnappen. Deze Winnie was geen bedreiging. Haar gouden zoon, Teddy, kon onmogelijk verliefd worden op zo'n onaantrekkelijke vrouw.

'En het is zo goed voor Teddy dat hij de juiste mensen ontmoet als hij in Dublin is,' ging Lillian door in wat bijna, maar niet helemaal, klonk als een spontane ontboezeming. 'Iemand die zorgt dat hij niet in zeven sloten tegelijk loopt en geen verkeerde vrienden maakt.'

'Inderdaad, daar ben ik heel goed in,' zei Winnie.

'O ja?' Lillians ogen stonden hard.

Teddy leek even van zijn stuk te zijn.

'Nou, ik ben vierendertig en heb verkeerde vrienden tot nu toe weten te vermijden,' zei Winnie.

Lillian gaf een gilletje van plezier. 'Wat ben jij geweldig! Tja, Teddy is natuurlijk pas tweeëndertig, dus we moeten wel een oogje op hem houden,' kirde ze.

Lillian kende iedereen in de eetzaal en knikte of wuifde naar allemaal. Soms stelde ze Winnie zelfs voor als 'een oude, óúde vriendin van ons uit Dublin'. Zij koos de wijn uit, klaagde dat de Hennessy-kazen niet goed op het kaasplateau uitgestald lagen en maakte ten slotte een eind aan de avond door te beginnen over haar uitnodiging voor de lunch de volgende dag.

'Ik was zó totaal de weg kwijt, wie ik voor jou moest uitnodigen, maar nu ik je ken weet ik zeker dat je het prima met iedereen kunt vinden. Dus je zult veel oude rotten van hier ontmoeten. Allemaal nogal dorps, vrees ik, vergeleken bij Dublin, maar je vindt vast wel een paar gelijkgestemden.' En toen was ze weg naar de foyer, waar ze ongeduldig met haar elegante schoen op de vloer stond te tikken terwijl Teddy Winnie naar de lift bracht.

'Ik wist wel dat het fantastisch zou worden,' zei hij. En met een snelle kus op haar wang was hij weg om zijn moeder naar huis te rijden.

In het Rossmore Hotel huilde Winnie tot ze geen tranen meer overhad. Ze keek naar haar vlekkerige gezicht in de spiegel. Een dof, oud gezicht; het gezicht dat je aan oude rotten kon voorstellen. Iemand voor wie je niet totaal de weg hoefde kwijt te raken. Waar haalde die vrouw dat soort zinnen vandaan?

Ze huilde om Teddy. Wat voor man was hij, dat hij haar bij de liftdeuren achterliet om achter zijn veel te chic geklede, machtsbeluste moeder aan te hollen? Was hij een marionet die niet van plan was een echte relatie met haar aan te gaan?

Ze ging níét naar die vreselijke lunch morgen. Ze zou zich excuseren en de trein terug naar Dublin nemen. Laten ze het samen maar verder uitzoeken. De afgelopen maanden had ze in een droomwereld geleefd. Op haar leeftijd had Winnie beter moeten weten.

En over leeftijd gesproken, Lillian had gezegd dat Teddy tweeendertig was, en het laten klinken alsof hij nog een kind was. Over twee weken werd hij drieëndertig. Hij was maar veertien maanden jonger dan Winnie. Zij en Teddy hadden samen om dat leeftijdsverschil moeten lachen. Voor hen was het onbelangrijk geweest. Hoe had Lillian het klaargespeeld dat te veranderen en haar neer te zetten als een soort roofdier dat het op de jonge, weerloze Teddy had voorzien?

Nou ja, laat maar. Ze zou ze nooit meer zien.

Ze viel in een onrustige slaap en werd wakker met hoofdpijn.

Gretta stond naast haar bed met een ontbijtblad.

'Wat? Ik heb toch geen ontbijt…'

'Hemel, Winnie, je hebt met Lillian gedineerd. Waarschijnlijk heb je een bloedtransfusie of shocktherapie nodig, maar ik heb koffie, croissants en een bloody mary meegebracht om je weer op de been te krijgen.'

'Zij is niet belangrijk. Ik ga met de eerste de beste trein terug naar Dublin. Ik laat me niet door haar op mijn kop zitten. Geloof me, ik weet wanneer ik van het toneel moet verdwijnen.'

'Drink eerst die bloody mary op. Kom nou, Winnie, drink op.

Het zit vol met goede dingen zoals citroensap en selderijzout en tabasco.'

'En wodka,' zei Winnie.

'Zachte heelmeesters maken stinkende wonden.' Gretta hield haar het glas voor en Winnie dronk het leeg.

'Waarom heeft ze zo'n hekel aan me?' vroeg Winnie wanhopig.

'Ze heeft geen hekel aan je. Ze is gewoon ontzettend bang Teddy te verliezen. Elke keer als ze denkt dat iemand hem van haar zal afpakken, slaat ze haar klauwen uit. Die kant van haar komt alleen naar voren als ze in paniek is. Maar deze keer gaat het haar niet lukken.'

Bij de koffie vertelde Gretta dat er die dag in het hotel een bruiloft werd gevierd en dat er daarom een kapper aanwezig was. Die zou naar Winnies kamer komen om haar een snelle behandeling te geven, en daarna kwam ook de visagist.

'Het is te laat voor zo'n make-over,' jammerde Winnie. 'Ze heeft me al gezien zoals ik was. Ik heb met opzet geen mooie kleren meegebracht omdat ik haar niet wilde afschrikken. Ik háár afschrikken? Ik moet gek geweest zijn.'

'Ik heb een fantastische blouse die ik je ga lenen. Die heeft ze nooit gezien. Het echte werk, een Missoni. Helemaal je van het. Ik heb hem bij een outlet gekocht. Je zult een verpletterende indruk op haar maken.'

'Ik wil geen indruk op haar maken. Ik geef niets om haar of om haar zoon.'

'Niemand geeft iets om haar, maar we zijn allemaal dol op Teddy. Jij bent de enige die hem kan redden. Kom op, Winnie, één lunch. Je kunt het. Geloof het of niet, maar in haar hart is ze een fatsoenlijk mens.'

En voor ze het wist stond Winnie onder de douche, waarna ze door de kapper onder handen werd genomen, haar wenkbrauwen werden geplukt en haar jukbeenderen voorzien van een blos. Het geheel werd afgemaakt met oogschaduw die bij de prachtige lila en aquamarijn tinten van de Italiaanse designerblouse paste.

'Ook als je van het toneel verdwijnt, ga dan in elk geval strijdend ten onder,' maande Gretta haar, terwijl ze het resultaat bewonderde.

'Ga naar beneden en bemoei je met die bruiloft, Gretta. Dat is je brood. Je inkomen.'

'Die bruiloft kan me niet schelen. Ik vind het belangrijker dat Teddy onder de duim van die vrouw uit komt. Kijk, Winnie, ze is onze vriendin, maar Teddy moet zijn eigen leven kunnen leiden en jij bent degene die dat voor elkaar krijgt. Ik weet niet hoe, maar het zal je lukken.'

'Ik ga geen eisen stellen. Teddy wil bij mij zijn of hij wil het niet.'

'O Winnie, was het leven maar zo simpel. Jij bent niet het hele jaar door elke week bezig met een bruiloft, zoals wij; je weet niet hoe hobbelig de weg naar het altaar is.'

'Ik heb liever een weg zonder hobbels, een prettige, makkelijke weg, waar ik alleen over loop,' zei Winnie.

'Je kunt dit. Doe je best, Winnie,' smeekte Gretta.

Er zaten meer dan twaalf mensen bij Lillian aan de lunchtafel. Er werd verse zalm geserveerd met nieuwe aardappeltjes en erwtjes in mintolie. Er waren exquise salades met asperge en avocado, walnoten en blauwschimmelkaas.

Winnie keek om zich heen. Dit was een erg prettig, warm huis: houten vloeren met kleden, grote gebloemde banken en stoelen verspreid door de kamer, ingelijste familiefoto's op een tafeltje.

De serre, waar een tafel vol zomerdrankjes stond, had openslaande deuren naar een goed onderhouden tuin. Dit was Lillians domein.

Winnie was onder de indruk, maar ze weigerde Lillian te vleien met complimenten en loftuitingen. Daarom richtte ze zich op de gasten. Ondanks zichzelf merkte ze dat ze Lillians vrienden wel mocht.

Ze zat naast de plaatselijke advocaat die het erover had dat Ierland procesziek was geworden, nu mensen voor het minste of geringste schadevergoeding eisen, en die haar erg geestige verhalen vertelde over zaken waar hij bij betrokken was geweest. Aan haar andere kant zaten Hannah en Chester Kovac die een gezondheidscentrum in de stad waren begonnen en dat nog steeds runden, en zij hadden het over de problemen in de gezondheidszorg. Tegenover haar zaten een man die Neddy heette en een bejaardentehuis leidde, en zijn vrouw Clare, hoofd van de plaatselijke school; hun vrienden Judy en Sebastian vertelden haar dat ze begonnen waren met een krantenkiosk in het stadscentrum, maar nu een grote winkel hadden in de hoofdstraat van Rossmore. Er was veel te doen geweest over de rondweg omdat mensen hadden verwacht dat daardoor klanten zouden wegblijven uit de stad, maar uiteindelijk waren er goede zaken gedaan met de verkoop van tweede huizen in de Whitethorn Woods aan mensen uit Dublin.

Dit waren normale, hartelijke mensen en ze leken zich volkomen op hun gemak te voelen bij Lillian Hennessy. Die vrouw moest toch meer in haar mars hebben dan ze aan Winnie liet zien.

Ze merkte dat Lillian af en toe een beetje onzeker naar haar keek. Het was of ze besefte dat er aan Winnie sinds gisteravond meer was veranderd dan alleen haar uiterlijk. Wat Winnie alleen niet merkte was dat de advocaat haar glas telkens weer bijvulde met wat hij een uitstekende chablis noemde. Tegen de tijd dat de aardbeien werden geserveerd, was Winnies hoofd minder helder dan ze zou hebben gewild.

Ze keek naar Teddy's gezicht en bedacht hoe oprecht vriendelijk en hartelijk hij was. Ze zag hoe hoffelijk hij omging met de vrienden van zijn moeder en hoe hij zijn best deed te zorgen dat iedereen zich amuseerde. Hij keek haar vaak over de tafel heen aan en glimlachte dan telkens, alsof zijn liefste wens was uitgekomen nu zij er was.

Lillian was een goede gastvrouw. Dat moest Winnie haar nageven.

Ze zorgde dat haar gasten geregeld van plaats verwisselden, zodat ze ook met andere mensen konden praten. Winnie had deze kleine stoelendans gadegeslagen en was van plan geweest om op te staan en naar het toilet te gaan voordat ze naast Lillian vastgepind zou worden.

Maar ze kwam te laat in beweging.

'Wat een enige Missoni-blouse,' zei Lillian bewonderend tegen haar.

'Dank je wel,' antwoordde Winnie.

'Mag ik vragen waar je die gekocht hebt?"

'Het was een cadeau,' sloot Winnie dit onderwerp af.

'Ik hoop dat je het niet al te saai vindt hier. Je vindt ons vast een stel plattelanders.' Lillian zag er in haar roomkleurige linnen jurk en jasje uit alsof ze gekleed was voor een chique society-bruiloft.

'Ik vind het erg leuk, Lillian. Wat een aardige vrienden heb je.'

'Jij hebt vast ook veel goede vrienden in Dublin.'

'Ja, dat is zo. Net als jij ga ik graag met mensen om, dus ik neem aan dat ik veel vrienden heb.' Winnie had het idee dat haar stem blikkerig en ver weg klonk. Misschien was ze wel een beetje dronken. Ze moest op haar tellen passen.

Lillians ogen leken zich te vernauwen, maar ze hadden nog steeds een doordringende blik. Met een schok besefte Winnie dat Lillian haar waarschijnlijk haatte. Zo sterk was het. Dit was een machtsstrijd. Winnie mocht de gouden zoon niet te pakken krijgen. Zijn moeder zou om hem vechten. Zijzelf was bijna te moe om terug te vechten. De nacht vol tranen, de vermoeidheid na alle voorbereidingen die ochtend, de bloody mary bij het ontbijt en al die wijn bij de lunch waaraan ze niet gewend was, hadden hun tol geëist. Waarom zou ze een gevecht aangaan dat ze toch niet kon winnen?

Toen zag ze hoe Teddy over de tafel heen trots naar haar lachte. Hij hield echt van haar. Hij vond haar niet oud en saai. Hij was veel te goed om zonder slag of stoot op te geven.

'Je huis is erg mooi, Lillian. Teddy heeft geboft dat hij op zo'n fijne plek is opgegroeid.'

'Dank je.' Lillians ogen stonden net zo hard als gisteravond. Nu deed ze geen enkele poging om haar vijandigheid te verbergen.

'Ik begrijp nu ook waarom je niet met vakantie wilt. Je hebt hier alles.' Winnie hoopte dat haar glimlach stevig op haar gezicht geplakt bleef.

'O, maar ik ga wel graag op reis, natuurlijk, naar een bezienswaardigheid of een stad. Jij niet, Winnie? Ik bedoel, wat ga je dit jaar met vakantie doen?'

Teddy was bij hen komen zitten. Hij lachte van de een naar de ander. Het ging allemaal veel beter dan hij had durven dromen. Opeens merkte Winnie dat ze bezig was Stone House aan hen beiden te beschrijven.

Lillian toonde belangstelling. 'Dat klinkt goed, bijna als een toevluchtsoord. En met wie dacht je erheen te gaan? Je vindt vast wel iemand, als het er zo leuk is als je zegt. Het is het soort plek waar ik zelf ook graag heen zou willen en ik zou hebben gedacht dat het een wat exclusiever publiek zou trekken. Weet je iemand die het leuk zou vinden? Misschien een van de verpleegsters met wie je bevriend bent? Of zijn dat allemaal zonaanbidders?' Ze liet maar niet los.

'Ja, daar heb je gelijk in, maar niet iedereen wil naar de zon vluchten als het hier koud wordt,' ploeterde Winnie voort. 'Ik hou juist erg van wind en regen in een mooie omgeving, en dan aan het eind van de dag een lekker warm bad en een goede maaltijd. Ik weet zeker dat er veel meer mensen zijn die daarvan genieten.'

'Je vindt vast wel iemand,' zei Lillian alsof ze het tegen een kind had.

'Ik dacht dat Teddy misschien wel met me mee wilde,' zei ze, gesterkt door drank en moedig als een leeuwin.

'Teddy!' Lillian keek zo geschrokken, alsof ze het over een internationaal beruchte oorlogsmisdadiger had.

'Wat een geweldig idee,' zei Teddy enthousiast. 'Dat deel van het land is nog heel ongerept en het is in de winter vast nog veel mooier dan in de zomer als het vol toeristen zit. Denk je dat we nog kunnen reserveren?'

'Dat zal geen probleem zijn,' zei Winnie.

Teddy keek alsof hij in de zevende hemel was.

'Waarom gaan we niet met z'n drieën?' vroeg hij. 'Het klinkt zo heerlijk en jullie kennen elkaar nu, dus zou het niet geweldig zijn als we alle drie gingen?' Hij keek van zijn moeder naar zijn vriendin, opgetogen dat alles zo goed had uitgepakt.

Hoe bestond het dat hij de verbaasde stilte waarmee zijn woorden werden begroet, niet opmerkte? Die leek hem volkomen te ontgaan.

120

'Ik zou niet weten wat ik liever zou willen,' zei hij, terwijl hij weer van de een naar de ander keek.

Lillian was de eerste die haar stem terugvond. 'Zoals je zelf al zei zal het natuurlijk moeilijk zijn om nu nog te reserveren,' begon ze voorzichtig.

Nu was Winnie aan de beurt. Er schoot haar geen intelligent antwoord te binnen. Ze kon alleen maar de waarheid spreken. 'Ik heb al min of meer geboekt voor een week.' Winnie keek naar de vloer.

'Kijk aan, is dat niet geweldig?' Teddy was opgetogen. 'Dat is dus geregeld. Wanneer?'

Winnie stamelde de datum. Dit kon niet waar zijn. Hij kon toch niet serieus zijn moeder willen meenemen op hun vakantie? Stel dat ze ooit gingen trouwen, zou hij haar dan ook uitnodigen voor de huwelijksreis? Alstublieft lieve God, maak dat het niet kan op die datum.

Ze zag dat Teddy's gezicht betrok.

'O néé. Dat is de week van de kaasmakersconferentie. De enige week in het jaar dat ik echt niet kan,' zei hij.

Winnie dankte God uit de grond van haar hart en beloofde dat ze Hem voortaan meer aandacht zou schenken.

'O, nou ja, het was ook stom van me om te boeken voor het met jou te overleggen, maar het was ook een vage afspraak. Ik bel ze wel en zeg dat het...' zei Winnie verontschuldigend en ze hoopte dat haar opluchting niet zichtbaar was.

'En het zou toch erg koud zijn geweest en vochtig zelfs,' stemde Lillian snel in.

Maar Teddy wilde er niet van horen. 'Jullie moeten sámen gaan.'

Lillian kuchte, maar leek dit even te overwegen. 'Nee, schat, we wachten wel en dan doen we het een andere keer.'

'Het zou net *Hamlet* zijn zonder de prins,' zei Winnie met een verschrikkelijk geforceerde glimlach die aanvoelde als de grijns van een doodshoofd.

'Er komen nog andere weekends, andere plekken om heen te gaan,' pleitte Lillian.

'We denken er niet over om zonder jou te gaan.' Winnie scheurde Lillians mooie linnen servet bijna aan flarden.

'Maar wat kan ik me beter wensen dan dat jullie samen vakantie vieren terwijl ik weg ben? Elkaar echt goed leren kennen. De twee mensen van wie ik hou.' Hij meende het duidelijk oprecht en de beide vrouwen zaten in de val.

'Nou, we leren elkaar heus wel kennen, Teddy, we willen alleen niet dat jij een vakantie misloopt,' begon Lillian.

'Je moeder kan naar Dublin komen en dan gaan we samen een dagje op stap terwijl jij weg bent.' Winnie voelde haar stem beven.

'Dat hotel lijkt me net iets voor jullie en het is geboekt. Jullie moeten gaan,' zei hij.

'Misschien zitten we daar wel in het verkeerde gezelschap. Wie weet is het een huis vol jonge mensen.' Lillian klampte zich vast aan een strohalm. 'Al is het natuurlijk niet echt het soort vakantie dat jongeren aantrekt,' zei ze uiteindelijk.

'Ja, wie weet passen we daar helemaal niet.' Winnie knikte zo vurig dat ze vreesde dat haar arme, vermoeide, benevelde hoofd eraf zou vallen.

Maar dit was het naar adem happen van een vis op het droge. Ze keken elkaar aan. Allebei wisten ze dat degene die weigerde, hem zou verliezen. En geen van beiden wilden ze die stap zetten. Ze begonnen terug te krabbelen.

Lillian gaf als eerste toe.

'Maar als dat echt is wat je wilt... Ja, alles bij elkaar, lijkt het me wel wat. Natuurlijk, ik wil graag met je mee, Winnie.'

'Wat?' Winnie schrok zich wezenloos.

'Teddy heeft gelijk. We moeten elkaar echt leren kennen. Ik zou gemakkelijk met je mee kunnen. En weet je, ik denk dat ik ervan zal genieten.'

Winnie voelde de kamer om haar heen draaien.

Ze moest nu iets zeggen, anders had ze ermee ingestemd om een week op vakantie te gaan met deze hatelijke vrouw. Maar haar keel was zo droog en haar stem weigerde dienst. Ze merkte dat ze zonder woorden knikte. Het was alsof ze verdronk en het water zich boven haar hoofd sloot, en ze er niets tegen kon doen. Ze besefte dat ze, als ze nu niets zei, uiteindelijk naar West-Ierland zou gaan met Lillian Hennessy.

Lillians kleine, boze gezicht was heel dicht bij het hare. Ze zat te bedenken hoe ze die week aan de westkust kon gebruiken om te verwoesten wat Teddy en Winnie samen dachten te hebben.

Winnie rechtte haar rug.

In haar hoofd zei ze, oké, kom maar op, we zullen zien wie er wint, maar hardop zei ze: 'Wat een goed idee, Lillian. Ik weet zeker dat we het heerlijk zullen hebben. Ik zal de reservering voor ons tweeën bevestigen.'

Op de een of andere manier kwam er een eind aan de maaltijd en werd het tijd dat Teddy haar naar het station bracht.

'We hebben nog contact voor we gaan,' riep Lillian vanuit de hal.

'Wat heb ik je gezegd?' vroeg Teddy. 'Ik wíst dat jullie goed met elkaar zouden kunnen opschieten.'

'Ja, ze was heel vriendelijk en hartelijk.'

'En jullie tweeën samen op vakantie… is dat niet fantastisch?'

'Ja, ze zei dat ze dat hotel in Stoneybridge erg leuk vond klinken.'

'Mam gaat nooit met iemand op vakantie, weet je. Ze is heel kieskeurig. Dus ze was blijkbaar meteen op je gesteld.'

'Ja, is het niet geweldig…' zei Winnie. Ze voelde zich dof en verslagen en haar kater begon nu echt op te spelen. Het moest een waarschuwing voor haar zijn om nooit van haar leven meer te veel wijn te drinken bij de lunch. Een waarschuwing die veel te laat was gekomen.

Winnie staarde door het raam terwijl de trein door landelijk Ierland raasde. Wat voor mensen lieten hun vee grazen op deze kleine groene velden of plantten deze gewassen in de harde aarde? Mensen die nooit te veel wijn zouden drinken bij de lunch, of wanneer dan ook. Die er niet over zouden denken om een week op vakantie te gaan met de hatelijkste vrouw van Ierland. Ze probeerde te slapen, maar net toen het ritme van de trein haar in een soort trance begon te wiegen, kreeg ze een sms'je.

Het was van Teddy.

Ik mis je zo. Jij was het stralend middelpunt van het lunchgezelschap. Ze liepen allemaal met je weg. En ik ook. Maar je hebt geen idee hoe geweldig je met mijn moeder was. Ze heeft het voortdurend over haar vakantie met jou. Je bent een genie en ik hou van je.

Ze knapte hier niet van op. Eerder kreeg ze een nog grotere hekel aan zichzelf. Ze was een volwassen vrouw. Ze was geen schoolmeisje. Ze had overal een puinhoop van gemaakt. Over tien weken zou ze naar Stone House gaan met Lillian Hennessy. Het leek wel de Getikte Theevisite uit *Alice in Wonderland*. Het was net een afschuwelijke droom, dwaas en eng tegelijkertijd.

Winnies vrienden merkten dat er iets in haar veranderd was. Als ze naar haar bezoek aan Rossmore vroegen, haalde ze alleen maar haar schouders op. Ze durfden nauwelijks te informeren of Teddy nog wel langskwam. Winnie weigerde met een van hen vakantieplannen te maken.

Fiona en Declan hadden haar gesmeekt om te komen logeren in het vakantiehuisje dat ze hadden gehuurd in Wexford. Er zou meer dan genoeg ruimte zijn en ze zouden het heerlijk vinden als ze er was. Maar Winnie peinsde er niet over. En ook niet over het voorstel om een busreis te maken door Italië, samen met Barbara en David die dat van plan waren. En de foto's die Ania liet zien van de boot op de rivier de Shannon die ze wilden huren, wekten geen sprankje belangstelling.

'Je moet toch op vakantie,' zei Fiona wanhopig.

'O, dat ga ik ook wel. Ik ga in de winter een week naar de westkust. Dat wordt enig.' Ze slaagde erin het te laten klinken alsof ze een wortelkanaalbehandeling zou ondergaan.

'En gaat Teddy met je mee?' Barbara kon soms heel dapper zijn.

'Teddy? Nee, het is in de week dat hij naar die toestand gaat, zoals elk jaar, voor kaasmakers.'

'Had je dan geen andere week kunnen nemen?' vroeg Fiona zich af.

Winnie deed alsof ze het niet gehoord had.

Teddy kwam wel langs, een of twee keer per week en bleef

dan in Winnies flatje slapen. Hij was even opgewekt en vrolijk als altijd en nam blijkbaar aan dat de geplande vakantie een vanzelfsprekend gevolg was van de spontane vriendschap tussen beide vrouwen. Dat ze vriendinnen zouden worden had hij wel verwacht, maar niet dat die vriendschap zich zo spectaculair zou ontwikkelen. Hij was zo vertederend en in alle andere opzichten was hij de volmaakte vriend, minnaar en levenspartner. Hij begon al over trouwen. Winnie had geprobeerd daar niet al te serieus op in te gaan.

'O, dat zien we later wel,' lachte ze dan.

'Ik heb het allemaal al bedacht. We hebben toch een kantoor in Dublin nodig voor de kaas en dan zouden we half in Rossmore en half hier kunnen wonen.'

'Er is geen haast bij, Teddy.'

'Jawel juist. Ik zou heel graag een enorme bruiloft houden in Rossmore, zodat ik met je kan pronken.'

Winnie zweeg.

'Of, natuurlijk, als je dat liever hebt kunnen we het hier in Dublin doen, met al jouw vrienden. Het is jouw dag. Jij mag kiezen, Winnie.'

'Kunnen we niet gewoon zo doorgaan?'

Winnie wist dat er misschien helemaal geen toekomst meer voor hen samen zou zijn als zijn moeder en zij terugkwamen van die ellendige vakantie op Stone House.

Lillian en zij hadden verschillende keren contact via de post, sms en telefoon. Winnie moest zich uit alle macht beheersen om niet door de telefoon te schreeuwen dat het allemaal een verschrikkelijke vergissing was geweest.

Toen vertrok Teddy naar de kaasbijeenkomst en de volgende ochtend reed Winnie vanuit Dublin naar het westen en Lillian Hennessy reed vanuit Rossmore naar het noordwesten.

Ze ontmoetten elkaar bij Stone House. Toevallig kwamen ze vrijwel tegelijkertijd aan en parkeerden hun auto. Die van Winnie was een oud en gedeukt barrel dat ze had gekocht van een portier in een ziekenhuis waar ze werkte. Lillian reed in een nieuwe Mercedes-Benz.

Winnies bagage bestond uit een canvas tas die ze zelf droeg. Lillian had twee bij elkaar passende koffers bij zich, die ze naast haar auto liet staan.

Bij de voordeur stond mevrouw Starr hen al op te wachten. Het was een kleine vrouw, waarschijnlijk ergens achter in de veertig. Ze had korte krullen, een brede lach en een licht Amerikaans accent. Ze heette hun hartelijk welkom. Ze holde naar buiten om Lillians koffers op te halen en bracht ze naar een grote, warme keuken. Op tafel stonden warme scones, boter en jam. Aan de ene kant van de ruimte brandde een groot haardvuur, aan de andere kant stond een houtfornuis. Het zag er precies zo uit als in de folder.

Ze werden naar binnen geleid en kregen meteen een stoel aangeboden.

'Jullie zijn mijn allereerste gasten,' zei mevrouw Starr. 'De anderen zullen het komende uur wel binnendruppelen. Willen jullie thee of koffie?'

Binnen de kortste keren was mevrouw Starr meer te weten gekomen over Winnie en Lillian dan zij ooit over elkaar hadden geweten. Lillian vertelde over haar echtgenoot die omgekomen was toen haar zoon nog maar klein was, en over de verschrikkelijke dag dat ze het nieuws te horen kreeg. Winnie legde uit dat haar vader hertrouwd was met een heel prettige vrouw die sieraden maakte en dat al haar broers en zussen overzee woonden.

Als mevrouw Starr vond dat zij een nogal ongebruikelijk koppel vriendinnen of kennissen vormden om samen op vakantie te zijn, dan liet ze dat niet merken.

Winnie had erop aangedrongen dat Lillian de slaapkamer met uitzicht op zee kreeg. Het was een rustgevende, gezellige kamer met een grote erker. Hij was gedecoreerd in verschillende tinten zachtgroen en had geen televisie, maar wel een kleine doucheruimte. Dit huis was erg mooi ingericht. Winnies kamer was precies zo, alleen kleiner en keek uit op de parkeerplaats.

Winnie merkte nu hoe moe ze was. Het was een lange rit geweest, met dit natte weer en de wegen in de buurt van Stoneybridge waren smal en slecht begaanbaar. Ze zou even gaan liggen om uit te rusten. In de kamer stonden een breed en een smaller bed. Als ze inderdaad zulke goede vriendinnen waren geweest als Lillian had gesuggereerd, hadden ze deze kamer gedeeld. Dan hadden ze thee voor elkaar gezet op het theeblad dat klaarstond met een waterkoker en een trommel koekjes, en samen naar de boeken, kaarten en folders over de omgeving hebben gekeken die op het dressoir lagen.

Maar het kon Winnie niet meer schelen wat wie dan ook dacht. Mevrouw Starr was hotelier, gastvrouw en zakenvrouw. Ze had geen tijd om te piekeren over het vreemde stel dat als eerste van haar gasten was gearriveerd.

Winnie voelde dat ze in slaap begon te vallen. Ze hoorde het gemurmel van stemmen beneden, waar nog meer gasten werden verwelkomd. Het had iets geruststellends. Veilig, zoals vroeger thuis. Jaren en jaren geleden, toen Winnies moeder nog leefde en het in hun huis een komen en gaan was van broers en zussen.

Mevrouw Starr had gezegd dat ze twintig minuten voor het diner de Sheedy-gong zou luiden. Blijkbaar hadden de drie zusters Sheedy, die dit huis jarenlang in voorname armoede hadden bewoond, die gong elke avond geluid. Ook al aten de dames vaak sardines of bonen uit blik met toast als avondmaaltijd, de gong had altijd door het huis geklonken. Dat zouden hun papa en mama zo hebben gewild.

Winnie werd gewekt door het volle geluid van de gong. God! Nu moest ze een hele avond aanzien hoe Lillian neerbuigend deed tegen iedereen en daarna nog eens zes avonden op deze woeste, afgelegen plek. Ze moest wel waanzinnig zijn geweest om het zover te laten komen. Dat was de enige verklaring.

Voordat ze haar kamer verliet, kreeg ze een sms.

Heb maar een heerlijke avond. Ik zou veel liever daar bij jullie zijn dan hier. Vroeger vond ik deze bijeenkomsten leuk, maar nu voel ik me eenzaam en mis ik jullie allebei. Laat me weten hoe het daar is. Hou heel veel van je, Teddy.

De andere gasten waren al beneden. Mevrouw Starr had hun gevraagd of ze zich aan elkaar wilden voorstellen, omdat zij zich moest concentreren op het eten. Ze had een jong nichtje dat Orla heette om haar te helpen bij het opdienen.

Winnie zag hoe Lillian, oogverblindend uitgedost zoals te verwachten was geweest, op gang kwam en mensen voor zich begon in te nemen. Ze vertelde een jonge Zweedse man hoe zij en Winnie oude, óúde vriendinnen waren en dat ze elkaar een hele tijd niet hadden gezien en zich er zo op verheugden om kilometers te gaan wandelen en bij te praten.

Ze praatte met een gepensioneerde lerares die Nell heette. Dit uitje was een cadeau van haar collega's op school. Dit had hun echt iets voor haar geleken. Nell was daar zelf niet zo zeker van. Lillian dempte haar stem en zei dat zij in het begin ook haar twijfels had gehad, maar dat haar oude, óúde vriendin Winnie erop had gestaan dat ze kwam. Tot nu toe moest Lillian toegeven dat het allemaal een heel aangename indruk maakte.

Winnie praatte met Henry en Nicola, een arts en zijn vrouw uit Londen. Ze hadden dit hotel op internet gevonden toen ze op zoek waren naar iets waar het heel rustig en vredig was. Winnie dacht dat ze misschien een sterfgeval achter de rug hadden. Ze zagen er bleek en een beetje verloren uit, maar misschien verbeeldde ze zich dat maar. Een ander stel had iets ontevredens over zich en zei niet veel. Verderop aan de tafel zaten nog meer mensen. Die zou Winnie later wel leren kennen.

Ze aten gerookte forel met mierikswortelsaus en zelfgebakken bruin sodabrood vooraf, daarna geroosterd lam dat door mevrouw Starr vakkundig werd aangesneden. Er waren ook vegetarische gerechten en een enorme appeltaart. Uit oude, kristallen karaffen werd wijn geschonken. De gezusters Sheedy hadden deze karaffen gebruikt voor hun sinaasappelsap en citroenlimonade. Het waren prachtige antieke stukken en je voelde dat ze bij het huis hoorden.

Winnie moest wel bewondering voelen voor de manier waarop alles verliep. De gasten leken makkelijk met elkaar te praten. Mevrouw Starr had er goed aan gedaan om geen moeite te doen iedereen aan elkaar voor te stellen. Nu was alles geruisloos afgeruimd en de jonge Orla had de grote afwasmachine ingeruimd en was naar huis gegaan. Tijdens de koffie kwam mevrouw Starr bij hen zitten.

Ze vertelde dat het ontbijt een doorlopend buffet zou zijn, maar wie dat wilde kon om negen uur aan tafel komen voor een warm, Iers ontbijt. Iedereen die dat wilde kon een lunchpakket meekrijgen, of anders had ze een lijstje met pubs in de omgeving waar een lichte lunch werd geserveerd. Buiten stonden fietsen die iedereen mocht gebruiken en er waren verrekijkers, paraplu's en zelfs verschillende paren rubberlaarzen. Ze vertelde over de wandelroutes die ze konden uitproberen en over de plaatselijke bezienswaardigheden. Er waren mooie kreken en baaien waar je bij rustig weer prachtig kon wandelen. Je kon ook over de kliffen lopen, maar dan moest je wel goed uitkijken op de paden naar de zee. Ook waren er grotten die de moeite van het verkennen waard waren, maar dan moesten ze wel rekening houden met het tij. Majella's Grot was mooi, zei ze. 's Zomers was dat een prachtig plekje voor geliefden. De toegang tot die grot werd namelijk bij hoog water al snel afgesneden en dan moesten de jongen en het meisje die erheen waren gegaan er veel langer blijven dan verwacht, tot de zee zich weer terugtrok en hen liet gaan...

Na het eten stuurde Winnie een sms aan Teddy om hem te vertellen dat het hotel charmant was, heel apart en dat ze zich erg welkom hadden gevoeld. Ze voegde eraan toe dat zij ook veel van hem hield. Maar ze wist niet zeker of dat wel waar was.

Misschien leefde ze wel in een soort fantasiewereld. Waarin ze een andere gedaante aannam, een rol speelde, voor nu en misschien wel voor altijd de oude, óúde vriendin was van haar toekomstige schoonmoeder. Ze viel in een diepe slaap en werd pas weer wakker toen er op haar deur werd geklopt.

Lillian, in vol ornaat en klaar om in actie te komen.

'Dacht dat je het warme ontbijt wel niet zou willen missen,' zei ze. 'Op onze leeftijd moeten we de dag goed beginnen.'

Winnie werd witheet. Dacht Lillian nou echt dat zij even oud waren?

'Ik ben over tien minuten beneden,' zei ze, terwijl ze in haar ogen wreef.

'O jee, jij hebt geen uitzicht op zee,' zei Lillian.

'Maar ik kan prachtige bergen zien en ik ben dol op bergen,' zei Winnie tandenknarsend.

'Goed. Dat vind ik zo goed aan jou Winnie, je bent snel tevreden. Zie je beneden dan.'

Winnie nam een douche. De week die voor haar lag leek onafzienbaar lang en het was allemaal haar eigen schuld…

De jonge Zweed was op pad gegaan met de kleine, pittige vrouw die Freda heette. Henry, de Engelse arts, en zijn vrouw bestelden net gegrilde makreel. Andere gasten zaten naar de kaart te kijken die ze van mevrouw Starr hadden gekregen en praatten enthousiast over waar ze heen zouden gaan. Er was een Amerikaanse man, John, die last had van jetlag en er doodmoe uitzag.

Het was mooi weer – de paraplu's en rubberlaarzen waren niet nodig. De lunchpakketten, verpakt in vetvrij papier, lagen al klaar voor degenen die ze wilden. Anderen hadden een lijstje met pubs gekregen.

Om tien uur waren alle gasten de deur uit en was mevrouw Starrs nichtje Orla naar Stone House gekomen om de kamers te doen. Er was nu al een vast patroon. Het was of deze vakantie al jarenlang gaande was en niet pas zijn eerste voorzichtige schreden zette.

Winnie en Lillian hadden gekozen voor de wandeling over de kliffen. Zes kilometer met spectaculair uitzicht, waarna ze in West Harbour zouden aankomen. Daar zouden ze naar Brady's Bar gaan. Na de lunch zouden ze de bus terug nemen die elk uur naar Stoneybridge vertrok.

Verlangend keek Winnie achterom naar Stone House.

Wat zou het fijn zijn om terug te gaan en met mevrouw Starr aan de tafel te gaan zitten om nog een kop thee en een stuk vers sodabrood te nemen en over de wereld te praten. Maar nee, zij had urenlang gekibbel voor de boeg met Lillian Hennessy. Maar toen ze bij Brady's Bar aankwamen voelde Winnie dat haar schouderspieren zich ontspannen hadden. De uitzichten waren net zo spectaculair geweest als hun was beloofd. Lillian was prettig weinig spraakzaam geweest.

Nu was ze echter weer haar uitgesproken zelf.

'Het was een prettige wandeling, zeker, maar niet echt een uitdaging,' verklaarde ze.

'Prachtig is het hier. Ik zou eeuwig naar die luchten kunnen kijken,' zei Winnie.

'O, dat is waar, maar morgen moeten we de andere kant op gaan, de route naar het zuiden nemen. Daar valt veel meer te zien, volgens mevrouw Starr. Al die kreken en inhammen; en we kunnen een kijkje in de grotten nemen.'

'Die route leek me wat gevaarlijker. Laten we zien of anderen hem al hebben genomen.' Winnie was voorzichtig.

'Ach, dat zijn allemaal makke schapen. Die gaan heus niets avontuurlijks doen. Daar zijn we toch voor gekomen, Winnie? Om voor de laatste keer het gevecht met de elementen aan te gaan, voordat we ons overgeven aan de middelbare leeftijd.'

'Jij geeft je nergens aan over,' zei Winnie.

'Nee, maar jij dreigt wel heel erg middelbaar te worden. Waar is je pit, Winnie? Morgen nemen we een lunchpakket mee en gaan de zuidkant op, richting Stoneybridge.'

Winnie glimlachte alsof ze het daarmee eens was. Geen haar op haar hoofd die eraan dacht om risico's te nemen omdat Lillian zo nodig een spelletje moest spelen. Maar dat zou ze morgenochtend wel zien. Ondertussen zou ze lief en vriendelijk doen en onverstoorbaar blijven. Het was voor Teddy.

Alstublieft, lieve God, laat hij het waard zijn.

Ze gingen met de bus terug naar Stone House en de andere gasten kwamen ook terug van hun uitstapjes. Het vuur loeide in de haard. Iedereen dronk thee en at scones. Het was of hun leven er altijd zo uit had gezien.

Aan tafel zat Winnie tegenover Freda, die zei dat ze assistent-bibliothecaresse was. Winnie vertelde dat zij verpleegster was.

'Heb je een vaste relatie?' vroeg Freda.

'Nee, ik werk via een uitzendbureau; elke dag een ander ziekenhuis eigenlijk.'

'Ik bedoelde eigenlijk of je een liefdesrelatie had.'

Lillian zat mee te luisteren. 'Op onze leeftijd hebben we het met de liefde wel een beetje gehad,' kwetterde ze.

'Ik weet het niet…' zei Freda bedachtzaam. 'Ik niet.'

'Wat een vreemde vrouw,' fluisterde Lillian wat later.

'Ik vond haar wel leuk, eigenlijk,' zei Winnie.

'Ik heb het al eerder gezegd, Winnie, jij stelt totaal geen eisen. Het is wonderlijk hoe weinig jij van het leven vraagt!'

Winnie forceerde een glimlach. 'Zo ben ik,' lachte ze onnozel. 'Zoals je zei, snel tevreden.'

Alle anderen hadden het over het weer van morgen. Er kwam storm opzetten vanuit het zuiden, zei mevrouw Starr, ze moesten heel voorzichtig zijn. De kreken en inhammen hier liepen snel vol water; zelfs de mensen die hier woonden, werden wel eens verrast door de kracht van de wind en het tij. Winnie zuchtte opgelucht. Het idiote plan van Lillian om voor ontdekkingsreiziger te spelen zou gelukkig niet doorgaan.

Maar toen ze de volgende ochtend met hun lunchpakket vertrokken, zette Lillian koers in de richting waartegen ze juist gewaarschuwd waren. Winnie bleef even staan. Ze zou kunnen weigeren mee te gaan. Maar waarschijnlijk had Lillian gelijk. Mevrouw Starr was overdreven voorzichtig om zichzelf in te dekken.

Winnie kon dit best. Ze was verdorie pas vierendertig. Lillian was drieënvijftig, op z'n minst. Ze had al zoveel doorstaan, zoveel tijd en geduld opgebracht, ze zou er nu niet tussenuit knijpen.

In het begin was het overweldigend. De nevel was zout, de rotsen waren groot, donker en dreigend. Het krijsen van de vogels en het geraas van de zee maakten het onmogelijk om te praten. Ze stapten samen voort, stonden af en toe stil om over de Atlantische Oceaan uit te kijken, en zich te realiseren dat het dichtstbijzijnde land meer dan vierduizend kilometer verderop was, de Verenigde Staten.

Toen vonden ze de ingang van Majella's Grot waarover mevrouw Starr had verteld. Hier was het beschut en werden ze niet door de wind omvergeblazen. Ze gingen op een rotsrichel zitten en maakten het pakketje met brood en kaas en de beker soep open die voor hen waren ingepakt. Hun ogen prikten, hun wangen waren rood en gloeiden van de wind en het zeezout. Ze voelden zich allebei fit en vol leven en hadden erge honger.

'Ik ben blij dat we doorgezet hebben en hierheen gegaan zijn,' zei Winnie. 'Het was het meer dan waard.'

'Eigenlijk wilde je niet,' zei Lillian triomfantelijk. 'Je vond het onverantwoord.'

'Nou, dan had ik ongelijk. Het is goed om wat meer van jezelf te eisen.' Terwijl ze het zei voelde Winnie het water opspatten tegen haar gezicht – er was een golf diep in de grot doorgedrongen. Vreemd genoeg trok hij zich niet terug richting zee, zoals ze hadden verwacht; er kwamen zelfs nog meer golven achteraan die om hun voeten spoelden. De twee vrouwen weken snel achteruit. Maar ze bleven komen, de donkere, koude stromen, de ene had zich nog niet teruggetrokken of de andere kwam er alweer aan. Zonder iets te zeggen klommen ze naar een hogere richel. Hier zouden ze vast goed zitten, veilig boven het waterniveau.

De golven bleven komen en in een poging naar een nog hogere richel te klauteren schopte Lillian tegen de twee canvas tassen waarin hun picknick, hun mobiele telefoons en droge sokken zaten. Ze keken toe hoe de golven de tassen meenamen naar zee.

'Hoe lang duurt het voor het tij afneemt?' vroeg Lillian.

'Zes uur, geloof ik.' Winnie klonk kortaf.

'Dan zullen ze ons wel komen halen,' zei Lillian.

'Ze weten niet waar we zijn,' zei Winnie.

Daarna zwegen ze. Alleen het geluid van de wind en de golven vulde Majella's Grot.

'Ik vraag me af wie Majella was,' zei Winnie na een hele tijd.

'Er was een Sint Gerardus Majella,' zei Lillian aarzelend. Voor het eerst zei ze iets zonder zeker van haar zaak te zijn.

'Die was het vast,' stemde Winnie in. 'Laten we hopen dat hij mensen uit hachelijke situaties wist te redden.'

'Je wilde zelf mee. Je zei dat je blij was dat we hadden doorgezet.'

'Dat was ik ook. Op dat moment.'

'Bid jij wel eens?' vroeg Lillian.

'Nee, niet vaak. Jij?'

'Vroeger wel. Nu niet meer.'

Meer viel er niet te zeggen, dus zaten ze zwijgend te luisteren naar het gedonder van de golven en het geloei van de wind. Er was nog maar één hogere richel waar ze op zouden moeten klimmen als het nog erger werd.

Ze hadden het koud en waren nat en bang.

En ze hadden niet veel aan elkaar.

Winnie vroeg zich af of ze hier zouden sterven. Ze dacht aan Teddy en aan mevrouw Starr die hem het nieuws zou moeten vertellen. Hij zou nooit weten dat haar laatste uren gevuld waren geweest met een koude haat tegenover zijn moeder en met een enorme spijt dat ze zich had laten meeslepen in deze idiote schijnvertoning, die alleen maar verkeerd kon aflopen. Maar, om eerlijk te zijn, wie had kunnen weten hoe verkeerd?

Ze kon Lillians gezicht niet zien, maar voelde dat haar schouders beefden en dat ze klappertandde. Zij zou ook wel doodsbang zijn. Maar het was verdorie háár schuld. Niettemin, hoe ze hier ook terechtgekomen waren, ze zaten nu in hetzelfde schuitje.

Na een eeuwigheid zei Lillian: 'Het maakt niet echt iets uit natuurlijk, maar waarom zijn we eigenlijk samen hier? In Stoneybridge, bedoel ik. Je had op het eerste gezicht een hekel aan me. Maar we houden allebei van Teddy, dat zou toch een band moeten scheppen?' Dit was de eerste keer dat de liefde voor Teddy ter sprake kwam. Hier in Majella's Grot, terwijl ze de dood door verdrinking of onderkoeling in de ogen keken. Tot nu toe was Winnie behandeld als een dwaze oude vrouw in de overgang die voor hen allebei een oogje op Teddy hield.

'Ik hou van Teddy,' zei Winnie luid. 'En hij houdt van jou, dus probeerde ik je te leren kennen en je aardig te vinden. Dat is alles.'

'Nou, dat heeft dan niet gewerkt, hè?' zei Lillian grimmig. 'We zijn hier toevallig terechtgekomen. Ik wilde hier net zomin met jou zijn als jij met mij. Jij kwam met Stone House op de proppen, je was het ermee eens om vandaag hierheen te gaan. En kijk ons nu eens.'

Stilte.

'Zeg eens iets, vraag eens iets,' smeekte Lillian.

'Hoe oud ben je, Lillian?'

'Vijfenvijftig.'

'Je ziet er veel jonger uit.'

'Dank je.'

'Waarom doe je steeds of jij en ik even oud zijn? Jij was eenentwintig toen ik werd geboren.'

'Omdat ik wilde dat je wegging en Teddy met rust zou laten, bij mij.'

Weer stilte.

Ten slotte zei Winnie: 'Nou, uiteindelijk krijgen we hem geen van beiden.'

'Denk je dat we hier nog uit komen?' Haar stem klonk ineens een stuk ouder. Dit was niet Lillian van de Zekerheden.

Een klein beetje medelijden welde op in Winnies onderbewustzijn. Ze probeerde het weg te duwen, maar het was er toch.

'Ze zeggen dat je positief en actief moet blijven,' zei ze, terwijl ze heen en weer schoof op de richel.

'Actief? Hier? Wat voor positiefs kunnen we hier doen?'

'Ik weet het, we kunnen ons niet bewegen. We zouden kunnen zingen.'

'Zíngen? Winnie, heb je je verstand verloren?'

'Je vroeg het.'

'Oké, begin dan maar.'

Winnie dacht even na. Haar moeders favoriete lied was 'Carrickfergus'.

I wish I had you in Carrickfergus
Only three miles on from Ballygrand
I would swim over de deepest ocean
Thinking of days there in Ballygrand...

Ze hield even op met zingen. Tot haar verbazing viel Lillian in.

But the seas are deep and I can't swim over.
And neither more have I wings to fly.
I wish I could find me a handy boatman
Would ferry over my love and I.

Toen hielden ze allebei op met zingen en lieten de tekst op zich inwerken.

'Ik kon geen liedje bedenken dat nog minder geschikt was,' verontschuldigde Winnie zich.

Voor het eerst hoorde ze Lillian echt lachen. Niet spottend, niet schamper of snerend. Ze vond het echt grappig.

'Je had ook "Cool Clear Water" kunnen kiezen,' zei ze ten slotte.

'Jouw beurt,' zei Winnie.

Lillian zong 'The Way You Look Tonight'. Dat had Teddy's vader voor haar gezongen op de avond voor hij omkwam op de maaidorser, vertelde ze.

Winnie zong 'Only the Lonely'. Die plaat had ze gevonden, vlak nadat haar vader was hertrouwd met de vreemde, afstandelijke stiefmoeder die sieraden maakte. Toen zong Lillian 'True Love', en ze zei dat ze na de dood van Teddy's vader altijd had gehoopt dat ze nog iemand zou ontmoeten, maar het was nooit gebeurd. Ze had lange uren gemaakt en hard haar best gedaan om aanzien voor hen beiden te verwerven in Rossmore. Er was geen tijd geweest voor liefde.

Winnie zong 'St. Louis Blues'. Met dat lied had ze ooit een talentenjacht in een pub gewonnen, de prijs was een lamsbout geweest.

'Verspillen we zo niet onze stem, voor het geval we om hulp moeten roepen?' vroeg Lillian zich af. Ze vroeg het alsof ze echt wilde horen wat Winnie zou antwoorden.

'Ik denk niet dat iemand ons zou horen. Het beste wat we kunnen doen is positief blijven,' stelde Winnie voor. 'Ken jij liedjes van The Beatles?' Dus zongen ze 'Hey Jude'.

Lillian vertelde dat haar moeder The Beatles ontaard had genoemd, omdat ze lang haar hadden. Winnie vertelde dat haar stiefmoeder geen idee had wie The Beatles waren en dat zelfs haar vader vaag over ze deed. Het was moeilijk om een echt gesprek met ze te voeren.

'Weten ze dat je hier bent?' vroeg Lillian.

'Niemand weet dat we hier zijn. Dat is het probleem,' zuchtte Winnie.

'Nee, ik bedoel hier aan de westkust. Weten ze iets van Teddy?'

'Nee, ze kennen mijn vrienden niet.'

'Misschien moet je hem eens aan ze voorstellen. Hij zei dat hij jouw familie nog niet had ontmoet.'

'Ach, weet je…' Winnie probeerde het te bagatelliseren.

'Hij heeft jou ook aan mij voorgesteld.'

'Ja, hè?' De herinnering aan die ontmoeting was nog steeds bitter en Winnie vervloekte zichzelf om haar dwaasheid dat ze het tegen deze helse schoonmoeder had opgenomen, de strijd met haar was aangegaan en had gedaan of ze bevriend met haar was, allemaal om de zoon voor zich te winnen. Kijk eens hoe dat was afgelopen. Nu zaten ze in deze grot te wachten, waar hun in het ergste geval een langzame dood door verdrinking wachtte of in het allerbeste geval een aanval van reumatische koorts.

'Ik was eerst niet dolenthousiast,' gaf Winnie na een tijdje toe.

'Ik ook niet, maar jij was degene die voorstelde om samen op vakantie te gaan.'

'Ik was níet degene die dat voorstelde. Ik vertelde jullie over Stone House en dat ik hierheen wilde gaan met Teddy, dat was alles. Jij hebt jezelf uitgenodigd.'

'Hij nodigde me uit, jij ging erin mee.'

'Het maakt nu niet meer uit,' zei Winnie. Haar stem klonk verslagen.

'Word er nu niet somber van, alsjeblieft. Ik ben bang. Ik vond het fijner toen jij sterk deed. Kun je nog meer liedjes bedenken?'

'Nee,' zei Winnie koppig.

'Je móét nog meer liedjes kennen.'

'Wat denk je van "Rivers of Babylon"?' bood Winnie aan.

Het bleek dat Lillian een keer op een bruiloft was geweest in

St.-Augustine's Church in Rossmore, waar de bruid en bruidegom dit lied hadden gekozen als een van hun trouwliederen, en dat de Poolse priester had meegezongen omdat hij dacht dat dat een oude Ierse traditie was.

Winnie vertelde dat ze op een keer op Kerstavond dienst had gehad in een ziekenhuis en hoe ze onder het zingen van dit lied in polonaise door de zalen hadden gedanst om de patiënten op te vrolijken, en zelfs de zure zaalzuster had moeten toegeven dat het werkte.

Toen zei Lillian dat er niets boven 'Heartbreak Hotel' ging, dus zongen ze dat. Winnie zei dat ze Elvis liever 'Suspicious Minds' hoorde zingen, maar daar kenden ze maar één regel van, en die ging over in de val zitten. Toch zongen ze hem telkens weer tot hij hol begon te klinken.

Tijdens een poging tot 'Sitting on the Dock of the Bay' van Otis Redding merkten ze allebei dat het waterpeil gezakt was. Ze durfden het nauwelijks te zeggen, uit angst dat er toch nog een enorme golf naar binnen zou slaan. Maar toen duidelijk was dat het tij afnam, en hun kelen rauw waren van het zingen en de zoute nevel, strekten ze allebei een hand uit. Koud, nat en bevend hielden ze elkaar een paar seconden alleen maar vast. Woorden zouden de broze hoop en wankele vrede die ze hadden weten te bereiken, hebben verbroken.

Nu was het een kwestie van wachten.

Mevrouw Starr haalde Rigger erbij, toen duidelijk was dat twee van haar gasten werden vermist. Hij bracht een reddingsteam op de been, waar ook Chicky's zwagers in zaten.

'Ik heb ze gewaarschuwd voor de zuidelijke kliffen, dus je kunt ervan op aan dat ze daarheen zijn gegaan,' zei ze afgemeten. Rigger wilde weten of ze hun over een bepaalde plek had verteld en toen Chicky daarover nadacht, werd duidelijk wat er was gebeurd. Ze had de uitdaging gezien in het gezicht van Lillian Hennessy, waarmee ze de waarschuwingen voor slecht weer de vorige avond van de hand wees. En ze had opgemerkt dat Lillian die morgen vertrokken was zonder te zeggen waar ze heen ging.

De mannen zeiden dat ze in de richting van Majella's Grot zouden zoeken en haar zouden bellen zodra ze nieuws hadden.

Maar voor ze van hen hoorde, kwam er een telefoontje van Teddy Hennessy, die zei dat hij Lillians zoon was en uit Engeland belde. Het speet hem dat hij haar stoorde, maar hij kon zijn moeder en Winnie op hun mobiele telefoon niet bereiken. Die hadden ze zeker uitgezet.

Chicky Starr bleef professioneel en beheerst. Het had geen zin hem ongerust te maken voor ze zeker wist dat er echt reden tot zorg was. Ze schreef zorgvuldig zijn nummer op.

'Ze gingen een wandeling langs de kliffen maken, en zullen nu wel snel thuiskomen, meneer Hennessy.'

'En vermaken ze zich?' Blijkbaar wilde hij heel graag horen of het allemaal goed ging.

'Ja, het spijt me dat ze er nu niet zijn om u dat zelf te vertellen. Ze zullen het vervelend vinden dat ze u gemist hebben.'

'Gisteravond kreeg ik een sms van Winnie. Ze zei dat het hotel heerlijk was.'

'Fijn te horen dat ze tevreden zijn.' Mevrouw Starr voelde een brok in haar keel. 'Het is goed om oude vriendinnen samen te zien genieten...' Alstublieft God, maak dat ze over een paar uur niet op een heel andere manier met deze man hoefde te praten.

'Lillian is mijn moeder, maar dat weet u waarschijnlijk wel. Deze vakantie was bedoeld om elkaar goed te leren kennen, ziet u. Het is fijn om te horen dat het allemaal zo goed uitpakt.'

Hij klonk hoopvol en enthousiast. Hoe kon ze tegen hem zeggen dat zijn harde, kribbige moeder helemaal niet goed met Winnie kon opschieten, die blijkbaar zijn vriendin was? Ze hadden die relatie niet eens bekendgemaakt. Hoe zou de geschiedenis herschreven moeten worden als het ergste was gebeurd?

Ze bleef met haar hand tegen haar keel gedrukt staan, tot Orla haar aan haar mouw trok en vroeg of de maaltijd nu wel of niet moest worden opgediend. Ze kwam tot zichzelf en liet de gasten aan tafel plaatsnemen. Die wilden allemaal graag horen of er al nieuws was over de vermiste vrouwen en er heerste een onrustige sfeer aan tafel.

'Het komt wel goed,' zei Freda plotseling. 'Ze maken het prima. U hoeft zich geen zorgen te maken. Ze zullen wel koud en hongerig zijn, maar verder is er niets met ze aan de hand.' Ze zei dit vol vertrouwen, maar het leek wel of alles in slowmotion verliep, tot de telefoon ging.

Ze waren veilig. De reddingsploeg bracht ze eerst naar het huis van dokter Dai, maar het leek erop dat ze met de schrik waren vrijgekomen. Zonder te laten merken hoe opgelucht ze was, vertelde Chicky Starr aan de andere gasten dat Winnie en Lillian verrast waren door het tij en waarschijnlijk een warm bad nodig hadden, en dat ze maar vast zonder hen moesten gaan eten.

Iedereen juichte toen ze binnenkwamen, met witte gezichten en gewikkeld in dekens.

Lillian maakte er een grapje van.

'Nu hebben jullie me allemaal zonder make-up gezien. Daar kom ik nooit overheen!' lachte ze.

'Waren jullie afgesneden door de vloed?' Freda wilde graag horen wat er gebeurd was.

'Ja, maar we wisten dat het water weer zou zakken,' zei Winnie. Ze beefde, maar wilde er geen drama van maken.

'Waren jullie niet doodsbang?' De Engelse arts en zijn vrouw voelden met hen mee.

'Nee, niet echt. Winnie was geweldig. Ze heeft de hele tijd gezongen om de moed erin te houden. Jullie moeten beslist haar "St. Louis Blues" eens horen. Misschien wil ze wel een keer voor ons optreden.'

'Alleen als jíj "Heartbreak Hotel" doet,' zei Winnie.

Mevrouw Starr onderbrak hen. 'Je zoon heeft gebeld, Lillian, uit Londen. Ik heb gezegd dat je hem zou terugbellen zodra jullie terug waren.'

'Laten we eerst maar in bad gaan,' zei Lillian.

'Heb je hem verteld dat we...' begon Winnie.

'Ik heb tegen hem gezegd dat jullie verlaat waren, dat is alles.' Dankbaar keken ze haar aan.

Lillian keek bedachtzaam. 'Winnie, waarom bel jíj hem niet? Hij is jouw vriend. Hij wil toch met jou praten. Zeg maar dat ik hem een andere keer wel spreek.' En ze zette koers naar haar bad.

Alleen Chicky Starr en Freda O'Donovan zagen het belang van die opmerking in. Allebei beseften ze dat er een grote verandering had plaatsgevonden in die lange uren van wachten tot het Atlantische hoogtij zou keren. De weg die de twee vrouwen voor zich hadden, zou niet een en al zonneschijn zijn, maar toch: het was niet alleen het weer dat er nu een stuk rustiger en minder somber uitzag dan die ochtend.

John

John moest zich er telkens weer aan herinneren dat ze het tegen hem hadden, als ze zijn naam zeiden. Het was zo lang geleden dat iemand hem John had genoemd, ook al was dat zijn echte naam, of tenminste de naam die hij al die jaren geleden in het weeshuis had gekregen.

Verder kende iedereen hem als Corry.

In het boek dat de nonnen vroeger voorlazen voor het slapengaan, kwam een persoontje voor dat Corry heette. Een engelachtig peutertje, op wie iedereen dol was. Dus wilde John ook zo genoemd worden en de nonnen gaven hem zijn zin.

Het weeshuis had een tuinman, een oude man uit de stad Salinas. Hij vertelde hun altijd hoe geweldig het daar was en dat hij ooit, als hij genoeg geld had, terug zou gaan en er een huisje zou kopen.

Corry bleef die naam, Salinas, keer op keer bij zichzelf herhalen. Hij vond hem mooi.

Hij had geen naam. Dit zou zijn naam worden.

Hij heette Corry Salinas en op zijn zestiende kreeg hij zijn eerste baantje bij een broodjeszaak.

De zaak had een contract met een studio om de lunch te verzorgen voor filmcrews en Corry trok al snel de aandacht. Niet vanwege zijn donkere ogen boven zijn arendsneus, zijn haar dat bij zijn slapen iets krulde, of zijn intelligente ogen die altijd lachten met een blik van verstandhouding – het was omdat hij altijd onthield wie van pindakaas hield en wie graag magere kaas had. Geen moeite was hem te veel; zelfs de vervelendste en meest egocentrische sterretjes, die telkens van gedachten veranderden en dan zeiden dat hij het verkeerde broodje had gebracht, waren onder de indruk.

'Ik snap niet waar je het geduld vandaan haalt.' Zijn collega Monica had een korter lontje.

'Er zijn nog meer broodjeszaken. We willen dat ze voor die van ons kiezen, dus daar moeten we een beetje extra moeite voor doen.' Corry bleef altijd opgewekt. Hij was niet bang om hard te werken. Hij woonde in een kamer boven een wasserette en maakte daar elke ochtend schoon in plaats van huur te betalen.

Hij hoefde geen geld aan voedsel uit te geven, in een broodjeszaak was altijd wel iets te eten. Zijn spaarrekening groeide en elke cent was bestemd voor acteerlessen. Als je in Los Angeles woonde, sprak het vanzelf dat je bij de filmindustrie wilde horen.

Monica en hij vormden nu een stel.

Met zijn knappe uiterlijk zou Corry makkelijk figurant kunnen worden. Maar dat was niet wat hij wilde. Dan zou hij de hele dag moeten rondhangen voor veel minder geld dan hij nu met de broodjes verdiende. Hij zou wachten tot hij een echte rol kreeg en misschien een agent.

Dat hoorde allemaal bij de droom.

Monica droomde van iets anders. Zij vond dat ze een huis voor hen samen moesten zoeken en dat ze een eigen fastfoodzaak moesten beginnen. Waarom zou je de godganse dag werken, alleen om de beurs van je baas te spekken?

Maar Corry bleef bij zijn keus. Acteur worden was zijn droom. Hij kon zich niet voor honderd procent aan een eetgelegenheid wijden.

Monica vond dit niet leuk. Zij had al te veel mensen hun leven zien vergooien met het najagen van een Hollywood-droom. Haar eigen vader, bijvoorbeeld. Maar Corry, deze knappe jongen met zijn beweeglijke gezicht en zijn rotsvaste overtuiging dat hij het zou maken bij de film, was de liefde van haar leven. Ze wilde hem niet op zijn huid zitten en zo het risico lopen hem kwijt te raken.

En toen raakte Monica zwanger. Ze wist niet hoe ze het aan

Corry moest vertellen. Ze was zo bang dat hij zou zeggen dat hij hier niets mee te maken wilde hebben. Anticonceptie was altijd háár verantwoordelijkheid geweest. En Monica had niet met opzet de pil vergeten in te nemen. Dagenlang piekerde ze hoe ze het hem kon vertellen zonder hem al te erg te laten schrikken.

Uiteindelijk hoefde ze het niet te vertellen: hij raadde het zelf.

'Waarom heb je het niet eerder tegen me gezegd?' Hij was een en al liefde.

'Ik wilde je droom niet verpesten.'

'Nu heb ik twee dromen: een gezin én een filmcarrière,' zei hij.

Drie weken later waren ze getrouwd en verhuisde Monica naar de kamer boven de wasserette. Ze vonden nog meer werk om hun inkomen op peil te houden. Acteerlessen waren duur en van anderen hoorden ze dat het ook niet goedkoop was om een baby te hebben.

Tegen de tijd dat Maria Rosa werd geboren, had Corry Salinas een rol als een van de drie zingende obers in een grote muzikale komedie. Geen grote rol, had zijn agent uitgelegd, maar het zou hem een opstapje geven. De film was een vehikel voor een ouder wordende en lastige actrice die iedereen het leven zuur zou maken tijdens de opnamen. En als hij een goede indruk maakte, wie weet wat er dan nog zou volgen?

Corry zorgde dat hij een goede indruk maakte. Tijdens de lange, lange werkdagen was hij oplettend en oneindig geduldig. Hij behandelde de eerste assistent-regisseur alsof hij God was. Hij perste verse sapjes uit, speciaal voor de lastige filmster. Zij zei tegen iedereen dat hij een schatje was.

De twee andere zingende obers lieten af en toe hun ergernis blijken, maar Corry niet. Zijn altijd parate lach en zijn bereidwilligheid hadden resultaat. Aan het eind van de opnamen kreeg hij een rol aangeboden in een volgende film.

Maria Rosa was de mooiste baby van de wereld.

Ze kregen veel hulp van Monica's familie, die hoopte dat Monica's echtgenoot snel een serieuze, goedbetaalde baan zou vinden. Corry had geen familie die hem steunde, maar hij ging vaak met de baby in het wagentje naar het weeshuis waar hij was opgegroeid en werd daar dan hartelijk ontvangen. Hij vroeg telkens of ze hem niet iets konden vertellen over zijn biologische ouders, en altijd weer zeiden ze 'nee'. Hij was als baby van ongeveer drie weken achtergelaten bij de poort van het weeshuis, met een brief in het Italiaans waarin hun werd gevraagd om voor hem te zorgen en hem een goed leven te geven.

'En jullie hébben me een goed leven gegeven,' zei Corry dan altijd. De nonnen vonden het heerlijk als hij naar het weeshuis kwam. Ze hadden zoveel pupillen bitter en treurig zien vertrekken, vol wrok omdat ze hun jeugd hadden moeten doorbrengen in een tehuis. De tijden waren veranderd en nu konden de nonnen naar films en toneelstukken gaan. Ze beloofden Corry dat ze alles zouden gaan zien waarin hij optrad en zelfs een fanclub voor hem zouden oprichten.

Volgens Monica zou het erg moeilijk worden om de kinderwagen elke keer de trap op en af te krijgen boven de wasserette, maar Corry zei dat ze nog niet konden verhuizen. Acteren was een onzeker beroep. Ze zouden heus wel een fijn huis krijgen voor de baby, maar nu niet.

Over de tweede film, waarin Corry een onzekere tiener was en de ouder wordende, lastige actrice zijn stiefmoeder speelde, werd geschreven dat het één film te ver was voor de diva. Zij had haar tijd gehad, volgens de recensent, ze was uitgespeeld. Maar de jongen! Dat was nog eens een talent! En dus begonnen de aanbiedingen binnen te stromen.

Corry kocht het huis waar Monica zo naar had verlangd. Maar toen Maria Rosa drie was, stortte het allemaal in elkaar. Hij bracht steeds meer tijd door in het vrijgezellenappartement dat de studio hem ter beschikking had gesteld. Hij moest zijn gezicht laten zien op ontvangsten en liefdadigheidsbijeenkomsten en in nachtclubs.

Monica las dat zijn naam in verband werd gebracht met Heidi, zijn tegenspeelster in zijn laatste film. Het volgende weekend, toen hij twee hele dagen thuis zou blijven, vroeg ze hem op de man af of het waar was wat de roddelrubrieken beweerden.

Corry probeerde uit te leggen dat de publiciteitsmensen dat hele circus nu eenmaal nodig vonden.

'Maar is er iets van waar?' vroeg Monica.

'Nou, ik ga met haar naar bed, ja, maar dat heeft niets te betekenen, vergeleken bij jou en Maria Rosa,' zei hij.

De scheiding was snel geregeld, en hij mocht Maria Rosa elke zaterdag zien en elk jaar tien dagen met haar op vakantie.

Corry Salinas trouwde niet met Heidi, zoals de roddelrubrieken zeker dachten te weten. Heidi reageerde daar slecht op. Ze kreeg veel publiciteit als slachtoffer van een rokkenjager.

Monica hield zich op de achtergrond en gaf geen interviews. Ze was nooit thuis als Corry Maria Rosa kwam ophalen voor het zaterdagse bezoek; haar vader of haar moeder gaf het kind aan hem mee, zonder veel te zeggen, maar met een houding vol wrok en teleurstelling.

Soms voelde Corry zich eenzaam en probeerde hij Monica over te halen op haar besluit terug te komen. Het antwoord was altijd hetzelfde.

'Ik wens je het beste, maar als je contact met me wilt, dan graag via mijn advocaat.'

De rollen werden beter; de jaren gingen voorbij.

Op zijn achtentwintigste trouwde hij met Sylvia. Deze bruiloft was wel heel anders dan zijn eerste. Sylvia kwam uit een steenrijke familie, die verschillende keren fortuin had gemaakt in de hotelbusiness. Ze was de mooie, door en door verwende dochter die alles kreeg wat haar hartje begeerde. Toen ze als cadeau voor haar eenentwintigste verjaardag een grote societybruiloft wilde, kreeg ze ook die.

Corry was stomverbaasd dat dit oogverblindende meisje zo naar hem verlangde. Hij stemde in met alles wat Sylvia's familie voorstelde. Zijn enige verzoek, of zijn tienjarige dochter Maria Rosa bloemenmeisje mocht zijn, werd onmiddellijk van de hand gewezen. Zo gedecideerd dat hij er niet meer op terugkwam.

Sylvia's advocaten stelden met die van Corry een aantal huwelijkse voorwaarden op. De bruiloft kreeg enorm veel publiciteit en er werd gevochten om de fotorechten.

De dag zelf ging in een waas voorbij. Even dacht Corry een

beetje weemoedig terug aan het bruiloftsfeestje dat Monica en hij hadden gevierd toen ze achttien jaar waren en allerlei verwachtingen hadden, maar die gedachte stopte hij ver weg. Dat was toen, dit was nu.

Nu duurde niet lang. Corry werd vele uren in beslag genomen door de studio's, hij moest kostuums passen, promotietournees maken, naar buitenlandse filmfestivals. Sylvia verveelde zich. Ze tenniste veel en zamelde geld in voor goede doelen.

Voor Corry's dertigste verjaardag wilde Sylvia weer zo'n uitbundig feest geven. Hij stond op dat moment erg in de schijnwerpers, vanwege zijn laatste film, waarin hij een arts speelde die voor een moeilijke morele keuze stond. Overal hingen affiches met het gevoelige gezicht van Corry, die peinsde wat hij moest doen. Vrouwen wilden hem ontmoeten en die gekwelde blik uit zijn ogen verdrijven.

Hij nam de lijst met genodigden door. Alle grote namen van Hollywood en uit het hotelwezen waren goed vertegenwoordigd. De naam van zijn dochter stond er niet op.

Deze keer hield hij vol.

'Ze is twaalf. Ze heeft er vast over gelezen. Ze móét erbij zijn.'

'Het is míjn feest en ik wil haar er niet bij hebben. Ze hoort bij je verleden, niet bij je heden of bij je toekomst. Trouwens, ik denk dat het tijd wordt dat we zelf een kind krijgen.' Sylvia hield voet bij stuk. Ze had haar stiefdochter Maria Rosa maar een paar keer willen ontmoeten sinds hun bruiloft; ze zei dat ze niet goed kon omgaan met jonge meisjes – die deden altijd zo dom en giechelden om niets.

Er lag iets heel minachtends in de manier waarop ze sprak, iets wat erop duidde dat Sylvia altijd zou krijgen wat zíj wilde. Haar mond, die hij ooit zo'n bekoorlijk rozenknopje had gevonden, was nu eerder een pruillip.

Voorzichtig vroeg hij of de mensen uit het weeshuis waar hij was opgevoed, ook op de lijst konden.

'Maar lieve Corry, die zullen zó uit de toon vallen. Dat begrijp je toch zelf ook wel?'

'Ze zullen in mijn leven nooit uit de toon vallen. Ze hebben me grootgebracht, me gemaakt tot wat ik nu ben.'

'Nou, stuur ze dan geld, lieverd, help ze geld inzamelen – daar hebben ze veel meer aan dan aan een uitnodiging voor al die glitter en glamour waaraan ze zich alleen maar kunnen vergapen.'

Corry gaf al geld aan het weeshuis. Hij zat in het bestuur van een comité dat geld inzamelde, maar daar ging het nu niet om. Drie van die aardige 'nonnen in burger', zoals hij ze noemde, zouden het zou heerlijk vinden om te gast te zijn op een enorm feest met alles erop en eraan. Hoe zouden deze vrouwen, die voor hem hadden gezorgd sinds hij voor hun deur was gevonden, ook maar ergens uit de toon kunnen vallen?

Hij voelde een ader kloppen bij zijn slaap. Hij werd zelfs een beetje duizelig. Vanuit de verte hoorde hij zijn eigen stem. Alsof die niet van binnenuit kwam.

'Ik wil geen feest zonder mijn dochter erbij en de mensen die me hebben onderwezen, gevoed en gekleed.'

'Je bent oververmoeid, Corry. Je werkt te hard,' zei Sylvia.

'Dat is waar, ik werk inderdaad te hard. Maar ik meen het. Ik heb nog nooit van mijn leven iets zo serieus gemeend.'

Sylvia zei dat ze het onderwerp maar even moesten laten rusten.

'Als jij die uitnodigingen verstuurt, kunnen we het laten rusten.'

'Ik laat me niet onder druk zetten of chanteren om iets te doen wat ik niet wil.'

'Prima,' zei Corry, en het huwelijk was voorbij.

Alles bij elkaar liep het vrij soepel. Corry's advocaten onderhandelden met Sylvia's advocaten. Alles werd geregeld. Maar achteraf ontdekte Sylvia dat het leven nu, zonder Corry Salinas aan haar arm, lang niet meer zo leuk was. Ze liet zich overhalen om interviews te geven over hun stormachtige huwelijk.

Ongelovig las Corry wat erin stond. Zo was het helemaal niet geweest.

Hij probeerde ook aan zijn dochter Maria Rosa uit te leggen dat zijn leven met Sylvia één groot toneelstuk was geweest, opgevoerd in een vissenkom, om de bewondering en jaloezie van anderen te wekken. Er waren helemaal geen slaande ruzies geweest. Corry had haar altijd haar zin gegeven. De waarheid was dat Sylvia en hij elkaar nauwelijks kenden.

'Waarom ben je dan met haar getrouwd, pap?' vroeg Maria Rosa.

'Ik denk dat ik me gevleid voelde,' zei hij simpelweg.

Maria Rosa was verstandig voor haar leeftijd en omdat ze dezelfde verklaring van haar moeder had gehoord, geloofde ze hem.

In de twintig jaar die volgden werd Corry Salinas een beroemde naam, niet alleen in de Verenigde Staten, maar over de hele wereld. Als hij bij een film betrokken was, kostte het geen enkele moeite om de financiering rond te krijgen. Hij werd gesignaleerd met mooie vrouwen bij alle mogelijke chique gelegenheden, filmpremières, Broadwayshows, openingen van tentoonstellingen en op de grootste, meest exclusieve jachten in de Middellandse Zee. De roddeljournalisten lieten hem steeds weer in het huwelijksbootje stappen met filmsterren, erfgenames en zelfs leden van kleinere koningshuizen, maar er kwam nooit een officiële aankondiging.

Maria Rosa had de donkere ogen en het romantische uiterlijk van Corry, en was even praktisch en gelijkmoedig als Monica. Ze had hun beider arbeidsmoraal geërfd, werd lerares en deed vrijwilligerswerk in het buitenland. Haar vaders leven als superster trok haar totaal niet. In haar jeugd was het de vijand geweest van een normaal gezinsleven.

Ze had te vaak moeten vluchten voor paparazzi, en moeten weigeren met mensen te praten, uit angst verkeerd geciteerd te worden in de pers. Allerlei deuren zouden voor haar open zijn gegaan, als dochter van Corry Salinas, maar daar wilde ze geen gebruik van maken.

Ze deed nooit vijandig of verwijtend tegenover haar vader. Altijd als ze in LA was, belde ze hem om samen een pizza of Mexicaans te gaan eten in een buurtrestaurantje, waar ze rustig aan een afgezonderd tafeltje konden zitten, zonder te worden afgeluisterd door de pers die Corry Salinas overal achtervolgde.

Hij hoorde van zijn dochter dat Monica opnieuw getrouwd

was, met Harvey, een aardige man die een bloemenzaak had. Haar moeder was gelukkiger dan ooit, vertelde Maria Rosa; het enige wolkje aan de hemel was dat ze van háár binnenkort geen bruiloft of een paar kleinkinderen kon verwachten. Maar, zuchtte Maria Rosa, ze had nog niemand ontmoet en, hemel, deze stad was één grote waarschuwing hoe verschrikkelijk verkeerd een huwelijk kon aflopen.

Mensen zeiden vaak dat het niet eerlijk was: mannen werden met de jaren alleen maar knapper; Corry kon nog steeds romantische rollen spelen, terwijl vrouwen van in de vijftig veel moeite moesten doen om een karakterrol te krijgen. Maar hij wist dat dat niet altijd zo door kon gaan.

Toen Corry tegen de zestig liep wist hij dat hij nog één echt onvergetelijke rol nodig had om te spelen. Iets met diepgang en emotie. Een rol die voorgoed met hem geassocieerd zou worden. Alleen, die rol kwam maar niet.

Zijn agent, die Onvermoeibare Trevor werd genoemd, had geprobeerd hem over te halen om een rol in een tv-serie te accepteren, maar daar wilde Corry niet van horen. In de tijd dat hij nog aan het begin van zijn carrière stond, werd de televisie gezien als iets voor oude, uitgerangeerde acteurs. De bioscoop, dat was de echte arena; iets anders telde niet.

Trevor zuchtte.

Corry liep ver achter, zei hij. Dit was het gouden tijdperk van de televisie, volgens hem. De meest fantastische schrijvers leverden tegenwoordig hun beste werk aan de televisie. Hij kon een rol krijgen met alle diepgang die hij maar wilde – hij zou de president van de Verenigde Staten spelen! Corry hoefde het maar te zeggen. De belangrijkste voorwaarde voor succes was het vermogen om je aan te passen, zei Trevor telkens weer. Maar Corry wilde niet luisteren.

Niet dat hij erover dacht om van agent te veranderen. Niet nu. Trevor deed inderdaad onvermoeibare pogingen om de perfecte rol te vinden voor zijn beroemdste cliënt. En Corry kende de oude wijsheid dat van agent veranderen net zoiets was als van dekstoel veranderen op de Titanic.

Corry was altijd ontspannen en meegaand geweest. Nu werd

hij plotseling koppig, hij was ervan overtuigd dat hij het beter wist dan de agenten, de studio's en de hele filmindustrie.

Corry had niet geluisterd naar de vriendelijke nonnen die hadden gewild dat hij priester werd, of naar de eigenaar van die eerste broodjeszaak die hem een vaste baan had aangeboden. Hij had zich doof gehouden tegenover iedereen die zei dat hij zich geen acteerlessen kon permitteren. Hij was altijd zijn eigen weg gevolgd.

Binnenkort zou hij zestig worden. Trevor wilde iets belangrijks kunnen aankondigen ter gelegenheid van die verjaardag, maar hij kwam alleen met weer een televisieaanbod.

'Het is een dot van een rol,' smeekte Trevor. 'Je speelt een Italiaan die denkt dat hij ongeneeslijk ziek is en naar Italië teruggaat om zijn roots te zoeken voor hij sterft. Dan leert hij een vrouw kennen. Ze staan in de rij om haar te spelen, als jij de hoofdrol gaat doen, je wilt niet geloven welke namen we daarvoor hebben.'

'Geen televisie,' zei Corry.

'Het is allemaal veranderd, geloof me. Kijk naar de prijzen! Die gaan nu allemaal naar tv-sterren.'

'Nee, Trevor.'

En daar bleef het wekenlang bij.

Corry vertelde het aan Maria Rosa.

'Waarom doe je het niet, vader? Mijn vrienden hebben geen van allen tijd om naar de bioscoop te gaan. Ze kijken tv of downloaden films op hun computer. Het is allemaal veranderd. Alles is nu anders.'

Ze had meer gelijk dan ze allebei beseften.

Corry's zakelijk manager, die hem altijd goed ter zijde had gestaan, was zwaar getroffen door de crisis. Beleggingen hadden geen winst opgeleverd, en dus ging hij nog haastiger en minder doordacht beleggen. Het stortte allemaal in elkaar op de dag dat de manager omkwam bij een auto-ongeluk.

Hij was recht tegen een muur gereden, en liet een financiële knoop achter waarvan het ontwarren nog jaren in beslag zou nemen.

Voor het eerst in tientallen jaren moest Corry een beslissing

nemen over zijn carrière die puur gebaseerd was op de noodzaak om geld te verdienen. Bijna al zijn bezittingen moesten
verkocht worden, stuk voor stuk.

Trevor toonde zijn gebruikelijke onvermoeibaarheid en wist
Corry's financiële perikelen uit de publiciteit te houden. Maar
hij begon wel weer nadrukkelijk over de televisieserie. En deze
keer moest Corry wel luisteren.

De mensen van het geld zouden in Frankfurt een vergadering
beleggen. Ze wilden dat Corry ook kwam, om te zeggen dat hij
geïnteresseerd was. Dat zou helpen om de financiering rond te
krijgen. Het zou heel erg groot worden, volgens Trevor; Corry
zou al zijn eigendommen terugkrijgen.

'Ik wil alleen maar dat mijn dochter goedverzorgd achter-
blijft,' zei Corry nors, terwijl hij zijn koffer pakte om naar
Duitsland te gaan.

Ze lieten Corry altijd onopvallend, een paar seconden voor het
vliegtuig opsteeg, aan boord gaan. Hij ging snel en met zo min
mogelijk drukte in zijn eersteklasstoel zitten. Als andere passagiers hem al herkenden, dan lieten ze dat niet merken. Hij had
de papieren met het verhaal en de scripts van de nieuwe televisieserie op schoot en sloeg ze met tegenzin open. Hij voelde niets
voor dit project dat volgens Onvermoeibare Trevor een omme-
keer zou brengen in zijn financiële leven en hem nog beroem-
der zou maken dan hij al was. In Frankfurt zou hij een douche
nemen, zich omkleden en het zich gemakkelijk maken in zijn
hotelkamer, en pas dan zou hij besluiten wat hij ging doen. Hij
was moe en na een paar minuten in zijn gemakkelijke stoel viel
hij in slaap.

Hij werd wakker en realiseerde zich dat het vliegtuig nog niet
was opgestegen. De steward bood hem een glas versgeperst sinaasappelsap aan. Ze hadden vertraging, werd hem verteld, er
moest een extra controle worden uitgevoerd, maar alles was in
orde en de captain zei dat ze nu snel zouden opstijgen.

Corry keek op zijn horloge; er werd iets omgeroepen. Dit
vliegtuig ging nergens heen. De vlucht was geannuleerd. Er
werd geregeld dat passagiers op de vlucht van de volgende dag

mee konden. Wie niet wilde wachten, zou overgeboekt worden naar een andere luchtvaartmaatschappij, maar dat zou dan geen directe vlucht worden. De volgende dag zou te laat zijn; dan zou hij de bespreking missen. Daar ging zijn rustige verblijf in zijn hotelkamer. Trevor zou het niet willen geloven. Hij zou het hem nooit vergeven.

Op de luchthaven was de chaos compleet: iedereen probeerde zich te laten overboeken naar een andere maatschappij. Uiteindelijk moest hij via Shannon Airport in Ierland vliegen, wilde hij nog enige kans maken om in Frankfurt aan te komen. Hij had nog net tijd om Trevor te bellen en af te spreken dat die hem zou komen ophalen, om tijd te winnen. Hij zou zorgen dat er pers aanwezig was om foto's te maken als Corry de luchthaven uit kwam. Hij zou een verklaring uitgeven over de vertraagde vlucht, een paar interviews regelen en dan zou hij hem meteen mee naar de bespreking nemen. Wat er ook gebeurde, hij moest er zijn. Iedereen rekende op hem.

Iedereen rekende op hem, hè? Nou ja, hij zou te laat komen, maar wie weet haalde hij het nog wel. Hij wist dat hij het vliegtuig niet harder kon laten vliegen, en de reis niet korter kon maken door te piekeren, dus sliep hij terwijl het vliegtuig door de nacht naar het oosten vloog, tot ze gingen landen in Ierland.

Hij keek neer op de lappendeken van kleine groene stukjes land in de diepte. Hij kon de kustlijn zien. Maria Rosa was een paar jaar geleden met een groep leerlingen in Ierland geweest. Ze had verteld dat ze het er erg naar haar zin had gehad. Iedereen die ze tegenkwam had wel een verhaal. Verlangend dacht hij erover na hoe het zou zijn om met zijn dochter op vakantie te gaan. Zij was nu begin veertig – een knappe vrouw die opging in lesgeven, en zich in de bloemenzaak met haar moeder en Harvey net zo op haar gemak voelde als aan de bar van een chic hotel in Hollywood met haar vader.

Er was nog steeds geen romance in haar leven, maar dat lachte ze weg en dus vroeg Corry er niet meer naar. Misschien zou ze het wel leuk vinden om met hem op vakantie te gaan. Zodra hij thuis was zou hij haar bellen om het voor te stellen.

Hij keek weer op zijn horloge. Dit werd heel krap. Hij zou moeten rennen om zijn overstap naar Duitsland te halen.

En het bleek te krap. Corry stond stil en zag hoe de vlucht naar Frankfurt zonder hem vertrok. Hij belde Trevors mobiele nummer en moest zijn eigen telefoon een eindje van zijn oor houden terwijl zijn agent raasde en tierde. Uiteindelijk kon hij geen bijvoeglijke naamwoorden en scheldwoorden meer bedenken en klonk alleen nog maar vermoeid.

'Dus wat ga je nu doen?' vroeg hij.

Corry zei: 'Ik ben moe. Heel moe.'

'Jíj bent moe?' Trevors stem nam weer gevaarlijk in volume toe. 'Jíj hebt niks om moe van te zijn. Ik ben degene die alle reden heeft om moe te zijn, van de hele tijd te moeten uitleggen wat niet uit te leggen valt.'

'Het kwam door de luchtvaartmaatschappij...' begon Corry.

'O, hou op over de luchtvaartmaatschappij. Als je had willen komen, was het je gelukt.'

'Kunnen ze die bespreking niet vanavond houden, of morgen?'

'Natuurlijk niet. Wie denk je dat deze mensen zijn? Ze zijn allemaal speciaal ingevlogen. Zíj hadden vliegtuigen die niet met hun kont op het asfalt bleven zitten,' raasde Trevor.

'Dan blijf ik een week hier. Als het toch te laat is voor die bespreking, laat het dan maar zitten. Ik ga er even tussenuit.'

'Hé, dit is niet het moment... Ik heb alles geregeld.'

'En ik heb mijn best gedaan om te komen, maar de luchtvaartmaatschappij heeft me laten zitten. Dag, Trevor, ik spreek je over een week.'

'Maar waar ga je heen? Wat ga je doen? Je kunt er niet zomaar vandoor gaan!'

'Ik ben een volwassen man. Een óúde man, zoals je me steeds weer onder mijn neus wrijft. Ik kan hier een week vakantie nemen, of een maand, als ik dat wil. Ik zie je wel weer in LA.' Corry deed zijn telefoon dicht en zette hem op voicemail.

Hij ging nog een kop koffie halen. Deze vrijheid was nieuw voor hem. Hij was ontsnapt aan de bespreking waar hij zo tegen op had gezien. Nu kon hij doen en laten wat hij wilde, zonder te hoeven overleggen met een begeleider, manager of agent. Hij was echt vrij.

De luchtvaartmaatschappij had hem een dienst bewezen.

Maar waar zou hij heen gaan? Misschien moest hij een reisgids kopen of op zoek gaan naar een reisbureau. Op de tafeltjes om hem heen lagen allerlei folders over bezienswaardigheden en activiteiten in de omgeving. Er was een kasteel met een middeleeuws banket. En er was een excursie naar een spectaculaire rots, die Moher heette en blijkbaar een van de Zeven Wereldwonderen was. En er waren golfarrangementen. Het trok Corry allemaal niet aan.

Maar een klein foldertje ging over een Winterweek, en beloofde een warm, gastvrij huis en kilometers strand, rotsen en wilde vogels. Hij belde het nummer om te informeren of er een kamer vrij was.

Een aardig klinkende vrouw zei dat er inderdaad nog ruimte was, dat hij het beste een auto kon huren en naar het noorden moest rijden. Eenmaal in Stoneybridge, moest hij nog eens bellen zodat ze hem de weg naar het huis kon wijzen.

'En hoe doen we het met betalen?' begon Corry; hij wilde zijn naam liever niet geven, er was een kans dat hij daar niet herkend zou worden, en dat zou echt heel prettig zijn.

'Dat regelen we wel als u hier bent,' zei mevrouw Starr beslist. 'En uw naam is?'

'John,' zei Corry zonder aarzelen.

'Goed, John, doe rustig aan en kijk uit met de Ierse automobilisten, ze hebben de neiging om zonder waarschuwing af te slaan. Ga ervan uit dat ze dat doen en er kan je niets gebeuren.'

Zijn schouders voelden al minder gespannen aan. Hij was een gewone toerist die gewoon op vakantie ging. Geen persconferentie, geen horde showbizzjournalisten achter hem aan.

Het was een koude, heldere ochtend. Corry Salinas legde zijn tas achter in de gehuurde auto en reed gehoorzaam naar het noorden.

Hij moest niet vergeten dat hij van nu af aan John heette.

Het huis zag er precies zo uit als in de folder. John zette zijn kraag op om zijn gezicht gedeeltelijk af te schermen.

Hij was zo gewend aan mensen die nog een keer keken als ze hem ontmoetten en dan riepen: 'O mijn god, u bent Corry Salinas!' Maar op Stone House herkende niemand hem. Misschien had Onvermoeibare Trevor gelijk gehad toen hij zei dat Corry Salinas in de vergetelheid dreigde te raken.

Toen ze ernaar vroegen vertelde hij dat hij zakenman was, uit Los Angeles, en een welverdiend weekje vrij nam. En het drong tot hem door dat hij zijn kraag niet op hoefde te zetten. Als ze hem herkenden, zouden ze niets zeggen. Maar het was waarschijnlijker dat ze geen idee hadden wie hij was.

Het eten was lekker, het gesprek ontspannen, maar hij voelde zich erg moe. Hij was gewend een act op te voeren, een voorstelling te geven. Hier werd dat niet van hem gevraagd en dat was een hele opluchting, maar hij voelde zich ook een beetje verloren. Wat wás zijn rol?

Hij ging als eerste naar bed. Hij vroeg hun hem te verontschuldigen en van hem aan te nemen dat hij niet de internationale datumgrens had uitgevonden. Ze moesten lachen en zeiden dat ze hoopten dat hij goed zou slapen.

En John sliep goed, hij viel in slaap zodra hij in zijn comfortabele bed lag, maar de jetlag zorgde ervoor dat hij niet lang sliep. Nog steeds in zijn Californische ritme werd hij om drie uur in de ochtend wakker, klaar om aan de dag te beginnen.

Hij zette een kop thee en keek door het raam naar de golven die op het strand beneden sloegen. Hij wilde Maria Rosa bellen. Het was thuis acht of negen uur vroeger. Misschien zou ze net thuisgekomen zijn in haar appartement na een lange dag lesgeven.

Hij pakte zijn mobiele telefoon, maar wachtte even voordat hij haar nummer intoetste. Zou ze echt willen weten dat hij deze bizarre vakantie had geboekt? Ze was altijd beleefd, maar afstandelijk, alsof alles wat haar vader deed, plaatsvond in een onwerkelijk, kinderlijk doolhof van kijkcijfers en recensies en aantallen centimeters in de krant. Voor Maria Rosa had dat weinig te maken met de echte wereld.

Toen zei hij tegen zichzelf dat hij moest ophouden met dat geanalyseer.

Hij toetste het nummer.

'Maria Rosa? Met papa.'

'Hoi pap, hoe gaat het ermee?'

'Prima. Ik zit vast, in Ierland, nota bene. Ik heb mijn vlucht naar Duitsland gemist toen ik moest overstappen.'

'Ierland is oké, pap, je zou het slechter kunnen treffen.'

'Ik weet het. Het is prima hier. Heel ongerept, waar ik nu ben, aan de Atlantische kust.'

'En koud ook, zeker?'

'Ja, maar in het hotel is het warm. Ik blijf hier een week.'

'Dat is fijn, pap.'

Interesseerde het haar? Verveelde het haar? Wat was het moeilijk om daarachter te komen op negenduizend kilometer afstand. 'Ik dacht, ik bel je even om hallo te zeggen.'

'Fijn om van je te horen.'

Er viel een stilte. Maakte ze een eind aan het gesprek?

'En jij.' Hij wilde haar niet laten gaan. 'Hoor je de golven buiten donderen? Ze zijn heel hoog. Het is net tromgeroffel.'

'Hoe laat is het daar?' vroeg ze.

'Iets over drieën in de ochtend,' antwoordde hij.

'O, pap, dan moet je gaan slapen,' zei zijn enige dochter.

Corry zei welterusten en voelde zich zo alleen en verloren als hij zich zijn hele leven nog niet had gevoeld.

Daarna viel hij in een onrustige slaap en toen hij naar beneden ging om te ontbijten voelde hij zich slap en versuft. Er zaten al verscheidene mensen aan tafel en ze voelden met hem mee vanwege zijn jetlag. Winnie, een jonge vrouw die verpleegster was, gaf hem een verstandig, praktisch advies en ook al beloofde hij om dat op te volgen, toch liet hij zich overhalen om een compleet, warm Iers ontbijt te nemen als alternatieve therapie. Mevrouw Starr zette een potje koffie voor hem neer en zei dat hij zichzelf mocht inschenken.

Na het ontbijt bleef hij nog een tijdje zitten met een laatste kop koffie terwijl Orla de tafel afruimde en mevrouw Starr in de weer was met kaarten en verrekijkers en lunchpakketten voor de gasten die een wandeling gingen maken. Toen de laatste gasten de deur uit waren, zag hij hoe haar schouders zich ontspanden en hij besefte hoeveel zorgen ze zich maakte.

Ze ving zijn blik op toen ze zich omdraaide en zag dat hij naar haar had zitten kijken.

'Dit is onze eerste week,' legde ze uit.

'Maar u bent geen nieuweling in dit vak, dat kan ik wel zien,' zei hij.

'Dat is zo,' zei ze. 'Maar dat was niet mijn eigen bedrijf. Ik werkte voor iemand anders. Nu ben ik zelf verantwoordelijk. Maar wat wil jij vandaag gaan doen, John? Wil je nog een kop koffie en zal ik je dan vertellen wat er te beleven valt?'

Ze zaten gezellig te praten bij nog een pot koffie; en daarna ging John opgekikkerd de felle zon in voor zijn eerste wandeling van deze week.

Hij volgde het advies van Chicky op en liep landinwaarts. Hij wandelde over een stille weg, zag grote schapen met zwarte koppen en gedraaide horens. Of waren het wilde geiten? Hij had in zijn jeugd weinig tijd gehad om de natuur te bestuderen. Er zaten enorme gaten in zijn kennis over heel veel dingen.

Hij vond een kleine pub en ging vanuit het heldere, koude zonlicht de donkere ruimte binnen, waar een houtvuur brandde in een kleine kachel en een stuk of vijf mannen opkeken van hun bier, vol belangstelling voor de onbekende.

John groette hen vriendelijk. Hij was Amerikaan, legde hij onnodig uit, en logeerde op Stone House. Mevrouw Starr had gezegd dat dit een prettige pub was om naartoe te gaan.

'Beste vrouw, Chicky Starr.' De waard was blij met het compliment en poetste zijn glazen nog ijveriger.

'Ze heeft het grootste deel van haar leven in Amerika gewoond. Kende u haar daarvan?' vroeg een oude man aan hem.

'Nee, dat niet. Ik zag gisteren op vliegveld Shannon een folder en daar ben ik dan!'

Was dat pas gisteren? Hij voelde zich nu al volkomen los van welk ander leven ook.

Een grote man met een pet op keek hem oplettend aan. Hij had een breed, rood gezicht en kleine nieuwsgierige oogjes.

'U komt me bekend voor. Bent u hier echt nooit eerder geweest?'

'Nooit. Dit is mijn eerste bezoek hier. Jullie wonen in een prachtig stukje van de wereld.'

Daarmee waren ze tevreden. John was erin geslaagd de aandacht soepel van hemzelf af te leiden, door tegen ze te zeggen dat ze boften met de plek waar ze woonden.

'Chicky Starr was met een yank getrouwd, weet je. Hij is omgekomen in een verschrikkelijk auto-ongeluk, die arme kerel,' zei de man met het rode gezicht.

'De Heer zij hem genadig,' zeiden de anderen in koor.

'Wat verschrikkelijk,' zei John.

'Ja, ze was er kapot van. Maar het is een stoere dame. Ze is teruggekomen naar haar eigen mensen en heeft dat oude huis van de Sheedy's gekocht. Ze is eeuwen bezig geweest om het op te knappen. Je hebt geen idee hoeveel werk er in dat huis is gaan zitten.'

'Het is in elk geval een heel comfortabele plek om te logeren,' zei John.

'Als je weer thuis bent, zul je dan je vrienden in Amerika aanraden om erheen te gaan?'

'Natuurlijk doe ik dat.' John betwijfelde of hij iemand in Los Angeles kende die naar een uithoek als deze zou willen.

Ze lieten hem met rust met zijn soep en zijn pint Guinness. Hij voelde zich vreemd op zijn gemak in hun gezelschap en luisterde terwijl ze praatten over die oude Frank Hanratty die zijn oude busje knalroze had geschilderd zodat hij het makkelijk kon terugvinden. Frank reed nog steeds rond, turend door zijn bril, zonder te zien wat er voor of achter hem was. Hij had nooit een ongeluk gehad. Nóg niet.

Frank was blijkbaar nooit getrouwd, maar had een beter sociaal leven dan zij; hij kwam nu eens hier en dan weer daar, en overal was hij welkom. Hij vond het heerlijk om naar de bioscoop te gaan en reed elke week met zijn roze busje naar de grote stad om minstens twee films te zien...

Het gesprek kabbelde om John heen. Hij stelde zich het vredige, weinig eisende leven voor dat deze Hanratty leidde, tevreden met zijn lot. Hij vroeg zich af of hij een rondje moest geven. In een film zou je dat doen. Maar het leven was geen film. Deze mannen zouden misschien beledigd zijn. Hij lachte breed en warm naar het hele gezelschap en beloofde dat hij nog eens terug zou komen.

'Heerlijk soep, lekkere stukken kip erin,' zei hij.

Hij had de waard geen groter plezier kunnen doen.

'Die kip liep gistermorgen nog rond in de achtertuin,' zei hij trots.

Het dagje wandelen deed wonderen voor zijn jetlag en die nacht sliep hij heerlijk. Om zes uur werd hij wakker, maar hij bleef nog even lekker in bed liggen luisteren naar de geluiden van de wind en de zee. Die klonken vandaag harder, dat wist hij zeker. De wind leek van richting veranderd te zijn en sloeg nu tegen de ramen; toen hij uiteindelijk opstond zagen de golven er donker en grimmig uit.

Natuurlijk waarschuwde mevrouw Starr iedereen bij het ontbijt voor het weer. Hij was eigenlijk van plan geweest een wandelingetje te maken langs de kust met de kleine rotsachtige inhammen, maar zag daar op haar advies van af. Omdat hij nog niet wist welk route hij dan zou nemen, bleef hij nog even met een kop koffie aan tafel zitten terwijl de andere gasten zich verdrongen bij de deur; toen de laatste vertrokken was, glimlachte hij tegen Chicky en trok een wenkbrauw op om haar uit te nodigen bij hem te komen zitten.

'Ik hoor dat je een tijdje in New York hebt gewoond,' zei hij.

Hij begon uit te kijken naar het praatje dat ze 's morgens maakten. Het had iets kalmerends om een gewoon gesprek te voeren met mensen die niet al van alles over hem dachten te weten, die geen idee hadden van zijn andere leven en niets van hem verwachtten. De volgende ochtend bleef John opnieuw achter om als laatste weg te gaan na het ontbijt. Hij keek toe hoe Orla de borden afruimde, zodat ze daarna de kamers kon gaan doen.

160

'Je boft maar dat je familie hebt om je te helpen,' zei John.

'Ja. Orla had eigenlijk andere plannen, maar dat werd geen succes, dus ik ben blij dat ze het hier fijn vindt, voor een tijdje in elk geval.' Meestal had mevrouw Starr geen haast, maar deze ochtend leek het of ze iets anders aan haar hoofd had.

'Hou ik u op, mevrouw Starr?'

'Het spijt me, John, ik ben inderdaad een beetje afgeleid. Mijn auto heeft het begeven en Dinny van de garage kan pas van-avond komen om hem te repareren. Rigger, onze manager, is met zijn baby's naar de dokter – ze moeten ingeënt worden. Orla en ik moeten boodschappen doen. Ik zit te bedenken hoe we dat kunnen…'

'Zal ik jullie erheen rijden?' stelde hij meteen voor.

'Nee, dat kan echt niet. Jij bent op vakantie.'

Orla stond bij de tafel en hoorde het. 'O, kom op, Chicky, John vindt het niet erg. Het is maar een kwartiertje rijden. Ik rij met hem mee en dan vind ik wel een lift terug.'

Zo werd het geregeld.

In een kameraadschappelijke sfeer reden ze naar het stadje. Orla was in de twintig, een knap meisje dat vrijuit praatte.

'Het is niet eerlijk om dit van je te vragen, in je vakantie, maar het is Chicky's allereerste week. Ze heeft genoeg aan haar hoofd. Ik dacht dat je het vast niet erg zou vinden.'

'Nee, ik ben blij dat ik kan helpen. En trouwens, ik ga met je mee. Ik vind het leuk om naar de winkels te gaan,' bood John aan. Hij vermaakte zich inderdaad kostelijk met de gesprekken tussen Orla en de slager en de kaasboer en al het voelen en knij-pen aan de groenten bij de groenteman. Al snel was alles inge-pakt en betaald.

Orla was hem dankbaar. 'Heel erg bedankt. Ik vraag een van de O'Hara's wel of ze me een lift terug kunnen geven. Ga jij maar van je dag genieten.'

'Ik wilde eigenlijk nog een kop koffie gaan drinken,' gaf John toe. 'In dat café daar. Als je nou de boodschappen in de auto legt, dan gaan we daar tien minuten zitten.'

Ze praatten ontspannen met elkaar. Orla vertelde hem hoe ze bijna naar New York was gegaan om oom Walter en tante Chicky op te zoeken. Toen was het ongeluk gebeurd en arme oom Walter was gestorven.

Orla vertelde ook dat ze een cursus had gevolgd in Dublin en daarna met haar vriendin Brigid in Londen was gaan werken. Dat was een tijdje heel leuk geweest, maar toen had haar vriendin zich verloofd met een idioot en was ze met hem getrouwd en trouwens, ze had zich toch al een tijdlang rusteloos gevoeld en naar de zee en de rotsen van Stoneybridge verlangd. Deze plek had iets geneeskrachtigs. Hij hielp de pijn uit haar hart te verdrijven.

'Ik geloof dat ik begrijp wat je bedoelt met die genezende kracht,' zei John. 'Ik ben hier nog maar net, en voel nu al dat het effect heeft.'

'Het moet heel anders zijn dan het leven dat je gewend bent,' zei ze meelevend.

'Heel anders,' zei hij zonder in te gaan op het leven dat hij gewend was.

'Ik neem aan dat je waar jij woont niet zomaar een kop koffie kunt gaan drinken in een café...'

Hij keek haar scherp aan. 'Wat bedoel je?' vroeg hij ten slotte.

'John, natuurlijk weten we dat je Corry Salinas bent. Chicky en ik wisten het zodra we je zagen.'

'Maar jullie hebben niets gezegd,' zei hij stomverbaasd.

'Je kwam hier als John. Je wilde een privépersoon zijn. Waarom zouden wij dan iets zeggen?'

'En de anderen, de gasten? Weten zij het?'

'Ja. De Zweed had je de eerste avond al door en het Engelse stel, Henry en Nicola, vroegen discreet aan Chicky of je hier incognito was.'

'Het is waar wat ik heb gezegd. Ik was echt op weg naar een zakelijke bespreking in Duitsland, en ik héb in een opwelling besloten hierheen te gaan.'

'Natuurlijk. En je mag jezelf noemen zoals je wilt, John, het is jouw leven, jouw vakantie.'

'Maar als iedereen het weet...' zei hij twijfelend.

'Echt, ze hebben er alle begrip voor dat je een gewoon mens wilt zijn. En trouwens, ze zijn toch vooral met hun eigen leven bezig.'

162

'Het maakt het wel makkelijker als ze het weten. Ik wilde alleen maar die wereld achter me laten, tenminste voor even, gewoon een tijdje zonder al die bagage leven.'

'Het moet ellendig zijn om altijd alles te moeten uitleggen en steeds gevraagd te worden of je Tom Cruise of Brad Pitt kent.'

'Dat is het niet zozeer, het is meer dat mensen zulke hoge verwachtingen van me hebben. Ze denken dat ik echt die mannen ben die ik speel in de films. Ik heb altijd het gevoel dat ik ze teleurstel.'

'O, vast niet. Iedereen hier vindt je heel charmant. Ik ook. Zelf heb ik de mannen een beetje afgezworen, maar voor jou zou ik van gedachten kunnen veranderen.'

'Je plaagt me. Ik ben een stokoude man,' zei hij.

'O nee, ik plaag je niet. Maar ik wou dat je er meer plezier van had: wereldberoemd zijn, succesvol, iedereen die dol op je is… Als ik bereikt had wat jij allemaal hebt bereikt, zou ik dolblij zijn met mezelf en de hele dag stralend rondlopen.'

'Het is maar rollen spelen,' zei hij. 'Dat is mijn dagelijks werk. Ik wil het niet ook nog in het echte leven moeten doen.'

Orla dacht hier ernstig over na. 'Maar je kunt bij je gezin toch wel jezelf zijn?' vroeg ze.

'Ik heb geen gezin, afgezien van één dochter. Ik heb haar gisteravond gebeld in Californië.'

'Heb je haar over Stone House verteld? Komt ze ook een keer met haar gezin?'

'Ze heeft geen gezin. Ze is lerares.'

'Ze is vast heel trots op je. Ga je wel eens naar haar school om met de kinderen te praten?'

'Hemel nee, dat zou ik nooit doen.'

'Zouden ze het niet geweldig vinden om een filmster te ontmoeten?' zei Orla verbaasd.

'O, Maria Rosa zou dat niet willen,' zei hij.

'Vast wel. Heb je het haar wel eens gevraagd?'

'Nee. Ik wil mezelf en mijn soort leven niet aan haar opdringen.'

'Tjee, wat ben jij een fantastische vader. Waarom heb ik niet zulke ouders?'

Corry kon weer de positie van luisteraar innemen, waar hij zich het prettigst bij voelde.

'Zijn ze moeilijk?' vroeg hij medelevend.

'Eerlijk gezegd, ja. Ze willen dat ik anders ben, neem ik aan. Ze vinden me nog te jong om alleen te wonen. Ze vinden dat ik mijn tijd verspil met de afwas doen voor Chicky – zo noemen zij het. Ze willen dat ik met een van die vreselijke O'Hara's trouw en in zo'n groot protserig huis ga wonen, met pilaren aan de voorkant en drie badkamers.'

'Zeggen ze dat?'

'Ze hoeven het niet te zeggen, het hangt in de lucht als een grote paddestoelwolk.'

'Misschien wensen ze gewoon het beste voor je en weten ze niet hoe ze dat moeten zeggen.'

'O nee, mijn moeder weet altijd precies hoe ze iets moet zeggen, meestal op vier verschillende manieren die allemaal hetzelfde betekenen – namelijk dat ik mijn leven vergooi.'

'En is er, afgezien van wat jij de vreselijke O'Hara's noemt, iemand die je wél leuk vindt?' Hij vroeg het vriendelijk, niet opdringerig, belangstellend.

'Nee. Zoals ik al zei, ik hou het min of meer voor gezien met mannen.'

'Dat is jammer. Sommige mannen zijn heel aardig.' Hij had een erg leuke lach, een beetje ironisch, vol samenzweerderig plezier.

'Ik wil het risico niet nemen. Dat ken jij vast ook.'

'Ik ken het, ja. Ik ben twee keer getrouwd geweest en heb heel wat relaties met andere vrouwen gehad. Ik begrijp ze niet echt, maar ik heb ze nooit willen opgeven!'

'Voor jou ligt het anders, John, jij kunt uit de hele wereld kiezen.'

'Jij lijkt me een meisje dat ook aardig wat keus heeft, Orla.'

'Nee, ik kan mezelf er niet toe zetten. Op zijn best is het een compromis. Op z'n slechtst een nachtmerrie.'

'Ben je nooit verliefd geweest?'

'Om eerlijk te zijn, nee. Jij?'

'Wel op Monica, mijn eerste vrouw, ja, dat weet ik zeker. Misschien omdat we allebei jong waren en alles nog zo nieuw en opwindend was en we Maria Rosa kregen. Maar ik denk dat dat liefde was…'

'Dan heb je meer gehad dan ik.'

'Ben je van plan de liefde te mijden?'

'Nee, maar ik ben wel van plan om mezelf niet voor gek te laten zetten en geen compromis te sluiten. Mijn vader en moeder hebben nog maar heel weinig om over te praten, als ze dat al ooit hebben gehad… Mijn tante Mary is met een man getrouwd die tegen de honderd loopt, alleen maar omdat hij een groot bedrijf bezit, maar hij heeft geen idee wat voor dag het is. Chicky is wel uit liefde getrouwd, maar haar man werd van de aardbodem gevaagd door een auto-ongeluk. Alles bij elkaar niet echt een aanbeveling voor de liefde!'

'Misschien heb jij je harnas al aangetrokken voor ze de kans kregen je te leren kennen,' opperde hij.

'Misschien. Ik wíl geen flirt zijn, of zoiets. Maar zo gaat het wel steeds.'

'Nee, ik bedoelde niet dat…'

'En ik denk dat het vooral door mijn ouders komt. Zij hebben veel te veel belangstelling voor mijn leven. Het wordt steeds moeilijker om ze niet te laten zien hoe vervelend ik dat vind.'

'O, ouders doen het altijd verkeerd, Orla. Dat hoort erbij.' John klonk spijtig.

'Jij hebt het met je dochter wel goed voor elkaar.'

'Helemaal niet. Ik wil zoveel voor haar. Ik wil haar het beste geven, maar ik wéét dat me dat niet lukt. Ik doe het zo verkeerd.'

'En wat voor ouders had je zelf?'

'Geen. Ik heb geen idee wie mijn vader was, en mijn moeder is nooit teruggekomen om me op te halen.'

'O, het spijt me.' Orla stak haar hand uit en legde die op de zijne. 'Wat ben ik toch een sufferd. Ik wist het niet. Vergeef me.'

'Nee, het geeft niet. Ik vertel je alleen maar waarom ik het zo belangrijk vind om vast te houden aan familie,' zei John. 'Ik heb nooit iets over mijn moeder geweten, behalve dat ze Italiaans sprak en mij bijna zestig jaar geleden in een deken gewikkeld achterliet op de stoep van een weeshuis. Al die uren, weken en jaren waarin ik aan haar dacht en hoopte dat het goed met haar ging en probeerde te begrijpen waarom ze me had weggegeven…' Orla's hand lag nog steeds op de zijne. Vol meegevoel gaf ze er een kneepje in.

'Ik wed dat zij ook al die tijd aan jou heeft gedacht. Vast. En kijk eens wat je met je leven hebt gedaan! Wat zou ze trots zijn geweest.'

'Denk je? Oké, ik ben beroemd geworden, maar, zoals je zegt, ik geniet er niet genoeg van, heb te weinig plezier. Ze had misschien liever gewild dat ik me amuseerde en gelukkiger was geweest. Minder rusteloos.'

'Laten we iets afspreken,' stelde Orla voor. 'Ik zal meer openstaan tegenover mannen. Ik zal niet meteen denken dat het allemaal stomvervelende schreeuwlelijken zijn. Ik zal er op z'n Amerikaans van uitgaan dat vreemden gewoon vrienden zijn die je nog niet hebt ontmoet!'

'Dat is volgens mij niet alleen Amerikaans,' begon John verdedigend.

'Misschien niet. In elk geval zal ik niet beginnen te braken bij de gedachte aan een afspraakje met een van de vreselijke broers of ooms van Brigid O'Hara. Ik zal ze een kans geven. Klinkt dat redelijk?'

'Heel redelijk.' Hij glimlachte om haar geestdrift.

'Jíj, van jouw kant, gaat ervan genieten dat je bent wie je bent. Mensen vinden het leuk om een beroemdheid te ontmoeten, John. Het doet ze goed. Wij hebben een saai leven. Het is gewoon geweldig om een filmster te ontmoeten. Wees zo gul om dat te begrijpen.'

'Dat beloof ik. Op die manier had ik het nooit bekeken.'

'O, en over je dochter, misschien moet je het soort dingen die je net tegen mij hebt gezegd over de liefde, ook eens tegen haar zeggen. Ik zou het heerlijk vinden om een vader te hebben die zo met me praatte.'

'Dat heb ik nog nooit gedaan,' zei hij.

'Nee, maar je kunt er nu mee beginnen, je zou kunnen zeggen dat je het leuk zou vinden om haar te zien en haar vrienden te leren kennen, als dat haar of hen niet in verlegenheid zou brengen. Ik wed dat ze blij zou zijn.'

'Ik ben bang dat ze me afwijst.'

'Ik krijg te maken met mannen die mij misschien wel afwijzen. We zouden toch een afspraak maken?'

'Goed. En wil jij dan ook een beetje milder voor je ouders zijn? Je wordt misschien wel gek van ze, maar ze willen echt alleen maar het beste voor je.'

'Ja, ik zal het proberen. Ik zal waarschijnlijk bij leven al heilig verklaard worden, maar ik zal het proberen!' Ze lachte. Met een handdruk bezegelden ze de afspraak en begonnen aan de rit terug naar Stone House.

Onderweg kwamen ze langs de Stoneybridge Golf Club. Op de baan stonden wat geharde golfers. Buiten voor de deur stond een knalroze busje geparkeerd.

'O god, Frank zit al aan de warme whisky,' zuchtte Orla.

John remde plotseling.

'Ik zou ook wel zin hebben in een warme whisky,' zei hij.

'Dat kan niet, je bent geen lid van de club. En trouwens, je hebt net je ontbijt achter de kiezen.'

Maar John had de auto al geparkeerd en liep met grote stappen naar de voordeur.

Geschrokken holde Orla achter hem aan.

Alleen aan de bar, op een hoge kruk, zat een oude man met warrig haar door een vergrootglas naar een krant te turen. Hij keek op, toen de deur met een klap openging. Er kwam een onbekende binnen, een vijftiger met een dure, leren jas aan.

'Heb je ooit van mijn leven, als dat Frank Hanratty niet is,' zei de onbekende.

'Eh… ja?' Frank werd zelden aangesproken door mensen die hem kenden en vrijwel nooit door mensen die hem niet kenden.

'Zo, hoe gaat het met jou, Frank, oude vriend?'

Frank staarde hem aan. 'Jij bent Corry Salinas,' zei hij uiteindelijk ongelovig.

'Natuurlijk ben ik dat. Wie anders?'

'Maar hoe weet je wie ík ben?'

'We hadden het gisteren over je in de pub. Ik weet dat je een groot filmliefhebber bent, en nu kom ik je vandaag hier tegen.'

'Maar hoe wist je dat ik hier zat?' De arme Frank was verbijsterd.

'Dat is toch jouw busje buiten?' John zei het alsof het allemaal heel eenvoudig was.

Frank knikte nadenkend. Dat klonk redelijk, zeker. 'En wil je ook een warme whisky, eh, Corry?' bood Frank aan.

'Ik kan niet goed tegen drank 's morgens. Maar ik zou graag een kop koffie willen. En ken je mijn vriendin Orla?'

Ze gingen zitten en praatten over films, en de jongen die bediende bracht hun koffie.

'Ik kan gewoon niet geloven dat je zomaar voor mij hier naar binnen kwam.' Frank was nog nooit van zijn leven zo gelukkig geweest.

John en Orla wisselden een blik.

De afspraak stond.

Henry en Nicola

Henry's ouders hadden gehoopt dat hij zich na zijn artsexamen zou specialiseren, misschien tot chirurg. Zijn vader en moeder, die allebei arts waren, hadden er spijt van dat ze zich niet hadden gespecialiseerd. Stel je voor, wat ze dan voor mogelijkheden hadden gehad, zeiden ze vaak spijtig.

Maar Henry bleef erbij: hij wilde huisarts worden.

In de praktijk van zijn ouders was voor hem geen plaats, maar Nicola en hij zouden wel een plek vinden waar ze al snel iedereen zouden kennen. Ze zouden kinderen krijgen en deel uitmaken van de gemeenschap.

Henry had Nicola leren kennen in hun eerste week aan de medische faculteit. Ze waren nog heel jong, maar binnen een paar weken wisten ze allebei dat dit het was. De beide ouderparen smeekten ze om te wachten, om de romance nog een tijdje te laten voortduren voor ze gingen trouwen. Vier jaar later zeiden ze dat ze niet langer wilden wachten.

Het was een kleine, vrolijke bruiloft in de stad waar Nicola vandaan kwam. Alle gasten zeiden dat in deze gecompliceerde wereld vol verwarring en misverstanden Henry en Nicola twee rotsen in de branding waren.

Ze bereidden zich goed voor op hun werk als huisarts, met tijdelijke contracten van zes maanden bij een kraamkliniek, een hartkliniek en een kinderafdeling. Al snel waren ze klaar om een bord aan een deur te schroeven met hun namen erop, en terwijl ze uitkeken naar de volmaakte plek om zich te vestigen, besloten ze ook te proberen een kind te krijgen. Het was tijd.

Het was moeilijk om de perfecte plek te vinden om te wonen, maar nog moeilijker om een kind te verwekken. Ze begrepen er niets van. Ze waren allebei arts, tenslotte; ze wisten alles van de juiste periode en vruchtbaarheidsschommelingen. Medisch onderzoek leverde geen duidelijke oorzaak op. Ze kregen te horen dat ze het gewoon moesten blijven proberen, wat ze natuurlijk toch wel deden. Na een jaar probeerden ze ivf, en ook dat werkte niet.

Ze verdroegen de goedbedoelde en irritante commentaren van hun ouders die grootouders hoopten te worden en van vrienden die aanboden om te komen oppassen.

Het zou gebeuren of het zou niet gebeuren. Henry en Nicola konden samen alles aan. Ze overleefden zelfs een tragedie die zich voor hun ogen afspeelde, toen ze een poosje op de afdeling Spoedeisende Hulp werkten. Een jonge doorgedraaide man die onder invloed was van drugs, bracht zijn in elkaar geslagen vriendin binnen en in het volle zicht van iedereen schoot hij haar dood en daarna zichzelf.

Oppervlakkig bezien leken ze dit goed te verwerken: Henry en Nicola kregen veel lof toegezwaaid voor de manier waarop ze met de situatie waren omgegaan en voorkomen hadden dat de andere patiënten gewond raakten. Maar emotioneel was het een ernstige schok geweest en ze raakten de herinnering aan die ochtend waarop vlak voor hun ogen twee levens waren geëindigd, maar niet kwijt. Ze waren opgeleid om met leven en dood te kunnen omgaan, maar dit was te rauw, te wreed, te krankzinnig. Het eiste zijn tol. Ze deden wat minder hard hun best de perfecte plek te vinden waar ze konden gaan wonen en werken. Vergeleken met het geweld dat ze van dichtbij hadden gezien, leek dat nu niet meer zo belangrijk.

Op een dag zag Nicola een advertentie van een cruisemaatschappij met tochten in het Middellandse Zeegebied, waarin een scheepsarts werd gevraagd. Ze maakten er samen grapjes over: wat een leven, tennissen aan dek, cocktails met de kapitein en hier en daar wat buikpijn of zonnebrand behandelen, wat waarschijnlijk de meest voorkomende klachten waren. Wat zou dat heerlijk rustig zijn. En bij allebei ging ineens een lampje branden. Ze hadden altijd hard gewerkt; er was nooit tijd geweest om op vakantie naar het buitenland te gaan. Misschien was dit wat ze nodig hadden.

Zon, rust, een andere omgeving. Iets wat misschien de herinnering aan die dag en hun zinloze gevoel van spijt omdat ze de bedoelingen van een drugsverslaafde niet hadden voorzien, zou uitwissen.

Ze schreven een brief en gingen op sollicitatiegesprek.

De rederij kon maar één arts in dienst nemen, maar ze mochten best allebei mee, als de ander zich dan elders op het schip nuttig zou maken.

Nicola bood aan om bridgelessen te geven en de scheepsbibliotheek te beheren.

'Of jij wordt de arts en ik doe iets anders,' zei Henry.

'Jou zouden ze alleen maar met de oude vrouwtjes laten dansen. Ik denk dat je met je witte jas aan in de spreekkamer veiliger bent,' lachte Nicola.

En ze monsterden aan.

Ze waren erg geliefd op het schip en ze wenden snel aan dit leven. Cruisepassagiers waren over het algemeen opgetogen en onschuldig; hun gezondheidsklachten hadden meestal te maken met ouderdom. Ze wilden gerustgesteld en bemoedigd worden. Op beide terreinen was Henry heel goed.

Nicola ging van de ene vaardigheid over op de andere in deze kleine wereld. Ze ging zelfs technologielessen geven, waarbij ze passagiers leerde omgaan met hun mobiele telefoon, met Skype en met de computer.

Ze kwamen op plekken die ze normaal nooit bezocht zouden hebben. Hoe hadden ze anders de soeks en markten van Tanger kunnen bekijken, of de casino's van Monte Carlo, de opgravingen in Pompeii en Efese? Ze stonden bij de Klaagmuur in Jeruzalem en zwommen in de blauwe wateren rond Kreta.

Ze hadden een aanstelling voor een halfjaar, maar toen de rederij aanbood hun contract te verlengen, was het erg moeilijk om 'nee' te zeggen. Voor het eerst konden ze zich volkomen ontspannen; ze hadden tijd om met elkaar te praten, ervaringen te delen. Er was een vrolijkheid tussen hen die ze niet eerder hadden gekend. De verschrikkelijke schietpartij op de afdeling Spoedeisende Hulp begon te vervagen.

En de wintercruises waarop ze mee konden zouden in het Caraïbisch gebied zijn. Wanneer zouden ze ooit nog zo ver kunnen reizen? Wat een kans! En weer monsterden ze aan.

Terwijl ze op Jamaica over de oude plantages wandelden of op Barbados tussen de exotische bloemen zaten, feliciteerden ze zichzelf met het geluk dat hun in de schoot was geworpen. Soms praatten ze over teruggaan en 'echte dokters' zijn en over een gezin stichten via adoptie. Maar ze hadden het niet vaak over die dingen. Ze boften gewoon zo dat ze deze pauze konden nemen.

En het was ook heus niet allemaal plezier maken. Ze deden wat er van ze verwacht werd. Ze zorgden voor de mensen aan boord. Henry redde het leven van een jongen door op tijd te ontdekken dat hij een gebarsten blindedarm had en hem per helikopter naar het ziekenhuis te laten brengen. Nicola voerde de Heimlich-greep uit bij een oudere vrouw en redde haar zo van de verstikkingsdood. Henry bevestigde dat een zestienjarig meisje zwanger was en stond haar bij terwijl ze het aan haar ouders vertelde. Nicola zat uren achtereen bij een depressieve vrouw die van plan was geweest tijdens de cruise een eind aan haar leven te maken. De vrouw schreef aan de bestuursvoorzitter van de rederij dat ze nooit eerder zulke liefdevolle aandacht had gekregen en dat ze zich nu veel beter voelde.

Dus kregen Henry en Nicola de volgende lente een cruiseschip in Scandinavië aangeboden.

Nicola had een nieuw idee, dat ze aan de *cruisedirector* voorlegde. Waarom namen ze niet een kapper in dienst die de mannen kon leren het haar van hun vrouw te föhnen?

Hij keek haar niet-begrijpend aan.

Maar ze hield vol. Vrouwen zouden genieten van de aandacht en zorg van een partner die wist wat hij deed. Mannen zouden het een goed idee vinden omdat het ze geld zou besparen.

'En de beautysalon dan?' had de cruisedirector gevraagd.

'Ze moeten toch eerst in de salon geknipt en gestyled worden. Geloof me, die zullen het prachtig vinden. Iedereen heeft er profijt van.'

En ze kreeg gelijk: de föhncursus werd een van de populairste activiteiten op het schip.

Allebei vonden ze de Scandinavische kustlijn van Bergen tot Tromsø prachtig. Vaak stonden ze naast elkaar aan de reling van het uitzicht te genieten en dan wezen ze elkaar de fjorden aan. Het licht was zo prachtig. De passagiers waren de gebruikelijke mengeling van doorgewinterde cruisegangers en mensen die dit voor het eerst meemaakten en overweldigd werden door de hoeveelheid amusement, voedsel en drank aan boord.

Op de derde dag na hun vertrek kwam Beata, een van de stewardessen, bij Henry op het spreekuur. Ze was een aantrekkelijke blondine uit Polen en ze zei dat ze iets heel pijnlijks kwam bespreken, echt heel pijnlijk.

Henry zei dat ze de tijd moest nemen om hem te vertellen wat er aan de hand was. Hij hoopte dat ze niet iets ernstigs onder de leden had, maar Beata vertelde hem, handenwringend en wegkijkend, iets heel anders.

Het ging over Helen Morris, een vrouw in hut 5347. Die verbleef daar met haar vader en moeder. Beata zweeg.

Henry schudde zijn hoofd. 'Dat zijn toch de gezinshutten? Wat is precies het probleem?'

'De ouders,' zei Beata. 'Haar vader is blind en haar moeder heeft dementie.'

'Nee, dat kan niet,' zei Henry. 'Ze moeten bestaande gezondheidsproblemen opgeven voor ze aan boord komen. Ze moeten een document tekenen. Voor de verzekering.'

'Ze sluit haar moeder op in de hut en gaat dan met haar vader een wandeling over het dek maken om wat frisse lucht te krijgen. Daarna sluit ze hem op en gaat ze met haar moeder wandelen. Ze gaan nooit aan land voor een excursie. Ze gebruiken hun maaltijden in hun hut.'

'En waarom vertel je dit aan mij? Hoor je het niet aan de kapitein te vertellen of aan de cruisedirector?' Henry begreep het niet goed.

'Omdat ze dan in de volgende haven van boord gezet worden. Ze nemen nooit het risico om die mensen aan boord te houden.' Beata schudde haar hoofd.

'Maar wat kan ik doen?' Henry snapte er echt niets van.

'U wéét het nu, dat is alles. Ik kon het gewoon niet geheimhouden. U en uw vrouw zijn zo aardig. U vindt vast wel een oplossing.'

'Die vrouw, Helen Morris, hoe oud is zij?'

'Veertig ongeveer, schat ik.'

'En is zíj normaal, een evenwichtig mens, Beata?'

'Ja, zij is een erg lieve vrouw. Ik ga naar hun hut en breng ze hun maaltijden. Ze vertrouwt mij. Ze zei dat dit de enige manier was waarop ze met vakantie konden. U weet vast wel wat u moet doen.'

Henry en Nicola bespraken het die avond. Ze wisten wat ze hoorden te doen. Ze hoorden het te melden als een passagier had gelogen over de gezondheidstoestand en invaliditeit van familieleden. Hoe hoog de verzekeringspremies ook waren die de rederij betaalde, ze wisten dat die dit bedrog niet zouden dekken.

Maar wat afschuwelijk om dit te moeten doen!

'Waarom ga je niet naar haar toe om met haar te praten?' stelde Nicola voor.

'Ik wil me niet voor haar karretje laten spannen.'

'Nee, je zult natuurlijk doen wat je moet doen, maar laat haar niet alleen maar een naam zijn, een getal. Praat met haar, Henry, alsjeblieft.'

Hij zocht ze op de passagierslijst op. Er stond niets over een slechte gezondheid of invaliditeit van de ouders. Het adres van Helen was in West-Londen, waar ze met hen beiden woonde.

Hij klopte op de deur van hut 5347. Helen was een bleke vrouw met lang, steil haar en grote bezorgde ogen.

'O, dokter?' zei ze een beetje geschrokken.

Henry had een klembord bij zich. 'Gewoon een routinebezoekje. Ik ga altijd bij alle passagiers van boven de tachtig langs om te zien of iedereen het goed maakt.' Hij merkte dat zijn stem onnatuurlijk opgewekt klonk.

'Ze maken het prima, dank u wel, dokter.'

'Dus misschien kan ik even kennismaken met uw ouders, alleen maar om...'

'Mijn moeder slaapt. En mijn vader zit muziek te luisteren,' zei Helen.

'Alstublieft?' vroeg hij.

'Waarom bent u hier echt?'

'Omdat ze niet één keer aan tafel zijn verschenen, en dus was ik bang dat ze misschien zeeziek zouden zijn.'

'Niemand heeft u iets verteld?' Haar stem klonk angstig.

'Nee, nee.' Henry klonk heel overtuigend. 'Gewoon routine. Hoort bij mijn werk.' Hij lachte naar haar en wachtte tot hij binnen werd genood.

Helen keek hem dertig seconden aan, haar ogen zochten zijn gezicht af. Ten slotte nam ze een besluit.

'Kom binnen, dokter,' zei ze en ze deed de deur naar de hut wijdopen.

Henry zag een oude man in een leunstoel zitten met een koptelefoon op en tikkend met zijn voet op de maat van wat hij ook hoorde. Zijn nietsziende ogen waren naar de andere kant van de hut gericht. Buiten gleed het spectaculaire landschap van de Noorse fjorden voorbij, ongezien. Zijn vrouw zat op het bed met een pop in haar armen. 'Kleine Helen, kleine Helen,' zei ze telkens weer, terwijl ze de pop in slaap wiegde.

Henry slikte. Hij had geen idee gehad dat het zo zou zijn. 'Gewoon routine, zoals ik zei.' Hij schraapte zijn keel.

'Moet u het melden?' Haar ogen waren roodomrand en keken smekend.

'Ja, dat moet ik,' zei hij eenvoudig.

'Maar waarom, dokter? Het gaat nu al vier dagen goed. De reis duurt nog maar negen dagen.'

'Zo eenvoudig ligt het niet. Er is nu eenmaal een duidelijk beleid.'

'Er is geen enkel beleid dat mij helpt om hun een vakantie te bezorgen, wat frisse lucht, even iets anders dan de flat in Hammersmith waar je de hele tijd al die trappen op en af moet... Het was mijn enige kans, dokter.'

'Maar u hebt ons niet het hele verhaal verteld.'

'Dat kón ik niet. Dan hadden jullie ons niet mee laten gaan.' Hij zweeg.

'Luister, dokter. U hebt vast een fijn leven gehad waarin niets is misgelopen, maar zo gelukkig is niet iedereen. Ik ben enig kind. Mijn ouders hebben niemand anders. Ze zijn altijd zo goed voor mij geweest. Ze hebben me voor lerares laten studeren. Ik kan ze nu niet in de steek laten.' Ze zweeg even alsof ze zich probeerde te beheersen. Toen ging ze verder. 'Ik doe thuis correctiewerk en kijk huiswerk na van schriftelijke cursussen. Het is dodelijk saai en vermoeiend werk, maar zo kan ik tenminste voor hen zorgen. En ze vragen zo weinig... Dus is het echt zo'n misdaad om ze een keertje mee op vakantie te nemen? En zelf ook een beetje uit te rusten en zulke prachtige plekjes te zien?'

Henry voelde zich beschaamd.

Helen wrong haar handen in haar schoot. Haar vader glimlachte, verdiept in zijn muziek; haar moeder wiegde de babypop in haar armen, terwijl ze lieve woordjes mompelde en haar Helen noemde.

'Ik begrijp het wel, echt,' zei hij hulpeloos.

'Maar toch moet u het melden, en dan zetten ze ons van boord?'

'Ze zullen het risico niet willen nemen...' begon hij.

'Maar kunt ú het risico nemen, dokter? U, die al het geluk in de wereld hebt gehad, een geweldige opleiding, een mooie vrouw. Ik heb jullie samen gezien. Jullie hebben een droombaan, waarin het altijd vakantie is. Jullie hebben niet zoiets als dit meegemaakt. Jullie hebben een gemakkelijk leventje. Kunnen jullie niet de vriendelijkheid opbrengen om voor ons dit risico te lopen? Ik zal heel voorzichtig zijn, geloof me.'

Henry overwoog haar te vertellen dat zijn leven niet zo gladjes was verlopen. Ze hadden niet de kinderen kunnen krijgen die ze allebei hadden gewild. Vlak onder hun neus waren op gewelddadige manier twee doden gevallen, en nog steeds dachten ze dat ze dat hadden kunnen voorkomen, als ze sneller hadden gereageerd. Ze voelden zich vaag verward en een beetje schuldig over hun manier van leven aan boord. Maar wat stelde dat voor vergeleken bij het leven van deze vrouw?

'Hoe kon u zich deze reis veroorloven…' begon hij.

'De broer van mijn vader is gestorven. Hij liet hem tienduizend pond na. Het leek een kans die we geen tweede keer zouden krijgen, dus greep ik hem.'

'Ik begrijp het.'

'En tot nu toe is het heerlijk geweest. Heerlijk. Beter dan ik had kunnen dromen,' zei ze hoopvol.

'Het zal niet gemakkelijk zijn,' zei hij.

Haar lach was zijn beloning. Hij vroeg zich af of er niemand in haar leven was die de last van het zorgen en de pure wilskracht die haar gaande hield, met haar kon delen.

'Ik vraag Nicola of ze ook even langskomt,' zei hij.

Uiteindelijk viel het allemaal wel mee. Nicola ging elke dag in de hut zitten, terwijl Helen met haar vader aan dek ging wandelen en zelfs ging zwemmen. Vervolgens nam Henry zijn papierwerk mee naar de hut en bleef bij de oude man zitten, terwijl Helen en haar moeder de pop mee uit wandelen namen.

Helen wist handig het contact met andere passagiers te ontwijken. Ze ging er met de dag sterker en meer ontspannen uitzien.

Henry zei niets tegen Beata over de regeling, maar hij wist dat ze op de hoogte was en er blij om was.

Een paar keer ging het bijna fout. Op de dagelijkse bespreking van de bemanning vertelde de cruisedirector dat iemand een oudere man had zien struikelen aan dek. Kende dokter Henry hem? Was er een probleem?

Henry loog vlotjes. Ja, de oude heer was een beetje broos, maar zijn dochter had het allemaal goed in de hand.

Op een dag kwam het hoofd van het hutpersoneel onverwacht op controlebezoek, met Beata in haar kielzog.

Nicola slikte. Ze moest rustig blijven. 'Ik geef haar een-op-een computerles,' legde ze uit met een brede lach. Gelukkig begon Helens moeder niet net op dat moment een slaapliedje voor haar pop te zingen. Het hoofd zei dat iedereen boven de veertig een-op-een computerles zou moeten krijgen en liep door naar de volgende hut.

'Nou, kom naar mijn kantoortje en maak een afspraak,' zei Nicola. 'Ik kan het wel doen als je vrij bent.'

En dan was er nog de kapiteinsborrel, waar opviel dat er niemand uit hut 5347 aanwezig was.

'Ze zouden vanavond vroeg gaan eten,' zei Nicola.

'Ze willen graag met rust gelaten worden,' voegde Henry eraan toe.

In die negen dagen leerden ze Helen beter kennen. Ze vertelde hoe ze het lesgeven miste; ze had het heerlijk gevonden om voor de klas te staan en kinderen iets te leren. Ze bedankte hen uit de grond van haar hart en zei dat ze lieve mensen waren die al hun geluk verdienden. Henry en Nicola vroegen haar voorzichtig hoe haar leven eruit zou zien als ze weer thuis was.

'Net als vroeger,' zei ze somber, 'maar dan kunnen we tenminste op deze vakantie terugkijken. Het was het geld waard.'

'Nog meer erfenissen in zicht?' Henry probeerde een wat luchtiger toon aan te slaan.

'Nee, maar ik heb nog duizend pond over. Daar kunnen we wel wat extraatjes van doen.' Weer die droevige glimlach.

Ze liepen de haven van Southampton binnen. Nicola en Henry konden opgelucht ademhalen.

Helen had een auto gehuurd waarin ze met zijn drieën naar Londen zouden rijden. Ze zouden vanaf de aanlegplaats een taxi nemen naar het autoverhuurbedrijf.

Ze wisselden adressen uit.

'Stuur me een ansichtkaart vanaf jullie volgende cruise,' zei Helen, alsof ze gewoon kennissen van het schip waren, en niet negen dagen en nachten lang medeplichtigen waren geweest.

'Ja, en laat jij ons weten hoe het allemaal gaat,' zei Nicola. Haar stem klonk hol.

Het zou, zoals Helen al had gezegd, hetzelfde zijn als voorheen.

De officieren en bemanningsleden stonden aan dek om afscheid te nemen van de passagiers. Nicola en Henry omhelsden Helen voordat ze vertrok, met een ouder aan elke arm. Ze zagen haar de loopbrug aflopen, een stevig figuurtje, met haar hoofd fier omhoog.

De schoonmakers waren al bezig toen Henry en Nicola aanstalten maakten om van boord te gaan. Ze zouden naar huis rijden en tien dagen lang met hun ouders en vrienden kunnen bijpraten, voor de volgende cruise, naar Madeira en de Canarische Eilanden deze keer.

Ze namen net afscheid van de cruisedirector, toen ze het hoorden. Even buiten Southampton was een verschrikkelijk ongeluk gebeurd, een botsing, drie doden, alle drie passagiers die net van het cruiseschip af kwamen. Geschrokken keken Henry en Nicola elkaar aan. Voordat de cruisedirector het zei, wisten ze het al.

'Het is blijkbaar zelfmoord, ongelooflijk toch? Ze vertrok met haar huurauto en reed tegen een muur. De auto totaal in elkaar, ze waren op slag dood. De politie vond de labels van het cruiseschip, dus hebben ze ons gebeld. Het was kennelijk die vrouw uit hut 5347, Helen Norris met haar ouders...'

'Het was vast een ongeluk.' Henry kon nauwelijks een woord uitbrengen.

'Denk het niet. Volgens getuigen stopte ze, reed een eindje achteruit en ging toen recht tegen die muur op. God, waarom heeft ze dat gedaan?'

'We wéten niet zeker of ze dat...' begon Nicola.

'Dat weten we wél, Nicola. De politie is hier, ze stellen vragen. We moeten met de politie praten, een verklaring afleggen.'

De cruisedirector wond er geen doekjes om.

'We zitten toch goed, hè, Henry? Je hebt toch niets bijzonders opgemerkt?'

Henry had het gevoel dat het eeuwen duurde voor hij iets zei, maar het waren waarschijnlijk maar vier seconden.

'Nee, ze maakte een prima indruk. Heel positief.' De cruisedirector was opgelucht, maar maakte zich nog steeds zorgen.

'En die oude mensen? Was daar alles goed mee?'

'Ze waren broos, maar zij was goed in staat om voor ze te zorgen,' zei hij en zo zette hij een serie leugens in gang die hij en Nicola de komende vierentwintig uur wisten vol te houden.

Voor ze het schip verlieten, zocht Henry Beata op. Had ze het gehoord?

Ja, iedereen had het gehoord. Beata keek Henry aan met een vaste, neutrale blik.

'Het is erg treurig voor die arme vrouw en haar ouders, maar wat fijn dat ze aan het eind van hun leven nog zo'n fijne vakantie hebben gehad.' Zo smeekte ze hem niets te zeggen. Zij zou zelf ook in de problemen komen omdat ze het geheim had bewaard.

Hij gaf haar een afscheidskus op haar wang.

'Misschien zien we elkaar weer op een volgende cruise, dokter Henry.'

'Dat denk ik niet,' zei Henry. Hij wist dat zijn tijd als scheepsarts voorbij was. Van nu af aan zou hij gaan doen wat hij van plan was geweest: mensen genezen, hun kwaliteit van leven verbeteren, niet meer een oogje dichtknijpen uit sentimentele overwegingen en dan uiteindelijk de dood van drie mensen op zijn geweten hebben.

'Ze zou het sowieso gedaan hebben,' pleitte Nicola, terwijl ze terugreden naar Esher.

Hij staarde voor zich uit en gaf geen antwoord.

'Anders zou ze het in Bergen hebben gedaan, of in Tromsø of waar ze ook maar...'

Nog steeds geen antwoord.

'Je hebt haar negen dagen extra vakantie gegeven. Dat is alles wat je hebt gedaan. Wat wíj hebben gedaan.'

'Ik heb de regels overtreden. Ik heb voor God gespeeld. Dat valt niet goed te praten.'

'Ik hou van je, Henry.'

'En ik van jou, maar dat verandert niets aan wat er gebeurd is.'

Ze vertelden het aan niemand. Ze legden niemand uit waarom ze wilden stoppen met wat toch de mooiste baan van de wereld leek. Ze meldden zich als vrijwilliger bij programma's voor onderzoek naar het voorkomen van zelfmoord en omgaan met depressie. Ze hielden zich afzijdig van familie en vrienden. Ze namen tijdelijke invalbanen aan. De droom van een kleine plattelandspraktijk was weg. Ze dachten dat ze dat niet zouden aankunnen. Ze waren op de proef gesteld en te licht bevonden.

Uiteindelijk besloten de ouders van Henry om eerlijk te zeggen wat ze dachten. Het gebeurde na weer zo'n zwijgzame, sombere zondagse lunch bij hen thuis.

'Jullie zijn erg veranderd sinds jullie van dat laatste cruiseschip terug zijn,' begon zijn vader.

'Ik dacht juist dat je dat afkeurde. Je zei altijd dat dat niet het echte werk voor een arts was,' zei Henry bokkig.

'Ik vond, en dat vind ik nog steeds, dat je je had moeten specialiseren. Je had nu specialist kunnen zijn, alles lag voor je open.'

'We willen alleen maar dat je gelukkig bent. Dat is alles, schat,' legde zijn moeder uit.

'Niemand is gelukkig,' zei Henry en hij liep de tuin in om stokken weg te gooien voor de oude hond.

Dus besloten Henry's ouders om dan maar tegen Nicola te zeggen wat ze dachten. Ze troffen haar in de keuken, terwijl ze boven een kop thee in de verte zat te staren.

'We willen ons nergens mee bemoeien, lieve Nicola,' begon Henry's moeder.

'Dat weet ik, dat doen jullie nooit, jullie zijn echte schatten,' zei Nicola bewonderend, terwijl ze zich afvroeg hoe ze kon ontkomen aan het 'maar' dat hier onvermijdelijk achteraan kwam.

'We maken ons alleen een beetje zorgen.' Henry's vader wilde het gesprek niet laten eindigen voordat het was begonnen.

Maar Nicola's gezicht stond opgewekt en leeg. 'Natuurlijk maken jullie je zorgen,' stemde ze in, 'dat doen ouders nu eenmaal.'

'Jullie lopen nu al ruim twee jaar te kniezen, zonder een keus te maken. Kijk, ik weet dat het onze zaak niet is, maar we zitten er echt over in.' De stem van Henry's vader klonk smekend.

Nicola draaide zich om en keek hem aan.

'Wat wil je dan dat we doen? Zeg het maar gewoon. Misschien doen we het nog wel ook.'

Iets in haar gezicht maakte hem bang. Hij had haar nog nooit zo boos gezien. Meteen begon hij terug te krabbelen.

'Ik wilde alleen maar zeggen... Wat ik wou zeggen was dat... dat... jullie misschien op vakantie moeten gaan, even ertussenuit ofzo...' Zijn stem stierf weg.

'O, op vakántie!' Nicola klonk overdreven enthousiast. Een vakantie, dat kon ze nog net hebben. Nog net. 'Grappig dat je dat zegt, want we hebben het inderdaad over een vakantie gehad. Ik zal er nog eens met Henry over praten en dan laten we jullie weten wat we gaan doen.' En voordat ze nog iets konden zeggen, vluchtte ze hun keuken uit.

In de auto terug naar huis begon ze tegen Henry over de vakantie.

'Ik geloof niet dat ik de energie heb om op vakantie te gaan,' zei hij.

'Ik ook niet, maar ik moest iets zeggen om van ze af te komen.'

'Het spijt me. Jouw ouders zeuren ons tenminste niet zo aan ons hoofd.'

'Jawel, maar niet tegen jou. Ze zijn een beetje bang voor hun schoonzoon, weet je!'

'Zou jíj op vakantie willen, Nicola?'

'Ik zou wel graag een weekje weg willen voordat het echt winter wordt, maar ik weet eigenlijk niet waarheen,' zei ze.

'Nou, we willen in elk geval geen van beiden naar de zon op de Canarische Eilanden,' zei Henry.

'Ik wil ook niet naar de sneeuw. Skiën lijkt me verschrikkelijk,' zei Nicola.

'En ik zie een busreis niet zitten,' kwam Henry weer.

'Of Parijs. Daar is het nu te koud en te nat.'

'We zijn wel erg kieskeurig geworden, en dat terwijl we nog niet eens veertig zijn,' zei Henry opeens. 'De hemel mag weten hoe dat moet, als we straks écht oud zijn.'

Vol genegenheid keek ze hem aan. 'Misschien moeten we eerst door deze ouderdomsfase heen en worden we daarna eindelijk normaal.' Haar toon was luchtig, maar er klonk iets verlangends in door.

'Ik weet wat we moeten doen,' zei Henry. 'We gaan op wandel-vakantie.'

'Wandelen?'

'Ja, ergens waar we nooit eerder zijn geweest; de Schotse Hoog-landen, of de Yorkshire Moors.'

'Of misschien Wales?'

'Ja, als we thuis zijn, gaan we kijken of we een mooie plek kun-nen vinden.'

'We hoeven toch niet in jeugdherbergen te slapen, hè?'

'Nee! We vinden vast wel een fijn hotel met veel warm water en lekker eten.'

Nicola leunde achterover in de passagiersstoel en zuchtte.

Voor het eerst in twee jaar geloofde ze dat ze misschien echt een hoek waren omgeslagen. Een vakantieweekje in de winter zou niet al hun zorgen en pijn wegnemen, maar het zou mis-schien hun eerste stap op de weg terug zijn.

Die avond was het erg koud in hun huis in Esher. Henry maakte een vuur in de kleine haard, en het was voor het eerst in twee jaar dat hij dat deed. Hij zag Nicola's verbaasde blik.

'Nou ja, als we dan toch die enorm belangrijke keuze gaan maken waarheen we op vakantie gaan, kunnen we net zo goed ook met andere tradities breken,' zei hij ter verklaring.

Nicola maakte voor hen allebei een beker warme chocola. Ook weer sinds tijden. Anders waren ze altijd uitgeput na zo'n bezoek aan een van beide ouderparen, maar vanavond hadden ze meer energie. Ze zetten de laptop op een tafeltje bij de haard en gingen op zoek naar een vakantieadres.

Er waren verschillende prachtige aanbiedingen. Een boeren-hoeve in Wales, kilometers van de bewoonde wereld. Maar wel erg afgelegen. Zo geïsoleerd wilden ze niet zitten. Blokhutten in het New Forest, waar je vanuit je raam wilde pony's kon zien? Ja, misschien. Maar zouden ze na een dag of twee niet ge-noeg hebben van die wilde pony's? Een oude herberg vlak bij Hadrian's Wall? Zeker een mogelijkheid, maar ze waren niet meteen overtuigd.

Toen zagen ze een foto van een huis in het westen van Ier-land. Een groot stenen gebouw boven op een rots met uitzicht over de Atlantische Oceaan. Volgens de beschrijving kon je er wandelen en vogels kijken en genieten van rust en lekker eten. Het had iets wat hen aantrok.

'Misschien overdrijven ze het wel een beetje... Het kan natuurlijk best zijn dat het helemaal niet zo is.' Nicola durfde bijna niet enthousiast te worden.

'Ja, maar die foto's kunnen ze niet vervalsen – die golven en die grote, lege stranden... al die vogels.'

'Zullen we bellen? Hoe heet ze ook alweer? O ja, mevrouw Starr.'

De stem aan de telefoon had een licht Amerikaans accent. 'Met Stone House, kan ik u helpen?'

Nicola vertelde dat ze dertigers waren, die erg hard gewerkt hadden en nu behoefte hadden aan vakantie en verandering van omgeving. Kon ze iets meer vertellen over het hotel?

En Chicky Starr vertelde dat het er tamelijk eenvoudig was, maar in haar eigen ogen een erg rustgevend en weldadig oord. Zelf had ze vroeger in New York gewoond en in die tijd was ze elk jaar hierheen gekomen met vakantie. Dan wandelde ze en wandelde ze en keek uit over de oceaan en als ze dan terugkwam in New York kon ze de hele wereld weer aan.

Ze hoopte dat het haar gasten ook zo verging.

Langzamerhand klonk het bijna te mooi om waar te zijn.

'Wordt er de hele tijd gezongen en zo, u weet wel, net als in een Ierse pub?' vroeg Henry verlegen.

'Dat hoop ik toch niet,' lachte Chicky. 'We serveren wijn bij het eten, natuurlijk, maar als mensen een uitgaanssfeer willen proeven, dan kunnen ze naar de plaatselijke pubs gaan, waar wel muziek is.'

'En eten we allemaal samen?'

Chicky begreep blijkbaar wat hij met die vraag bedoelde.

'We zitten elke avond met een stuk of elf, twaalf mensen aan tafel, maar het wordt geen uitputtingsslag. Ik heb mijn hele leven in een pension gewerkt, voordat ik dit hotel begon. Ik zorg er wel voor dat niemand al te gezellig mee hoeft te doen. Geloof me.'

Ze geloofden haar en reserveerden meteen.

De ouders van Henry waren blij.

'Nicola heeft ons wel verteld dat jullie vakantieplannen hadden,' zei zijn moeder. 'Ik was bang dat ik een bemoeial was geweest, maar ze zei dat er nog niets vastlag.'

'Nee, moeder, je was geen bemoeial,' loog hij.

De ouders van Nicola waren stomverbaasd.

'Ierland?' zeiden ze met open mond. 'Wat is er mis met Engeland? Er zijn duizenden plekken die jullie nog nooit hebben gezien.'

'Het was Henry's keus,' loog Nicola. Dat was genoeg. Ze waren inderdaad een beetje bang voor hun schoonzoon.

Ze vlogen naar Dublin en namen daar de trein naar het westen. Ze keken door het raam naar de kleine weilanden, het natte vee en de stadjes met onbekende namen die in twee talen stonden geschreven. Het voelde heel buitenlands aan, ook al sprak iedereen Engels.

De bus naar Stoneybridge sloot inderdaad aan op de trein, zoals Chicky Starr had beloofd. Ze had gezegd dat ze hen met haar auto zou ophalen.

'Hoe herkennen we u dan?' had Henry bezorgd gevraagd.

'Ik herken u wel,' zei mevrouw Starr, en dat klopte.

Het was een kleine vrouw, die hen meteen toewuifde en in de auto onderweg naar Stone House vlotweg met hen praatte.

Het hotel zag er precies zo uit als op de foto van de website. Een vierkant huis dat solide aan een oprijlaan van grind stond; buiten begon het al te schemeren en uit de ramen scheen een zachte gloed. In de vensterbank van een van de ramen zat een jong, zwart met wit katje opgekruld tot een bijna onmogelijk klein balletje bont, pootjes en oren.

Achter hen rolde zacht, romig schuim op de golven naar de kust, waar het stuksloeg op de harde rotsen die er tegelijkertijd statig en benaderbaar uitzagen.

Chicky voorzag ze van thee met scones en bracht ze naar hun kamer, die een balkonnetje had met uitzicht op zee.

Ze had iets rustgevends over zich en vroeg niet naar hun leven of waarom ze voor haar hotel hadden gekozen. Ze verzekerde hun dat de andere gasten, van wie er een aantal al gearriveerd was, heel prettige mensen leken. Ze gingen in hun grote bed liggen en vielen in slaap. Een siësta om vijf uur 's middags! Ook dat hadden Henry en Nicola nooit eerder gedaan.

Het was dat het geluid van de gong hen wakker maakte, anders hadden ze misschien de hele nacht doorgeslapen. Voorzichtig stapten ze beneden de grote keuken binnen en maakten kennis met de anderen.

Aan de tafel zat al een Amerikaan, John, die hun heel bekend voorkwam, maar aanvankelijk konden ze hem niet plaatsen. Hij vertelde dat hij hier in een opwelling naartoe was gekomen, omdat hij op Shannon Airport zijn vlucht had gemist. Ook was er een opgewekte verpleegster, Winnie, die met haar vriendin reisde, een oudere vrouw die Lillian heette. Zij waren allebei Iers en vormden een wat vreemde combinatie, al waren ze ieder afzonderlijk prettig gezelschap. Dan waren er nog Nell, een zwijgzame, oplettende oudere vrouw die een beetje gereserveerd leek en een Zweed van wie ze de naam niet verstonden.

Het eten was uitstekend; de informatie over uitstapjes in de omgeving heel grondig. Er kwam niemand binnen met een viool of accordeon en een medley van Ierse volksliedjes. Terwijl Orla, het nichtje van mevrouw Starr, de tafel afruimde, ging iedereen heel vanzelfsprekend richting bed, zonder toespraken of verklaringen. Terug in hun kamer durfden Henry en Nicola nauwelijks tegen elkaar te zeggen dat dit een succes leek te worden. Ze hadden de afgelopen twee jaar te vaak een valse start gemaakt.

Uit een soort bijgeloof hielden ze zich allebei in, maar weer sliepen ze heerlijk en het geluid van de golven die beneden tegen de rots sloegen, was eerder troostend dan verontrustend.

De volgende ochtend werden ze wakker met uitzicht op de voortjagende wolken en met het geraas van de wind en ze wisten dat dit inderdaad de plek was waar ze hun ramen open konden zetten. Het contact met de andere gasten was gezellig, maar niet al te intiem. Toen Winnie en Lillian de volgende dag ver-

mist waren, bood Henry aan om mee te gaan met de reddingsploeg voor het geval er medische hulp nodig was; mevrouw
Starr zei dat het haar beter leek als Nicola en hij in het huis bleven, voor het geval de twee vermiste vrouwen op eigen kracht
terugkwamen. De plaatselijke arts, dokter Dai Morgan, was al
gewaarschuwd en zat klaar in zijn praktijk.

'Dai Morgan? Dat klinkt niet erg Iers,' zei Henry.

'Nee, dat klopt, hij kwam hier dertig jaar geleden vanuit Wales,
als vervanger toen de oude dokter Barry ziek was. Toen overleed
die arme dokter Barry en is Dai gebleven. Zo simpel was het.'

'Waarom is hij gebleven?' vroeg Nicola.

'Omdat iedereen dol op hem was. Nog steeds. Dai en Annie
raakten hier echt thuis. Ze hadden een dochtertje, Bethan en
die vond het hier heerlijk. Zij is nu ook arts. Stel je voor!'

De volgende dag kwam Dai Morgan langs op Stone House
om te zien of de twee vrouwen geen onaangename gevolgen
ondervonden van hun verblijf in de grot. Chicky schonk koffie
voor hem in aan de grote keukentafel en liet hem daar achter
met Henry en Nicola die deze ochtend als laatsten de deur uit
gingen.

Dai was een grote, vierkante man halverwege de zestig met
een prettige, geruststellende manier van doen en een brede lach.

'Ik hoor van Chicky dat jullie tweeën in dezelfde handel zitten als ik,' zei hij.

Ze waren onmiddellijk op hun hoede. Ze hadden helemaal
geen zin om vragen te beantwoorden over wat ze zoal hadden
gedaan en hoe hun carrière was verlopen. Maar ze wilden ook
niet onbeleefd zijn.

'Dat klopt,' zei Nicola.

'Eigen schuld,' voegde Henry eraan toe.

'Ach, je kunt slechtere dingen zijn,' zei dokter Morgan.

Ze lachten beleefd.

'Ik zal het wel missen hier,' zei hij plotseling.

'Gaat u weg?' Dit was een verrassing. Chicky Starr had daar
niets over gezegd.

'Ja, ik heb het net deze week besloten. Mijn vrouw, Annie, heeft een ernstige diagnose. Ze wil graag terug naar Swansea. Al haar zusters wonen daar en haar moeder ook, tachtig jaar en zo fris als een hoentje.'

'Wat naar,' zei Nicola.

'Is het zo erg als u denkt?' vroeg Henry.

'Ja, een kwestie van maanden. We hebben er al verschillende specialisten bij gehad, vrees ik.

'En heeft ze het aanvaard?'

'O, Annie is een harde. Ze weet hoe het er voor staat. Geen drukte, geen drama, wil alleen bij haar familie zijn.'

'Maar daarna?' vroeg Henry.

'Ik zou het niet kunnen opbrengen om terug te komen. Stoneybridge was voor ons samen. In mijn eentje zou het niet hetzelfde zijn.'

'Ze zijn hier dol op u. Ze zeggen dat u veel voor de mensen hebt betekend,' zei Nicola.

'Ik vind het hier ook heerlijk, maar niet in mijn eentje.'

'En wanneer gaat u weg?'

'Voor Kerstmis,' zei hij eenvoudig.

Ze praatten over hem terwijl ze in een pub op een heuvel zaten waar schapen met zwarte koppen kwamen aanlopen en door de deur naar binnen keken. Vreemd, een man en zijn vrouw die zo ver weg waren gegaan van hun roots, zo lang hier waren gebleven en nu toch weer teruggingen.

Ze hadden het nog steeds over de dokter uit Wales toen ze over een lang, leeg strand liepen en daar de enige mensen waren. Wat zou hem ertoe hebben gebracht om in zo'n klein, afgelegen stadje te blijven waar hij niets van de patiënten en hun achtergrond wist?

's Avonds op hun kamer hadden ze het over hem, terwijl de golven stuksloegen onder aan de rotsen.

'Weet je waar we het eigenlijk over hebben?' zei Henry.

'Ja, we hebben het over onszelf, niet over hem. Zouden wij rust vinden op een plek als deze, net als hij?'

'Voor hem heeft het gewerkt. Misschien doet het dat niet voor iedereen.' Henry was bang dat hij zich zou laten meeslepen.

'Misschien is er wel ergens een plek waar wij bij kunnen horen, iets kunnen dóén, in plaats van alleen maar het dienstrooster vol te maken.' Haar ogen lichtten op in hoop.

Henry boog zich naar haar toe en legde zijn handen om haar gezicht. 'Wat hou ik toch van je, Nicola. Helen had gelijk. Ik bof dat ik zo'n gelukkig leven heb en dat komt doordat jij er het middelpunt van bent.'

In de dagen die volgden hadden ze steeds vaker behoefte om met Dai Morgan te praten. Hij leek blij te zijn met hun gezelschap. Ze probeerden niet om hem valse hoop te geven over zijn vrouw. Ze waren minder stijfjes, minder op hun hoede dan de eerste keer dat hij ze ontmoette. Stukje bij beetje vertelden ze hem over hun hoop om een eigen plek te vinden, een gemeenschap waarvoor ze iets konden betekenen, net zo, eigenlijk, als hij had gedaan.

'O, ik heb zoveel niet gedaan, hier,' zuchtte Dai Morgan. 'Als ik het over mocht doen, zou ik sommige dingen heel anders aanpakken.'

'Zoals wat?' Henry klonk niet opdringerig, het was duidelijk dat hij iets wilde leren.

'Zoals met een bullebak uit een van die nieuwe huizen daar. Ik werd er twee keer heen geroepen. Zijn vrouw Deirdre had last van duizeligheid, volgens hem. De eerste keer was ze van een ladder gevallen en de tweede keer uit de auto. Gebroken botten en blauwe plekken. Ik vond het er verdacht veel uitzien alsof hij haar had geslagen. Ik mocht hem niet, maar wat kon ik doen? De vrouw bezwoer me dat ze was gevallen. De derde keer wist ik het zeker. Maar toen was het te laat. Ze werd niet meer beter.'

'O god...' zei Nicola.

'Inderdaad, "o god". Waar was mijn God, of haar God, de vorige keren dat die ellendeling haar te grazen had genomen? Ik had toen niets gezegd, omdat het alleen maar mijn intuïtie was, een onderbuikgevoel. Omdat ik niet op dat gevoel vertrouwde, is Deirdre gestorven.'

'En hebt u toen wel iets gezegd?' Nicola's ogen stonden vol tranen.

'Ik heb het geprobeerd, maar ze snoerden me de mond. Haar eigen familie, broers en zusters, zeiden dat haar naam niet op die manier door het slijk gehaald mocht worden. Ze moest begraven worden als geliefde echtgenote en gelukkige moeder, anders zou haar leven voor niets zijn geweest. Ik kon het niet bevatten. Ik begrijp het nog steeds niet. Maar als ik het weer zou meemaken, zou ik meteen de eerste keer mijn mond opendoen.'

'Wat is er met hem gebeurd? Met de echtgenoot?'

'Hij bleef hier wonen, vergoot wat krokodillentranen, verwees een paar keer naar "Mijn Arme Vrouw Deirdre". Toen leerde hij weer een vrouw kennen, een heel ander type, en de eerste keer dat hij haar sloeg, stond ze meteen bij de politie op de stoep. Hij werd veroordeeld wegens mishandeling. Hij zat zes maanden in de gevangenis en kon daarna zijn gezicht hier niet meer vertonen. De familie van Deirdre schreef het allemaal toe aan zijn grote verdriet om de dood van zijn vrouw. In zekere zin kwam het daar ook door, neem ik aan.'

'En denkt u er nog vaak aan?' vroeg Nicola.

'Vroeger wel, de hele tijd. Elke dag kom ik langs het kerkhof waar Deirdre begraven ligt. Elke keer als ik hun huis zag, zag ik haar gezicht voor me, terwijl ze me bezwoer dat ze van een ladder was gevallen. Maar toen zei Annie dat het me verscheurde en dat niemand hier iets aan me had, als ik er niet overheen kwam. Dus ik ben er overheen gekomen, geloof ik, min of meer.'

Ze knikten met zoveel medeleven en begrip dat Dai zich realiseerde dat ze het werkelijk begrepen; misschien was hun ook iets dergelijks overkomen.

Voorzichtig ging hij verder. 'Volgens Annie plaatste ik mezelf in het middelpunt, en maakte ik het mijn probleem, mijn betrokkenheid, of gebrek daaraan. Er speelden ook andere dingen mee: hij zou altijd een wrede rotzak blijven, met losse handjes; zij zou altijd een slachtoffer zijn gebleven. Dacht ik soms dat ik een soort engel der wrake was, gestuurd om de wereld te redden? En ik begreep dat ze gelijk had.'

'Hebt u het uzelf vergeven?' vroeg Henry.

'Precies in die tijd gebeurde er iets anders. Ik was in mijn spreekkamer toen een van de kleine kinderen van O'Hara werd binnengebracht. Zijn moeder zei dat hij buikgriep had en moest overgeven. Ze vertelde dat hij heel slaperig was en koorts had. Ik vertrouwde het niet en onderzocht hem grondig. Ik dacht dat hij hersenvliesontsteking had en belde het ziekenhuis. Daar zeiden ze dat hij meteen moest komen voor onderzoek. Het zou te lang hebben geduurd voordat de ambulance hier was, dus ik pakte het jongetje op, holde naar buiten en zette hem met zijn moeder op de achterbank. Als een gek reed ik naar het ziekenhuis en daar stonden ze klaar om hem te onderzoeken en antibiotica te geven, en we hebben hem gered. Nu is het een boom van een kerel, hij kan de hele streek onder de tafel drinken. Aardige man, trouwens. Hij is heel goed met de jongste zoon, Shay. Zorgt een beetje voor hem. Elke keer als ik voorbijkom, zegt hij: "Dat is de grote man die mijn leven heeft gered." En dan vraag ik hem of hij me één goede reden kan geven om daar blij over te zijn. Maar ik weet dat het waar is en dat ik, voor één keer, iets heb betekend.'

'Ik weet zeker dat het niet alleen maar die ene keer was,' zei Nicola.

'Misschien niet, maar het was een soort verlossing en die kon ik toen goed gebruiken, kan ik je vertellen.'

Henry en Nicola praatten hierover na terwijl ze in hun kamer op Stone House zaten te wachten op de gong voor het eten.

'Verlossing… dát zochten we al die tijd,' zei Nicola.

'Misschien kan de Tandenfee die wel voor ons vinden.' Henry bedoelde het niet afwijzend of cynisch; hij glimlachte juist en pakte haar hand beet.

Ze waren als eersten beneden voor het diner.

Chicky en haar nicht Orla waren bezig een blad met drankjes klaar te zetten voor de gasten. Ze waren in een ernstig gesprek verwikkeld.

'Wat kunnen ze dóén, Chicky? Hem met zijn been aan zijn bed vastketenen?'

'Nee, maar ze kunnen hem ook niet 's avond in zijn eentje laten rondzwerven.'

191

'Probeer hem maar eens tegen te houden. Hij gaat toch de deur uit...'

Toen ze Nicola en Henry zagen, braken ze meteen hun gesprek af. Chicky was heel professioneel. Huiselijke aangelegenheden werden nooit besproken waar gasten bij waren. Het hotel liep op rolletjes, schijnbaar moeiteloos, al was dat te danken aan zorgvuldige voorbereiding. Ze informeerden wat Nicola en Henry die dag hadden gedaan. Ze haalden het vogelboek erbij om een gans op te zoeken die het paar over het moerassige land bij het meer had zien paraderen. Hij had roze poten en een grote oranje snavel.

'Dat is een grauwe gans, zou ik zeggen.' Chicky bladerde door *Ireland's Birds*. 'Was het deze, denken jullie?'

Ze dachten van wel.

'Die komen elk jaar uit IJsland hierheen. Stel je voor!' Chicky zweeg even van verwondering.

'Het lijkt me enig om zoveel van vogels te weten als u.' Nicola benijdde Chicky erom dat ze zich zo kon verliezen in de gedachte aan een gans die uit IJsland aangevlogen kwam.

'O, ik ben een amateur. We hadden gehoopt dat we hier een echte vogelkenner voor jullie zouden hebben. Er is een jongen uit de buurt, Shay O'Hara. Hij kent elk veertje van elke vogel die er maar rondvliegt. Maar dat is niet gelukt.'

'Het zou voor hem ook goed geweest zijn.' Orla schudde bedroefd haar hoofd.

Chicky begreep dat dit wat uitleg behoefde. 'Shay is zichzelf niet, de laatste tijd. Hij is depressief. Niemand kan hem bereiken. We hopen allemaal dat het vanzelf weer over gaat.'

'Depressie bij een jonge man is heel ernstig,' zei Henry.

'O, dat weet ik en dokter Dai weet er ook van, maar Shay weigert medicijnen te nemen of in therapie te gaan of naar iemand te luisteren,' zuchtte Chicky.

De anderen kwamen de keuken binnendruppelen, dus lieten ze het onderwerp varen.

Nicola ging naast de knappe Amerikaan zitten die zichzelf nog steeds John noemde; hij had blijkbaar een nieuwe vriend gemaakt, een plaatselijke inwoner die Frank Hanratty heette.

Frank had kilometers met hem in een roze busje over berg-weggetjes gereden om een oude filmregisseur te ontmoeten die zich jaren geleden in dit deel van de wereld had teruggetrokken. Een erg aardige en tevreden man die hun brandnetelsoep had voorgezet.

'Herkende hij u?' vroeg Nicola zonder nadenken.

Tot nu toe hadden ze nooit laten merken dat ze wisten dat John eigenlijk filmacteur was, een beroemdheid.

John reageerde heel gewoon. 'Ja, hij was zo vriendelijk om te zeggen dat hij mijn werk kende. Maar hij was zelf erg boeiend. Hij had kippen, weet je, en bijenkasten en een geit. Hij had een huis vol boeken – het is de gelukkigste man die ik ooit heb ont-moet.'

'Bijzonder,' zei Nicola verlangend. 'Het moet heerlijk zijn om gelukkig te zijn.'

John keek haar oplettend aan, maar zei niets meer.

Voor ze hun bed opzochten gingen ze nog even naar buiten om een frisse neus te halen in de koude zeelucht. Orla pakte net haar fiets om naar huis te gaan.

'Raak je ooit uitgekeken op dit uitzicht?' vroeg Henry haar.

'Nee. Ik heb het zo gemist toen ik in Dublin woonde. Som-mige mensen vinden het treurig. Ik niet.'

'En hoe zit dat met die arme vogelkenner over wie jullie ver-telden? Vindt hij het treurig?'

'Shay vindt alles treurig,' zei Orla en ze fietste naar huis.

Het was drie uur in de ochtend toen Henry en Nicola gewekt werden door het geluid van vogels die naar elkaar krijsten. Het was nog lang geen tijd voor het dageraadkoor of voor de meeuwen die zich 's morgens vroeg altijd verzamelden. Mis-schien was er een vogel in nood op hun balkonnetje.

Ze stonden op om poolshoogte te nemen.

Afgetekend tegen de maanverlichte zee stond het tengere sil-houet van een tienerjongen in een dunne trui; hij hield zijn armen om zichzelf heen geslagen, zijn hoofd gebogen, en huilde.

Dit moest Shay zijn. Shay, die alles treurig vond.

Zonder een woord te wisselen trokken ze hun jas en schoenen

aan en gingen naar beneden. Ze lieten zichzelf uit, de koude nachtlucht in.

De ogen van de jongen waren gesloten, zijn gezicht verwrongen. Ze konden de woorden die hij nog steeds uitschreeuwde, niet verstaan. Hij beefde en zijn magere schouders waren in wanhoop opgetrokken. Hij stond gevaarlijk dicht bij de rand van het klif.

Ze liepen rustig in zijn richting en bleven ondertussen tegen elkaar praten, zodat hij niet zou schrikken als hij ze ineens zag.

Hij deed zijn ogen open en zag hen. 'Jullie kunnen me heus niet van gedachten laten veranderen,' zei hij.

'Nee, dat is zo,' zei Henry.

'Wat bedoelt u?'

'Je hebt gelijk. Ik kan je niet van gedachten doen veranderen. Als je het nu niet doet, dan doe je het later vanavond wel of volgende week. Dát weet ik wel.'

'Waarom proberen jullie me dan tegen te houden?'

'Je tegenhouden? Dat proberen we helemaal niet, toch, Nicola?'

'O hemel nee. Mensen doen wat ze willen doen.'

'Wat doen jullie hier dán?' Zijn ogen waren groot van angst en hij trilde over zijn hele magere lijf.

'We wilden je iets vragen over de grauwe gans. We hebben er vandaag een gezien. Ik heb begrepen dat die helemaal uit IJsland is gekomen.'

'Het is niets bijzonders om een grauwe gans te zien. Het krioelt hier van die beesten. Als jullie nou een sneeuwgans hadden gezien, dan had je iets om over te praten,' zei Shay.

'Een sneeuwgans? Komen die ook uit IJsland?' Nicola liep om hem heen, schijnbaar nonchalant, met haar ogen vaag in de richting van de zee, alsof ze hoopte een sneeuwgans te zien bij het licht van de maan.

'Nee, die komen uit het poolgebied van Canada en Groenland. Die zie je soms in Wexford, aan de oostkust. Hier komen ze niet vaak.'

'Heb je er zelf wel eens een gezien?' vroeg Henry.

'O ja, vaak genoeg, maar zoals ik zei, niet hier. Vorig jaar heb ik wel een rietgans gezien. Die zijn vrij zeldzaam.'

'Een rietgans!' Henry probeerde ontzag en bewondering in zijn stem te leggen.

De jongen glimlachte.

'Wil je niet even binnenkomen en die rietgans aanwijzen in het vogelboek?' vroeg Nicola, alsof die gedachte net bij haar op-kwam.

'O, nee. Dan gaat Chicky weer aan mijn hoofd zeuren dat ik naar de dokter moet. Ik heb de pest aan dokters.'

'O, ik weet wat je bedoelt.' Nicola sloeg haar ogen ten hemel alsof ze het helemaal met hem eens was.

'Trouwens, jullie kunnen het zelf ook best opzoeken. Ze heeft al die boeken in huis.'

'Dat is niet hetzelfde. Jij zou ons kunnen vertellen…'

'Nee, ik zou het niet prettig vinden.' Hij wilde zich terug-trekken. Nicola stond vlak achter hem.

Zacht legde ze haar hand op zijn arm. 'Kom alsjeblieft met ons mee. Henry kan niet slapen, weet je, en je zou ons zo hel-pen.'

'Goed dan, eventjes,' zei hij en hij ging met hen mee naar de keuken van Stone House.

Ze vonden een dik, geruit jack dat hij kon aantrekken terwijl zijn dunne trui op de verwarming te drogen lag. Nicola zette thee voor hen drieën en ze aten brood met kaas. Hij zat nog steeds uit te leggen hoe je een brandgans onderscheidt van een rotgans, toen de O'Hara's kwamen; ze riepen zijn naam.

Ze hadden het briefje gelezen dat hij thuis op tafel had achter-gelaten; het briefje waarin hij zei dat het hem speet, maar dat hij geen andere uitweg zag. Ze waren langs de kliffen gerend, bid-dend dat ze op tijd zouden komen.

Shays vader liet zich op een stoel aan Chicky's tafel vallen en barstte in tranen uit.

Ze belden Shays moeder op, die zo in shock was geweest dat ze niet mee had kunnen zoeken. Chicky was naar beneden ge-komen en bood de situatie het hoofd alsof het haar dagelijks werk was.

'We moeten een dokter laten komen,' zei Shays zus.

Shay keek boos op bij het idee.

Chicky wilde net zeggen dat er al twee artsen in de keuken aanwezig waren. Henry schudde zijn hoofd.

'Dokter Dai wil vast wel komen,' zei hij.

'Die weet wel wat er gebeuren moet,' stemde Nicola in.

Chicky begreep het.

De volgende ochtend aan het ontbijt werd er niet over gesproken. Orla wist het al. Heel Stoneybridge had gehoord hoe twee Engelse toeristen de jongen hadden weerhouden van de zelfmoord die hem voor ogen stond. Ze keek hen dankbaar aan terwijl ze het eten opdiende.

Een paar gasten meenden dat ze die nacht geschreeuw hadden gehoord. Dat was niets geweest, legde Chicky uit en het gesprek ging verder over hun plannen voor die dag.

Later op de ochtend gingen ze bij dokter Dai langs.

'Dankzij jullie is er iemand die nog leeft, vandaag,' zei hij.

'Maar hoe lang nog?' vroeg Henry. 'Hij gaat het nog een keer proberen, hè?'

'Misschien niet. Hij heeft ermee ingestemd om ter observatie naar het ziekenhuis te gaan. Hij zegt dat hij zijn medicijnen zal innemen en misschien met een therapeut wil gaan praten. Dat is heel wat meer dan vroeger.'

Henry en Nicola keken elkaar aan.

Dai ging verder: 'Ik wil zelf zo snel mogelijk kunnen vertrekken. Vandaag ga ik het de mensen vertellen. Ik vroeg me af... Het is natuurlijk wel een beetje afgelegen hier, maar...'

Ze wisten wat hij wilde gaan zeggen.

'Ik heb vervanging nodig, voor een paar maanden. Zou het niet iets voor jullie zijn?'

'De mensen hier vertrouwen ons vast niet. We zijn buitenstaanders.'

'Dat was ik ook.'

'Dat is iets anders. Ze weten niets van ons.'

'Ze weten dat jullie Shay O'Hara het leven hebben gered. Dat is een prima visitekaartje,' zei Dai Morgan.

En daarna hadden ze veel te bespreken en te regelen.

'Het hoeven geen dertig jaar te worden, zoals bij mij,' zei Dai tegen hen.

Hij keek naar ze, terwijl ze daar samen in de winterzon stonden, zo ontspannen had hij ze nog niet gezien.

'Maar het kan ook best dat jullie nog langer blijven,' voegde hij eraan toe.

Anders

Altijd als mensen aan de kleine Anders vroegen wat hij later
wilde worden, zei hij dat hij accountant wilde worden, net als
zijn vader en zijn grootvader. Hij zou bij het grote, indrukwek-
kende kantoor van de familiefirma in Stockholm gaan werken.
Het was een van de oudste accountantskantoren van Zweden,
zei hij dan trots.

Anders was een blij kind, met warrig blond haar dat over zijn
ogen viel. Hij was al heel jong dol op muziek en speelde op zijn
vijfde verdienstelijk piano. Toen hij ouder werd, wilde hij een
gitaar en leerde zichzelf daarop spelen. Avond aan avond kon je
hem boven op zijn kamer, als hij zijn huiswerk af had, horen
spelen. Fru Karlsson, hun huishoudster, liet hem kennismaken
met de *nyckelharpa*, een traditioneel Zweeds snaarinstrument.
Hij was van haar opa geweest, die haar erop had leren spelen,
dus nu gaf zij Anders les. Ze leerde hem er traditionele Zweedse
volksliedjes op spelen en hij werd verliefd op de etherische klank
van het instrument.

Hij woonde met zijn ouders, Patrik en Gunilla Almkvist, Fru
Karlsson en hun hond Riva in een mooi appartement dat uitkeek over Djurgårdskanalen. Volgens hem zat hij op de fijnste
school van Zweden en was Riva de liefste hond van de wereld.
Net zo enthousiast was hij over het kantoor van papa, dat ook
bij zijn prettige wereldje hoorde. Zijn nicht Klara en zijn neef
Mats waren al bij de familiefirma gaan werken, om praktijk-
ervaring op te doen terwijl ze voor accountant studeerden. Mats
deed een beetje arrogant, maar Klara was heel nuchter en kende

het bedrijf al van haver tot gort. Ze wisten dat Anders, als erfgenaam en opvolger, ooit zijn piano en zijn nyckelharpa achter zich zou laten en naar de universiteit zou gaan om opgeleid te worden voor de functie die hij op een dag zou vervullen. Ondertussen namen ze hem vaak mee om koffie te gaan drinken en vertelden ze hem verhalen over de cliënten.

Allerlei bekende persoonlijkheden uit het zakenleven, de sport en de amusementsindustrie stapten door de hoge, gewelfde poort het kantoor binnen. Er waren besprekingen in de directiekamer, onopvallende lunchbijeenkomsten in privé-eetkamers van restaurants. Mats droeg designpakken en onberispelijke overhemden, en Klara wist er altijd elegant uit te zien. Ook al droeg ze ingetogen, donkere kantoorkleren, ze zag eruit alsof ze zo de catwalk op kon stappen. Efficiency, stijl en discretie waren de sleutelwoorden bij de firma Almkvist. Mats en Klara pasten in dat plaatje. Anders betwijfelde of hij zich ooit in die wereld op zijn gemak zou voelen.

Vooral met die stijl had hij moeite. Hij merkte nauwelijks op wat andere mensen aanhadden en zelf droeg hij het liefst gemakkelijke kleren. Hij zag totaal niet het belang van handgemaakte schoenen, Zwitserse precisiehorloges en puur zijden dassen, en die pasten ook helemaal niet in de wereld van de volksmuziek, waarin hij zich thuis voelde.

Zijn moeder lachte hem liefkozend uit.

'Met goed gemaakte kleren zie je er veel knapper uit, Anders. Meisjes vinden je aantrekkelijk als je je goed kleedt.'

'Ze letten heus niet op kleren. Ze vinden me leuk, of ze vinden me niet leuk.' Hij was vijftien, onhandig en onzeker.

'Je zit er helemaal naast. Ze vinden je heus wel leuk, maar ze moeten toch eerst naar je kijken. Het gaat om de eerste indruk. Geloof me, ik weet er alles van.' Gunilla Almkvist zag er altijd elegant uit. Ze werkte bij een tv-zender waar stijl hoog in het vaandel stond. Ze verliet nooit het huis voordat ze zich van top tot teen had voorbereid op de dag die voor haar lag. Ze liep de drie kilometer van huis naar haar werk op sportschoenen; onder in de kast op haar kantoor stonden haar elegante hooggehakte schoenen – zeven paar.

Ze deed wat ze kon om Anders over te halen zich netter te kleden, om bij hem een enthousiasme te wekken dat hij niet bezat. Toen hij achttien werd, hield ze op met vleien.

'Dit is geen grapje meer, Anders. Als je in het leger zat, zou je een uniform moeten dragen. Als je bij de diplomatieke dienst zou gaan werken, moest je je aan de kledingvoorschriften houden. Jij gaat bij Almkvist en Almkvist Accountants werken. Daar zijn ook regels. Er wordt iets van je verwacht.'

'Ik ga voor accountant studeren, daar gaat het toch om?'

'Daar gaat het voor een deel om. Maar het gaat ook om respect voor de familietradities, om je aan te kunnen passen.' Er klonk nu iets anders, iets vreemds door in haar stem.

Hij keek op. 'Maar dat is toch allemaal niet echt belangrijk? Daar gaat het niet om in het leven.'

'Al vergeet je alles wat ik ooit tegen je heb gezegd, onthou dan in elk geval dit. Ik ben het met je eens dat het in het grote geheel niet belangrijk is, maar het is wel één klein dingetje dat jij kunt doen om het leven gemakkelijker te maken. Dat is alles. Onthou goed wat ik heb gezegd.'

Waarom klonk ze zo vreemd?

'Jij zeurt me altijd aan mijn hoofd over kleren en stijl. Dat hoef ik niet te onthouden, je vertelt het me toch telkens weer.' Hij lachte tegen haar, en wilde dat alles normaal was.

Maar alles was niet normaal.

'Ik ben er straks niet meer om het tegen je te zeggen,' zei ze en haar stem klonk alsof haar keel werd dichtgeknepen. 'Daarom is het zo belangrijk dat je nu naar me luistert. Ik ga weg. Ik ga bij je vader weg. Jij gaat dit najaar naar de universiteit. Het is tijd voor verandering.'

'Weet hij dat je weggaat?' fluisterde Anders.

'Ja. Hij wist dat ik zou wachten tot jij klaar was met school. Ik ga naar Londen. Daar heb ik een baan en daar ga ik ook wonen.'

'Maar zul je dan niet heel alleen zijn?'

'Nee, Anders. Ik ben híer heel alleen geweest. Je vader en ik zijn al lang geleden uit elkaar gegroeid. Hij is getrouwd met het bedrijf. Hij zal mij nauwelijks missen.'

'Maar… ík zal je wel missen! Dit kan niet waar zijn! Hoe kan het dat ik hier allemaal niets van heb gemerkt of geweten?'

'Omdat we heel discreet zijn geweest. Jij hoefde er tot nu toe niets van te weten.'

'En heb je iemand anders in Londen?' Hij hoorde zelf dat hij klonk als een jongetje van zeven.

'Ja, ik heb een warme, lieve, grappige man, William. We hebben samen veel plezier. Ik hoop dat je hem in de loop der jaren leert kennen en hem ook aardig gaat vinden. Maar denk omwille van je vader aan wat ik heb gezegd over je manier van kleden. Het zal je hele leven veel eenvoudiger maken.'

Hij wendde zijn hoofd af, zodat ze niet zou zien hoe ondersteboven hij was. Zijn moeder vertrok naar Londen met een man die William heette en met wie ze veel plezier had. En waar had ze het over, bij haar vertrek? Over die stomme kleren. Hij had het idee dat de wereld gekanteld was en dat alles van zijn plaats was gegleden.

Zijn ouders waren niet uit elkaar gegroeid. Afgelopen vrijdag hadden ze nog een etentje gehad. Papa had over de tafel heen een toost op haar uitgebracht. 'Op mijn prachtige vrouw,' had hij gezegd. En al die tijd had hij geweten dat ze weg zou gaan met die William.

Het kon toch niet waar zijn?

Zijn moeder bleef staan, ze durfde hem niet aan te raken voor het geval hij haar zou afweren, van zich af zou schudden. 'Ik hou van je, Anders. Dat vind je misschien moeilijk te geloven, maar het is waar. En je vader houdt ook van je. Heel veel. Hij laat zijn gevoelens niet zien, maar ze zijn er wel; grote trots en grote liefde.'

'Trots en liefde zijn twee verschillende dingen,' zei Anders. 'Was hij ook trots op jou? Of hield hij van je?' Voor het eerst keek Anders haar echt aan.

'Hij was er trots op dat ik me aan onze afspraak hield. Ik zorgde dat het huishouden goed liep; ik was bevredigend gezelschap voor hem op al die eindeloze etentjes; ik was een goede gastvrouw. Ik heb hem een zoon gegeven. Ja, ik denk dat hij wel blij met me was.'

'Maar liefde?'

'Dat weet ik niet, Anders. Ik geloof niet dat hij ooit van iets anders heeft gehouden dan van zijn firma en van jou.'

'Hij klinkt anders nooit alsof hij van me houdt. Hij is altijd zo ver weg.'

'Zo is hij nou eenmaal. Zo zal hij altijd zijn. Maar ik heb er je hele leven met mijn neus bovenop gestaan en hij houdt van je. Hij weet alleen niet hoe hij dat moet uiten.'

'Als hij zijn liefde voor jou had geuit, was je dan gebleven?'

'Dat is geen echte vraag. Het is alsof je wilt dat een vierkant rond is,' zei ze. En omdat hij haar geloofde, strekte Anders zijn handen naar haar uit en ze huilde een hele tijd in zijn armen.

Daarna ging het allemaal snel.

Gunilla Almkvist pakte haar kleren in, terwijl Fru Karlsson afkeurend snoof, maar haar sieraden liet ze achter. Er werd een verhaal voor de buitenwereld bedacht. Ze had een baan aangeboden gekregen bij een satellietzender in Londen. Het zou zonde zijn om die kans te laten voorbijgaan. Anders ging toch naar de universiteit; haar man stond helemaal achter haar beslissing. Zo zouden er geen aantijgingen komen over een weggelopen echtgenote, een mislukt huwelijk. Ze zouden geen voedsel geven aan geroddel, waarvan zo gesmuld zou worden en die toch ondenkbaar was bij de familie Almkvist.

Patrik Almkvist toonde zich hoffelijk en dankbaar. Hij besprak de zaak nooit met zijn enig kind. Hij vond het prettig dat Anders zijn haar goed had laten knippen en zich een chic pak had laten aanmeten.

Hij bracht steeds meer tijd door op kantoor.

De avond voor het vertrek van Anders' moeder gingen ze met zijn drieën uit eten. Patrik proostte op zijn vrouw: 'Moge je in Londen alles vinden wat je zoekt,' zei hij.

Anders keek ongelovig toe. Het was het eind van twintig jaar samen zijn, van twee decennia vol hoop en dromen, en nog steeds speelden zijn ouders een rol. Deed iedereen dat? Op dat moment had hij het idee dat hij nooit verliefd zou worden. Dat was iets voor dichters en liefdesliedjes en dromers. Het was niet wat mensen in het echte leven deden.

De volgende dag ging hij naar Gotenburg en naar de universiteit. Zijn nieuwe leven was begonnen.

Hij was er nog maar een week toen hij Erika, studente textiele vormgeving leerde kennen. Op een feestje in een studentenhuis kwam ze recht op hem af en vroeg hem ten dans.

Later vroeg hij haar waarom ze die avond naar hem toe gekomen was.

'Je zag er netjes uit, daarom. Niet sjofel.'

Anders was erg teleurgesteld. 'Maakt dat dan iets uit?' vroeg hij.

'Het maakt iets uit dat je jezelf en de anderen om je heen belangrijk genoeg vindt om jezelf goed te presenteren. Dat is alles. Ik heb genoeg van die sjofele types,' zei ze.

Vanaf dat moment vormden ze een stel, blijkbaar. Erika hield van koken, maar ze kookte alleen als ze daar zin in had en waar ze zin in had. Ze genoot ervan om veel mensen over de vloer te hebben en toen ze erachter kwam dat Anders nyckelharpa speelde, vond ze het heel erg dat hij die niet had meegebracht naar de universiteit. Dus de eerstvolgende keer dat hij naar huis ging, stond ze erop dat hij het instrument mee terugbracht. En ze begon jamsessies bij haar thuis te organiseren, en maakte dan de heerlijkste maaltijden klaar.

Erika was klein en grappig en vond dat vrouwenemancipatie en mode best samen konden gaan. Voor elke gelegenheid kleedde ze zich graag mooi aan en Anders stond er telkens weer versteld van dat zij overal waar ze kwamen de aantrekkelijkste en meest modieuze vrouw was. Ze hadden hetzelfde gevoel voor humor en waren algauw onafscheidelijk.

Vlak voor Pasen zei ze tegen hem dat ze nooit met hem zou trouwen omdat ze het huwelijk zag als een soort slavernij, maar dat ze haar hele leven van hem zou blijven houden. Ze zei dat ze hem dit meteen moest vertellen, omdat ze geen onduidelijkheid wilde.

Anders schrok ervan. Hij had haar niet eens gevráágd of ze met hem wilde trouwen. Maar het klonk goed, dus hij maakte geen bezwaar.

Erika nam hem mee naar haar huis om kennis te maken met haar ouders.

Haar vader had een klein restaurant; haar moeder was taxichauffeur. Ze ontvingen Anders hartelijk en hij benijdde haar om het warme gezinsleven dat ze met elkaar hadden. Haar broer en zus, een tweeling van twaalf jaar, deden met alles mee en ruzieden opgewekt met hun ouders over van alles, van zakgeld tot een borstvergroting, van God tot de koninklijke familie – onderwerpen die in huize Almkvist nooit aan de orde waren geweest. De tweeling vroeg Erika wanneer ze met de familie van Anders zou gaan kennismaken. Voordat hij iets kon zeggen, antwoordde Erika vlug dat daar geen haast bij was. Zij had geen soepele afdronk, verklaarde ze. Het duurde langer voordat mensen haar gingen waarderen.

'Wat is soepele afdronk?' vroeg haar broer.

'Zoek maar op,' zei Erika onbarmhartig.

Later zei Anders: 'Ik zou het leuk vinden als je meeging naar het huis van mijn vader.'

'Geen denken aan. Ik wil de man geen hartaanval bezorgen. Maar ik zou wel mee willen naar je moeder en bij haar in Londen gaan logeren.'

'Ik weet niet of dat wel zo'n goed idee is…'

'Je wilt alleen maar niet geconfronteerd worden met William en de gedachte dat hij met je moeder naar bed gaat.'

'Niet waar,' zei hij en toen, omdat ze hem toch wel doorhad: 'Nou ja, een beetje waar dan.'

'Laten we kijken of we naar Londen kunnen. Ik zal proberen daar een project te vinden en dan kunnen we én ons Engels ophalen én Londen zien én erachter komen wat voor man je nieuwe stiefvader is.'

In april gingen ze naar Londen. In de parken en tuinen bloeiden narcissen en alles leek een al sprankeling en leven. Gunilla en William woonden in een elegant huis aan een mooi pleintje vlak bij het Imperial War Museum; van daar was het maar een paar minuten lopen naar de Theems en alle historische pracht en praal waar Londen om bekendstaat. Dit was de eerste keer dat ze deze stad, met al zijn rijkdom en drukte, zagen. In het begin schrokken ze van al die mensen en het lawaai, maar ze doken er vol enthousiasme in, met het vaste voornemen om van elke minuut te genieten.

Gunilla was heel ontspannen en vond het heerlijk om ze te zien. Als ze al twijfelde aan Erika's geschiktheid als partner van het volgende hoofd van de firma Almkvist, liet ze daar niets van merken. William was erg hartelijk en nam drie dagen vrij van zijn werk bij de televisieproductiemaatschappij om de jonge bezoekers het echte Londen te laten zien. Ze begonnen bij The London Eye, van waaruit ze kilometers in de rondte konden kijken. Hij had een paar folkcafés opgezocht zodat ze ook zelf een avond uit konden gaan, als ze dat wilden. Tot Anders' plezier had William zelfs ontdekt dat er nyckelharpa zou worden gespeeld op een Scandinavische avond in een pub, vlakbij in Bermondsey.

Anders vond het nu makkelijker om met zijn moeder te praten dan vroeger. Ze klaagde niet langer over zijn uiterlijk. Ze was zelfs vol bewondering.

'Erika is gewoon enig,' zei ze tegen Anders. 'Heb je haar al aan je vader voorgesteld?'

'Nog niet. Je weet hoe het is…'

Als zijn moeder dat inderdaad wist, zei ze het niet.

'Wacht er niet te lang mee. Neem Erika snel mee. Het is een lief meisje.'

'Maar je weet hoe snobistisch hij is, hoe belangrijk hij het vindt wat mensen doen en zijn. Jij bent vergeten hoe hij is. Zij komt voor zichzelf op. Ze heeft een hekel aan grote bedrijven. Ze kan niet tegen het soort mensen met wie hij de hele dag te maken heeft.'

'Ze zal veel te beleefd zijn om dat te laten merken.'

Anders wilde dat hij haar kon geloven.

Gunilla vroeg naar het kantoor. Ging Anders er vaak heen, als hij thuis was?

'Ik ben niet vaak thuis geweest,' bekende hij.

'Je moet erheen gaan en een oogje houden op je territorium, je erfenis,' zei zij. 'Dat zou je vader fijn vinden.'

'Hij vraagt het nooit, hij stelt het nooit voor.'

'Jij biedt het nooit aan, je gaat nooit naar hem toe,' antwoordde zij.

Terug in Zweden belde Anders zijn vader. Het was een vormelijk gesprek, alsof Patrik Almkvist met een vluchtige kennis sprak. Voorzover Anders kon nagaan was zijn vader blij dat hij in de zomervakantie naar huis kwam en dan bij het kantoor hoopte te kunnen werken.

'Ergens waar ik niet al te veel kwaad kan,' stelde Anders voor.

'Iedereen zal zijn uiterste best doen om je te helpen,' beloofde zijn vader.

En zo was het. Een beetje gegeneerd merkte Anders dat de medewerkers van de firma inderdaad hun uiterste best deden om hem te helpen en aan te moedigen. Ze behandelden hem met een respect dat nogal overdreven was tegenover een student. Hij was duidelijk de jonge kroonprins. Niemand wilde hem tegen zich in het harnas jagen. Hij was de toekomst.

Zelfs zijn neef en nicht, Mats en Klara, wilden hem heel graag laten zien hoe hard ze werkten. Ze lichtten hem voortdurend in over wat ze tot nu toe hadden gedaan en hoe goed ze zich van hun taak kweten. Ze probeerden uit alle macht uit te vinden wat de jonge Anders interesseerde. Hij leek geen dure maaltijden in toprestaurants te willen; hij gaf niet om kantoorroddel; hij wilde zelfs niet horen over de mislukkingen van hun rivalen.

Hij was een raadsel.

Ook zijn vader wist blijkbaar niet goed waar Anders' belangstelling lag. Hij stelde beleefde vragen over het leven aan de universiteit. Of de docenten zelf ervaring hadden in zakendoen naast hun academische prestaties.

Hij vroeg niet of Anders nog andere interesses had, of een liefdesleven, of hij nog steeds van muziek hield, nog nyckelharpa speelde of zelfs wie zijn vrienden waren. 's Avonds zaten ze samen in het appartement in Östermalm en praatten over het kantoor en de verschillende klanten die er die dag waren geweest. Een paar avonden aten ze bij Patriks favoriete restaurant, en anders zaten ze thuis aan de eettafel waar de misprijzend zwijgende Fru Karlsson koude vleeswaren en kazen voor ze neerzette. Hoe meer zijn vader praatte, hoe minder Anders over hem te weten kwam. De man had geen leven buiten het kantoor van de firma Almkvist.

Anders had zijn moeder beloofd dat hij zijn best zou doen om zijn vaders gereserveerdheid te doorbreken, maar dat bleek nog moeilijker dan hij had verwacht. Hij probeerde hem over Erika te vertellen.

'Ik heb een vriendin, vader. Een medestudente.'

'Dat is mooi,' knikte zijn vader vaag en goedkeurend, alsof Anders hem had verteld dat hij zijn laptop geüpdatet had.

'Ik ben bij haar ouders wezen logeren. Ik dacht erover om Erika hier ook een paar dagen uit te nodigen.'

'Hier?' Zijn vader was stomverbaasd.

'Ja.'

'Maar wat moet ze dan de hele dag doen?'

'Ze kan bijvoorbeeld de stad gaan bekijken en dan kunnen we afspreken voor de lunch, en ik zou een paar dagen vrij kunnen nemen om haar alles te laten zien.'

'Ja, zeker, als je dat graag wilt… Natuurlijk.'

'Ze is ook met me mee geweest naar Londen toen ik naar moeder ging.'

'O ja?'

'Dat ging heel goed. Ze vermaakte zich daar prima.'

'Ik kan me voorstellen dat iedereen zich in Londen wel weet te vermaken. Hier is dat heel anders.' Zijn vader klonk ijzig.

'Ik ben erg dol op haar, papa.'

'Goed, goed.' Het was alsof hij elk spoortje emotie dat zijn kant op zou kunnen komen, probeerde te stuiten.

'Trouwens, we gaan samenwonen.' Nu had hij het gezegd.

'Ik begrijp niet hoe je denkt dat te kunnen betalen.'

'Dat leek me iets om te bespreken terwijl ik hier ben. Maar is het goed als ik Erika voor de volgende week uitnodig?'

'Als je dat wilt, ja. Regel het maar met Fru Karlsson. Ze moet een slaapkamer voor je vriendin in orde brengen.'

'We gaan sámenwonen, vader. Ik dacht dat ze wel bij mij op de kamer kon slapen.'

'Ik vind het niet prettig om jouw morele normen en waarden aan Fru Karlsson op te dringen.'

'Vader, dat zijn niet míjn morele normen, het zijn die van de eenentwintigste eeuw!'

'Dat weet ik wel, maar zelfs je moeder met haar oppervlakkige kijk op de werkelijkheid begreep hoe belangrijk het is om discreet te zijn en je privéleven privé te houden. Fru Karlsson zal een slaapkamer voor je vriendin in orde brengen. Waar jullie willen slapen, moeten jullie zelf weten.'

'Heb ik u boos gemaakt?'

'Helemaal niet. Ik kan je directheid juist wel waarderen, maar je begrijpt mijn standpunt vast ook wel.' Hij sprak zoals hij dat op kantoor zou doen, op gelijkmatige toon, met een onwankelbaar geloof in zijn eigen gelijk.

Erika kwam in de eerste week van juli aan op het station. Ze zat vol verhalen over haar medepassagiers in de trein. Ze droeg een spijkerbroek en een felrood jack en had een enorme rugzak vol werk bij zich. Ze zei dat ze elke ochtend wilde studeren en dan samen met hem zou gaan lunchen.

'Mijn vader staat erop ons mee te nemen naar chique gelegenheden,' begon hij nerveus.

'Dan moest je misschien maar eens wat chique kleren aanschaffen,' zei ze.

'Ik had het niet over mezelf, ik bedoelde...'

'Maak je geen zorgen, Anders. Ik heb de schoenen, ik heb de jurk,' zei ze. En dat was zo. Erika zag er schitterend uit in haar kleine zwarte jurkje met een felroze sjaal en chique hooggehakte schoenen, toen ze naar zijn vaders favoriete restaurant gingen. Ze luisterde goed en stelde intelligente vragen en vertelde opgewekt over haar eigen familie – haar broer en zus, de duivelse tweeling, haar moeders belevenissen in de taxiwereld en haar vaders restaurant dat zevenendertig verschillende soorten zure haring serveerde. Ze vertelde vrijuit over hun reisje naar Londen en over wat een goede gastvrouw Anders' moeder was geweest. Ze praatte zelfs vrijelijk over William.

'U kent hem waarschijnlijk niet, meneer Almkvist, vanwege

de omstandigheden enzo, maar hij was echt geweldig. Hij had een pub gevonden in Bermondsey waar ze nyckelharpa speelden – Anders vond het prachtig – en daarna gingen we eten in een restaurant met een fantastisch mozaïekplafond. Hij heeft een televisieproductiemaatschappij, wist u dat? Een echte kapitalist, natuurlijk, tegen elke vorm van sociale voorzieningen – dat noemt hij een aalmoes. Maar ook vrijgevig en behulpzaam. Zo zie je maar weer dat je mensen niet in vakjes kunt stoppen.'

Anders sloeg zijn vader bezorgd gade. Mensen praatten meestal niet op zo'n manier tegen de directeur van de firma Almkvist. Ze zorgden er normaal gesproken voor dat ze onderwerpen als ongelijkheid en standsverschil vermeden. Maar zijn vader kon het gesprek uitstekend aan. Het was alsof hij met een vage kennis praatte. Hij vroeg niet naar Erika's studie, of naar haar plannen en verwachtingen voor de toekomst.

Had zijn vader ooit enthousiasme of oprechte interesse getoond voor iets anders dan de firma waarvoor hij zijn hele leven had gewerkt, vroeg Anders zich af.

Erika maakte zich daar geen zorgen over. Hij heeft gewoon oogkleppen op, zei ze. 'Zoals zoveel mensen. Dat is zijn generatie. Mijn vader maakt zich ook alleen maar druk om de alcoholaccijnzen en de klanten die een veerboot naar Denemarken nemen om goedkope drank te kopen. Mijn moeder is gefixeerd op het idee dat er taxi's voor vrouwen moeten komen. Jouw vader is bezeten van belastingconstructies en vermogensbeheer en fondsen en die dingen. Dat doen zij nou eenmaal op deze wereld. Doe er toch niet zo dramatisch over.'

'Maar het is niet normaal om zo te leven,' hield Anders vol.

Erika haalde haar schouders op. 'Voor hem wel. Zo is het altijd geweest en zo zal het altijd blijven. Het gaat erom wat jíj wilt.'

'Nou, ik wil zo niet eindigen, zonder interesses buiten het kantoor. Met oogkleppen op, zoals jij het noemt.'

'Oké, dan doe je je oogkleppen af. Zullen we vanavond ergens naar mooie muziek gaan luisteren?'

Erika reageerde overal even praktisch op. Ze zag er geen kwaad in om tegenover Fru Karlsson te doen alsof ze in de logeerkamer sliep. Dat was een kwestie van respect, zei ze.

Te snel was de week voorbij en zaten Anders en zijn vader weer samen in het lege huis, waar ze alleen praatten over de boekencontroles, de nieuwe klanten en de fusies die overdag op het werk aan de orde waren geweest. Anders genoot wel van de zakelijke gesprekken, en de discussies waren hem dierbaar, maar hij verlangde ernaar terug te gaan naar de universiteit en met Erika in hun nieuwe appartement te trekken. Hij voelde de opluchting van zijn collega's toen hij het kantoor weer verliet. Zijn vader leek het koud te laten, hij schudde hem vormelijk de hand en zei dat hij hoopte dat Anders hard zou studeren en alle hedendaagse denkbeelden en economische theorieën mee terug zou brengen naar de firma Almkvist.

Terug op de universiteit leek de stem van zijn vader een geluid van een andere planeet.

De maanden vlogen voorbij. Zoals hij zijn moeder had beloofd, hield hij contact met zijn vader. Hij belde hem zo'n beetje om de tien dagen; een stijf gesprek dat uiteindelijk vooral ging over medewerkers van Almkvist of nieuwe opdrachten die ze hadden binnengehaald. Soms vertelde hij zijn vader over een bedrijfsmodel of over iets uit de belastingwetgeving waar hij bij zijn studie op was gestuit, of over het lange weekend dat hij op Mallorca had doorgebracht met de ouders van Erika. Maar hij was altijd opgelucht als het telefoongesprek voorbij was en had het idee dat voor zijn vader hetzelfde gold.

Voor de volgende zomervakantie schreef Anders aan zijn vader dat Erika en hij twee maanden naar Griekenland gingen. Als zijn vader al geschrokken was dat Anders die twee maanden niet op kantoor zou zijn om het klappen van de zweep te leren, dan zei hij daar niets over. Anders voelde zijn afkeuring meer dan dat hij hem hoorde.

'Ik heb heel hard gewerkt. Ik moet er even tussenuit, vader.'

'Zeker,' zei zijn vader koeltjes.

Ze beleefden een magische zomer op de Griekse eilanden, waar ze zwommen, lachten, retsina dronken en 's avonds in de taverna's dansten op bouzouki-muziek.

Erika vertelde hem over haar plannen. Na haar afstuderen zou ze deel gaan uitmaken van een nieuwe onderneming die antiek textiel conserveerde; de financiering daarvoor was rond. Heel opwindend allemaal. En waar zou het bedrijf zich vestigen? Nou, hier in Gotenburg natuurlijk. Het zou verbonden zijn aan het Wereld Cultuur Museum.

Anders zweeg. Hij had altijd gehoopt dat ze uiteindelijk werk zou vinden in Stockholm. Dat ze samen een klein appartement zouden zoeken op een van de eilanden in het centrum. Ze zouden niet trouwen, want dat zag Erika nog steeds als een vorm van slavernij, maar ze zouden gaan samenwonen, hij zou de firma Almkvist leiden en ze zouden twee kinderen krijgen.

Dit leek niet overeen te komen met Erika's plannen. Maar hij zou er niets over zeggen tot hij het goed had overdacht.

'Wat ben je stil. Ik had gedacht dat je wel blij voor me zou zijn.'

''Dat ben ik ook, natuurlijk.'

'Maar?'

'Maar ik had eigenlijk gehoopt dat we samen zouden blijven. Is dat zelfzuchtig?'

'Natuurlijk niet, maar we moesten wachten tot we wisten wat we gingen doen. Jij hebt nog niet besloten, dus ben ik eerst met mijn plan gekomen, om te kijken of jij dan jouw plannen erbij kunt aanpassen.' Ze deed haar best het hem te laten begrijpen.

'Maar we wéten wat ik ga doen. Ik ga terug om het familiebedrijf te runnen.'

Erika keek hem vreemd aan. 'Dat meen je toch niet?'

'Nou ja, natuurlijk wel. Dat weet je. Je bent daar geweest. Je hebt gezien hoe het er gaat. Dat moet ik doen. Dat is altijd zo geweest.'

'Maar dat wil je helemaal niet,' riep ze uit.

'Niet zoals het nu is, maar jij zei dat ik mijn oogkleppen moest afdoen en dat heb ik gedaan, of ik probeer het in elk geval te doen. Ik ga niet voor het bedrijf leven, zoals mijn vader.'

'Maar je was je juist aan het losmaken. Daarom zijn we toch naar Griekenland gegaan en ben jij niet de hele zomer daar gaan werken?' Ze was volkomen verbijsterd.'

'Maar we weten toch dat ik terug moet gaan, Erika.'

'Nee, dat weten we niet. Je hebt maar één leven en jij wilt dat niet doorbrengen in dat kleine wereldje met je neef en nicht en je collega's.'

'Er is geen alternatief. Hij heeft maar één zoon. Als ik nou broers had die het over hadden kunnen nemen...' Zijn stem stierf weg.

'Of zussen,' verbeterde Erika automatisch. 'Het is het beste om er nu eerlijk over te zijn, anders verspil je alleen maar zijn tijd, hun tijd, jóúw tijd.'

'Dat kan ik niet doen. In elk geval niet voordat ik het heb geprobeerd. Dat zou beledigend zijn. Jij hebt het altijd over respect. Zoveel respect ben ik hem wel verschuldigd.' Ze zaten daar in de warme avondlucht bij de kleine taverna aan zee en in de verte hoorden ze andere mensen lachen. Blije mensen die op vakantie waren. Musici stemden hun instrumenten.

Anders en Erika zaten daar en voelden hoe zich tussen hen in een brede afgrond opende.

Nu konden ze er niets meer aan doen. De toekomst die er een halfuur geleden nog zo mooi uit had gezien, stond op het punt helemaal te verdwijnen.

Ze deden hun best de rest van de vakantie te redden, maar het had geen zin. Het zweefde boven hun hoofd: het verschil tussen Anders' overtuiging dat hij de rest van zijn leven zou doorbrengen bij de firma Almkvist en Erika's overtuiging dat hij nog moest ontdekken wat hij wilde doen, was te groot om te verbloemen. Toen ze terugkwamen in Zweden wisten ze dat er voor hen samen niets in het verschiet lag.

Vriendschappelijk verdeelden ze hun cd's en boeken. Anders huurde een kamer in een studentenflat. Hij zei tegen zijn vader dat Erika en hij niet langer bij elkaar waren.

Zijn vaders reactie was ongeveer hetzelfde als wanneer hij had gezegd dat er een treinvertraging was. Een mild en afstandelijk mompelen dat dat soort dingen nu eenmaal gebeurden. En door naar het volgende onderwerp.

Hij studeerde hard, want hij wilde met hoge cijfers slagen. Soms zag hij, op weg naar of van de bibliotheek, Erika te midden van een lachende groep en dan voelde hij een felle steek van spijt. Ze groetten elkaar altijd hartelijk; soms ging hij zelfs mee een biertje drinken in een studentencafé.

Hun vrienden begrepen er niets van. Ze hadden het altijd zo goed met elkaar kunnen vinden. Aan de buitenkant leek er niets veranderd; ze waren alleen niet meer samen.

Zijn moeder mailde om te zeggen hoe jammer ze het vond dat zij uit elkaar waren. Erika had het haar waarschijnlijk verteld. Gunilla zei dat William en zij Erika een enig meisje hadden gevonden, en dat Anders moest bedenken dat een deur die gesloten was, vaak ook weer geopend kon worden. Ze raadde hem ook aan om iets met zijn muziek te doen, of te leren tennissen of golfen, íéts wat hem een leven buiten de firma Almkvist zou bezorgen. Misschien kon hij zelfs wel weer piano gaan spelen. Hij speelde niet eens meer op de nyckelharpa sinds Erika en hij uit elkaar waren.

Anders was geroerd, maar hij had weinig tijd om over nieuwe hobby's na te denken. Hij moest zich concentreren op zijn afstuderen; hij kon alleen zijn plaats bij de firma Almkvist innemen als hij met succes zijn studie afrondde. Het was tijd om de schouders eronder te zetten en te zorgen dat het voor elkaar kwam. Elke maand ging hij naar huis en dan werkte hij een paar dagen op kantoor, om de zaak goed te leren kennen. Hij leerde zijn mening onder woorden brengen en beslissingen nemen. Hij had een goed hoofd voor zaken en mensen begonnen hem serieus te nemen. Hij was niet langer de zoon en opvolger van de oude Almkvist: hij was nu zelf iemand. Hij was zelfs in staat om met zijn neef Mats te praten over diens drinkgedrag, waar men zich zorgen over maakte. Omdat Mats bij de familie hoorde, was het probleem tot nu toe niet aan de orde gesteld. Anders was streng maar rechtvaardig. Hij veroordeelde niet, maar gaf wel een duidelijke waarschuwing. Mats beterde zijn leven en de situatie was opgelost.

Als zijn vader dit al wist, dan zei hij er niets over. Maar hij liet wel steeds meer aan Anders over. Anders, op zijn beurt, leunde op Klara. Zij was bereid om haar ervaring met hem te delen, en dat was voor hem een grote steun, nu hij over een paar weken zijn laatste examens moest doen.

Op een zonnige dag in juni zat Patrik Almkvist naast zijn vrouw Gunilla tijdens de diploma-uitreiking van hun zoon. William was thuisgebleven, vanwege zakelijke verplichtingen, zoals hij zei. Anders dacht bij zichzelf dat dit waarschijnlijk een leugentje om bestwil was. Het had wel eens een ellendige toestand kunnen worden. Maar tot Anders' blijdschap was het niet alleen aan hun goede manieren te danken dat ze de hele middag en avond bleven lachen. Hij realiseerde zich dat zijn ouders zich konden ontspannen, nu ze niet meer samenleefden. Tot zijn verbazing was er zelfs een soort vriendschap tussen hen ontstaan en konden ze allebei genieten van de prestaties van hun zoon.

Aan het diner was het gesprek vervuld van de toekomst: al lang geleden waren er plannen gemaakt dat Anders na zijn afstuderen een jaar bij een groot Amerikaans accountantskantoor zou gaan werken, een zeer gerenommeerd bedrijf, waar hij in korte tijd veel zou leren. Het was allemaal geregeld met de senior partners en Anders verheugde zich er enorm op. Klara was heel behulpzaam geweest en had alles geregeld via haar contacten in Boston. Ook Gunilla bleek daar contacten te hebben en hij zou een geweldige tijd hebben in de stad. Terwijl ze door de straten van Gotenburg wandelden, had Anders het gevoel dat alles op zijn plek viel.

De volgende ochtend zakte Patrik Almkvist in de hotellobby in elkaar.

Een hartaanval.

Het was geen zware aanval, volgens het ziekenhuis. Meneer Almkvist was niet in levensgevaar, maar hij moest wel rust houden. Anders en Gunilla zaten twee dagen aan zijn bed en daarna vloog Gunilla terug naar Londen en nam Anders zijn vader mee naar huis in Stockholm.

Fru Karlsson nam meteen de leiding en Anders wist dat zijn vader in goede handen zou zijn. Hij zou samen met haar regelen dat er verpleging en hulp aan huis zouden komen, maar zijn vader sneed hem de pas af.

'Je kunt nu echt niet naar Boston gaan. Je moet in het diepe springen, Anders. Je moet nu mijn ogen en oren zijn op kantoor. Het is nu jouw tijd.'

Het kon nog niet zijn tijd zijn. Hij was veel te jong. Hij was nog niet eens echt met zijn leven begonnen.

Boston werd afgezegd. Al snel was het of Anders altijd aan de leiding was geweest; hij ging de uitdagingen graag aan, maar hij wist dat hij het zonder de ervaring en loyaliteit van Klara nooit zou hebben gered. Ze instrueerde hem voor elke bespreking, gaf hem achtergrondinformatie over iedere cliënt. Hij maakte wel tijd om tussen de middag te gaan zwemmen, in plaats van een copieuze lunch te gebruiken in een donkere, deftige eetkamer, zoals de vroegere leiding dat altijd het liefst deed. Eén keer in de week ging hij ergens naar livemuziek luisteren, maar alle andere avonden bleef hij bij zijn vader, terwijl Fru Karlsson de eettafel afruimde, en dan vertelde hij wat er die dag op kantoor was gebeurd.

Stukje bij beetje kwam meneer Almkvist weer op krachten. Maar hij werd nooit meer de oude. Toen hij weer aan het werk ging, maakte hij maar korte dagen en verscheen hij voornamelijk op bijeenkomsten in de directiekamer, waar alleen zijn aanwezigheid al gewicht in de schaal legde. De weken werden maanden.

Soms voelde Anders zich een beetje verpletterd door alles; af en toe had hij het idee dat er ergens een echte wereld bestond, met mensen die iets deden wat ze echt wilden doen of wat er echt toe deed, of allebei. Maar hij besefte hoe bevoorrecht hij was dat hij zo'n belangrijke functie had geërfd. In een wereld vol onzekerheid en zorgen over werkgelegenheid en de economische situatie mocht hij enorm van geluk spreken dat hij zat waar hij zat, een baan had die elke dag nieuwe uitdagingen bracht. Een bevoorrechte positie bracht ook verplichtingen met zich mee, dat had hij altijd geweten. Zijn plicht lag hier.

Het was zijn vader die voorstelde dat hij met vakantie zou gaan.

De jongen werkte te hard, volgens hem, en moest zijn batterijen gaan opladen. Anders had geen idee waar hij heen zou gaan. Zijn vriend Johan van de folkclub zei dat Ierland leuk was. Daar kon je gewoon naartoe gaan en overal waar je kwam was er wel iets moois om naar te kijken of aan mee te doen.

Hij boekte een vlucht naar Dublin en ging op weg zonder verdere plannen. Ongehoord, voor iemand van de firma Almkvist, die normaal gesproken alles van haver tot gort uitzochten voordat ze ook maar ergens heen gingen. Op het vliegveld miste hij Erika verschrikkelijk. Zij waren van hieruit naar Londen vertrokken, naar Spanje, naar Griekenland. Nu was hij in zijn eentje.

Was hij gek geweest, dat hij haar door zijn vingers had laten glippen?

Maar hij had geen andere keus gehad. Hij had niet voor altijd bij Erika in Gotenburg kunnen blijven, waar zij de loopbaan had gevonden die bij haar paste. En zij had niet willen kiezen voor een leven in de schaduw van de firma Almkvist, als echtgenote die begreep dat het bedrijf voorging, zoals Anders' moeder.

Hij had gehoopt dat hij haar zou vergeten, en het was makkelijk genoeg om gezelschap te vinden om mee uit eten of dansen te gaan. Als opvolger bij de firma Almkvist werd hij beschouwd als een heel goede vangst, maar geen enkele vrouw kon hem lang boeien. Hij ging naar alle sociale gelegenheden, maar er was nooit iemand om wie hij zoveel gaf dat hij haar gezelschap zocht, en hij was blij dat Erika ook nog geen andere relatie was aangegaan. Nu, op het vliegveld, had hij ineens grote behoefte om haar te spreken en te vertellen dat hij naar Ierland ging. Ze nam meteen de telefoon op en was echt blij om van hem te horen. Ze klonk geïnteresseerd in alles wat hij te zeggen had, maar Erika was altijd in alles en iedereen geïnteresseerd. Dat maakte hem niet speciaal.

'Ga je met vrienden?' vroeg ze.

'Ik wil niet met vrienden,' zei hij mokkend. 'Ik wil met jou.'

'Nee, ik krijg heus geen medelijden met je als je zoiets zegt. Jij hebt vrienden genoeg. Je hebt het leven dat je hebt gekozen.' Haar toon was licht, maar ze meende het. Hij hád zijn keus gemaakt. 'Je maakt vast allerlei nieuwe vrienden in Ierland. Ik ga wel eens naar een Ierse bar hier. Ze hebben er prachtige muziek. De mensen zijn gemakkelijk in de omgang.'

'Nou, ik zal je een kaart sturen als ik een Ierse bar vind daar.'

'Volgens mij wordt het lastig om er daar géén te vinden. Maar doe dat toch maar, ja.'

Klonk ze nu alsof ze echt graag iets van hem wilde horen, of was ze gewoon Erika, makkelijk, ontspannen en toch geconcentreerd?

Somber liep hij naar het vliegtuig.

Erika zou het prachtig hebben gevonden, dit hotel in Dublin waar ze het klaarspeelden om chaotisch en charmant tegelijk te zijn. Ze raadden hem aan om een busrit door de stad te maken, zodat hij zich kon oriënteren, en om die avond naar een traditioneel Ierse avond te gaan in de pub vlakbij. De volgende ochtend aan het ontbijt maakte hij kennis met een groep Ierse Amerikanen die het erover hadden dat ze een boot wilden huren op de rivier de Shannon. Dat bleek duurder dan ze hadden gehoopt. Ze moesten er nog iemand bij hebben om de kosten te delen. Zou hij misschien het aantal rond willen maken?

Waarom niet, dacht hij. De folder zag er aantrekkelijk uit – prachtige meren en een brede rivier, kleine haventjes om te gaan bekijken. Voor hij het wist was hij op weg naar Athlone, in het midden van Ierland en ging hij aan boord van een motorjacht voor een vaarles. Al snel voeren ze langs rietkragen en rivieroevers, oude kastelen en dorpen met kleine havens en lange namen. De zon scheen en de wereld nam gas terug.

Zijn medepassagiers waren vijf aardige mannen en vrouwen van een verzekeringsmaatschappij in Chicago. Ze waren hierheen gekomen om voorouders en familieleden op te sporen, maar hielden zich daar niet al te serieus mee bezig. Ze gingen liever naar mooie Ierse muziek luisteren en veel Iers bier drinken. Anders deed enthousiast met ze mee.

Bij een piepklein postkantoor kocht hij drie ansichtkaarten en stuurde zijn vader, zijn moeder en Erika er ieder één.

Hij dacht lang na voordat hij een paar regels aan zijn vader schreef. Er was letterlijk niets te zeggen wat de oude man zou interesseren. Uiteindelijk besloot hij te schrijven dat de economie van het land ernstig getroffen was door de recessie. Dat zou zijn vader tenminste snappen.

Na de riviertocht wilden de Ierse Amerikanen een vijfdaagse golftrip maken. Ze hadden hem ook uitgenodigd, maar Anders had 'nee' gezegd. Hij was al zo slecht in het manoeuvreren met een boot op de Shannon, hij wilde echte golfers niet van slag brengen door met ze de baan op te gaan.

In plaats daarvan boekte hij een busreis door West-Ierland.

John Paul, de buschauffeur met zijn rode gezicht, beweerde dat hij de beste muziekpubs van de westkust kende en elke avond kwamen ze terecht bij een ander prachtig optreden. John Paul kende alle muzikanten bij naam en elke avond vertelde hij aan het reisgezelschap over hun voorgeschiedenis en hun muziekrepertoire, voordat ze naar het optreden gingen.

'Vraag Micky Moore om "Mo Ghile Mear" voor je te zingen, de haren in je nek zullen recht overeind gaan staan,' zei hij dan. Of anders wist hij wel dat er die avond een doedelzakspeler van weleer zou komen om een paar nummers te spelen. Anders vond het allemaal interessant.

Het bleek dat John Paul zelf doedelzak speelde. Niet de Schotse: de echte doedelzak was volgens hem de Ierse *uillean pipes*. Daar hoefde je niet in te blazen zoals de Schotten deden; bij de Ierse doedelzak had je een soort blaasbalg onder je arm waar je met je elleboog op drukte. 'Uillean' was ook het Ierse woord voor elleboog.

De muziek was obsederend en Anders raakte erdoor gefascineerd.

John Paul zei dat hij, als hij ooit genoeg geld bij elkaar zou hebben, zelf een pub zou beginnen, waar hij dan allerlei muzikanten zou laten spelen.

'Hier, in het westen?' vroeg Anders.

'Misschien, maar ik zou de mensen die hier al zitten, niet het brood uit de mond willen stoten. Dat zijn mijn vrienden,' zei hij.

John Paul en Anders spraken over God en het lot en het kwaad en verbeeldingskracht. Hij vroeg John Paul hoe oud hij was. De man keek hem verbaasd aan.

'Je spreekt zo goed Engels dat ik steeds vergeet dat je niet van hier bent. Ik ben geboren in 1980, negen maanden na het bezoek van de paus aan Ierland. Bijna iedere jongen die in dat jaar werd geboren heet John Paul, zoals wij die paus noemden.'

'En wil je je hele leven buschauffeur blijven?' vroeg Anders.

'Nee, ooit moet ik terug naar mijn oude heer, neem ik aan. De anderen zijn allemaal vertrokken, de wijde wereld in, en hebben het gemaakt. Ik ben alleen maar John Paul de sufferd, en mijn pa kan de zaak niet meer in zijn eentje draaiende houden. Een dezer dagen moet ik eraan geloven en teruggaan naar Stoneybridge om het over te nemen.'

'Dat is zwaar,' zei Anders meelevend.

'O, schei uit! Ik heb toch een dak boven mijn hoofd en beesten op het land en een klein boerderijtje dat op me wacht? Half Ierland zou daar alles voor overhebben. Het is alleen niet wat ik wil. Ik ben er niet goed in om op zoek te gaan naar schapen die op hun rug terechtgekomen zijn, met hun poten in de lucht en die ik dan weer overeind moet krijgen. Ik heb een hekel aan het gedoe met melkquota en wat Europa wil dat je plant of juist niet. Voor sommige mensen is het hun lust en hun leven; voor mij is het sloven en zwoegen, maar het is een manier om je boterham te verdienen. Een goed belegde boterham zelfs.'

'En je eigen pub met muzikanten?'

'Ik wacht wel tot ik gereïncarneerd ben, Anders. Dan doe ik het in een volgend leven.' Zijn grote, ronde, verweerde gezicht stond berustend.

Op de laatste avond van de busreis legden de passagiers geld bij elkaar om John Paul te trakteren op een maaltijd. En als dank speelde hij een paar wijsjes op de doedelzak. Hij liet een groepsfoto maken en daar schreef iedereen zijn naam en e-mailadres achterop. Op de laatste ochtend dronk Anders nog een kop koffie met John Paul.

'Ik zal je missen,' zei Anders. 'Met niemand kan ik zo goed praten over de wereld en zijn eigenaardigheden als met jou.'

'Je houdt me voor de gek! In Zweden stikt het toch zeker van de denkers en muzikanten zoals wij?'

Anders voelde zich idioot gevleid dat hij werd gezien als muzikant en denker.

'Waarschijnlijk wel. Ik kom ze alleen niet tegen.'

'Nou, ze zijn er heus wel,' zei John Paul beslist. 'Ik heb geweldige Zweden ontmoet die hier op reis waren. Ze kunnen op lepels spelen, ze kunnen "Bunch of Thyme" zingen. En Joe Hill kwam toch ook uit Zweden?'

'Misschien heb je gelijk. Ik zal het je laten weten als ik ze vind.'

'Laat nog eens van je horen, Anders. Jij staat aan de goede kant,' zei John Paul.

Anders vroeg zich af of hij inderdaad aan de goede kant stond, toen hij weer bij de firma Almkvist aan het werk was. Binnen een uur na zijn terugkeer kreeg hij te horen dat zijn neef Mats, die eerder een probleem met alcohol had gehad, dat oude leven op een spectaculaire manier weer had opgepakt. Bovendien was een van hun oudste en meest gerenommeerde klanten ervandoor gegaan met een erg jonge vrouw en een grote hoeveelheid activa, een paar weken voor een belangrijk accountantsonderzoek.

Zijn vader zag er grauwer en bezorgder uit dan ooit. Hij was nog geen paar uur terug of Anders voelde hoe alles wat zijn vakantie in Ierland hem had gebracht, hem weer ontglipte. Hij luisterde naar de muziek die hij mee naar huis had genomen. De eenzame klaagzangen op de Ierse doedelzak, de meeslepende refreinen die iedereen had meegezongen, herinnerden hem aan de zorgeloze dagen en het prettige gezelschap, maar hij wist dat het maar tijdelijk was. Hij was als een kind dat wenst dat zijn verjaarspartijtje altijd blijft duren.

Zijn vader toonde geen belangstelling voor verhalen over zijn reis, hoe hij ook zijn best deed om erover te vertellen.

'Zal ik u wat foto's laten zien die ik heb genomen,' stelde hij voor. 'Vindt u het leuk om met mij naar de muziek te luisteren? We hebben daar prachtige Ierse muziek gehoord...'

'Ja, ja, heel interessant, maar het was maar een vakantie, Anders. Je bent net Fru Karlsson die altijd wil vertellen wat ze gedroomd heeft. Het heeft geen enkel nut.'

Op dat moment besloot hij dat hij weg zou gaan uit het huis van zijn vader. Dat hij een eigen huis zou zoeken en de oneindige cyclus van gesprekken over het werk, van 's ochtends vroeg tot 's avonds laat, zou doorbreken.

Hij hoopte dat hij de energie zou hebben om dat te doen.

Iedereen zou zich ertegen verzetten. Waarom zou hij weggaan uit zo'n comfortabel, elegant huis, dat op een dag toch van hem zou zijn? Waarom zou hij Fru Karlsson en haar gewoonten verstoren? Waarom zijn vader alleen laten, in plaats van hem gezelschap te houden op zijn oude dag?

Anders dacht aan John Paul die voor zíjn vader zou gaan zorgen. Die schapen weer op hun vier poten zou zetten en zijn droom over een verzamelplaats voor muzikanten zou opgeven om zijn plicht te doen. Maar zelfs John Paul zou af en toe tijd voor zichzelf hebben. Misschien kon hij op een avond ergens op zijn doedelzak gaan spelen. Hij hoefde niet met zijn vader over het boerenbedrijf te praten, zodra de maan opkwam.

Als Anders zelf ooit een zoon kreeg, zou hij de jongen van begin af aan duidelijk maken dat hij zijn hart moest volgen, dat niet van hem werd verwacht dat hij zijn rol zou spelen bij de firma Almkvist. Maar het leek niet erg waarschijnlijk dat hij ooit een zoon zou krijgen. Hij kon zich niet voorstellen dat hij ooit een gezin zou beginnen met iemand anders dan Erika. En die kans had hij vergooid.

Toch belde hij haar op, om haar over zijn reis naar Ierland te vertellen.

Erika was in alles geïnteresseerd en wist al veel van Ierse muziek af. Ze had zelfs een fluit gekocht en leerde zichzelf daarop spelen.

'Kom een weekend hierheen, dan neem ik je mee naar The Galway. Dat vind je vast leuk,' stelde ze voor.

Een weekend weg van Almkvist; weg van de drama's rond de verslaving van zijn neef, de cliënt die er vandoor was gegaan met activa en vriendin, zijn vaders bezorgdheid, de malaise in de zakenwereld... dat was precies wat hij nodig had.

Terwijl hij naar Gotenburg reed, waar hij als student zo gelukkig was geweest, vroeg Anders zich af of hij in Erika's appartement zou logeren. Er was niets over gezegd. Misschien had ze een hotelkamer voor hem geboekt. En als hij wel in het appartement logeerde, zouden ze dan een kamer delen? Het zou een beetje geforceerd overkomen als ze een matras op de vloer voor hem zou opmaken. En per slot van rekening had Erika tegenwoordig geen relatie – en hij ook niet, dus zouden ze geen van beiden iemand bedriegen.

Maar hij kon ook niet verwachten dat alles weer zo zou worden als vroeger. Hij zuchtte en wist dat hij zou moeten afwachten wat er zou gebeuren.

Erika zag er prachtig uit, haar ogen dansten en haar woorden buitelden over elkaar heen, terwijl ze hem vertelde hoe succesvol het conservatieproject was; ze hadden officieel erkenning gekregen en een belangrijke subsidie. Ze maakte een maaltijd voor hem klaar, de Zweedse gehaktballetjes die ze vroeger altijd hadden gegeten als er iets te vieren viel. Het appartement was niet erg veranderd – nieuwe gordijnen, meer boekenplanken. Hij zag de matras die tegen de muur stond.

Na het eten gingen ze naar The Galway, waar Erika begroet werd als een oude bekende. Ze stelde Anders voor aan mensen aan beide kanten van de bar en ze gingen zitten om naar de muziek te luisteren. Opeens was hij terug in het westen van Ierland, waar de golven tegen de kust sloegen en waar zich elke avond nieuwe gezichten over de viool, doedelzak en accordeon bogen. Hij liet zich meeslepen door de muziek.

Later raakte hij in gesprek met de mensen die gespeeld hadden. Vooral met een man die Kevin heette, de doedelzakspeler.

'Ken je de melodie van "The Brendan Voyage"?' vroeg hij.

'Jazeker, maar ik speel het meestal niet, want elke keer als ik het in een Londense pub speelde, moesten mensen erom huilen.'

'Het heeft mij ook aan het huilen gemaakt,' zei Anders.

Erika keek verrast op. 'Jij huilt nooit,' zei ze.

'In Ierland wel,' zei hij weemoedig.

'We hebben de neiging mensen van streek te maken,' zei Kevin berouwvol. 'Als je morgenavond weer komt, zal ik het voor je spelen en dan kunnen we samen een potje janken en een biertje drinken.'

'Dat staat,' stemde Anders gretig in.

Later, terug in Erika's flat, dronken ze bier en aten ze de restanten van het avondeten op. Ze stak de kaarsen op de salontafel aan, ze gingen tegenover elkaar zitten en waren zich plotseling sterk van elkaar bewust. Ze keek hem ernstig aan.

222

'Je bent veranderd,' zei ze.

'Ik ben nog steeds even gek op je,' zei hij.

'Ik ook op jou, maar toch slaap je vannacht op die matras,' lachte ze.

'Dat is jammer, vind ik.' Hij glimlachte.

'Ja, maar ik ga niet weer weken en maanden zitten treuren om hoe het had kunnen zijn.'

'Héb je er weken en maanden om getreurd?'

'Dat weet je best, Anders.'

'Maar je denkt er nog steeds niet over om bij mij te komen wonen en de firma Almkvist voor lief te nemen.'

'En jíj denkt er niet over om de firma Almkvist op te geven en bij mij te komen wonen. Luister, hier hebben we het al vaak genoeg over gehad. Het is platgetreden gebied.'

'Je weet dat ik bepaalde verantwoordelijkheden had. Nog steeds heb.'

'Je houdt niet van dat werk, mijn vriend Anders. Je bent niet gelukkig. Je hebt geen woord gezegd over je leven daar op kantoor. Dat is mijn enige bezwaar. Als ik gedacht had dat dat was wat je wilde, had ik het wel overwogen.'

'Je noemt me je vriend...' zei hij.

'Dat ben je ook. Je zult altijd mijn vriend zijn, als jij en ik allang met iemand anders zijn getrouwd.'

'Dat gebeurt niet, Erika. Ik heb heus wel gezocht. Er is niemand anders.'

'Tja, dan zullen we beter moeten zoeken. Vertel me eens wat meer over Ierland.'

Hij vertelde haar over de Ierse Amerikanen op de Shannon en over John Paul die terug naar huis moest om voor zijn vader te zorgen. En daarna ging hij naar bed in de vrolijk geschilderde logeerkamer. Hij lag nog lang wakker.

De volgende dag in The Galway luisterden Anders en Erika naar Kevin die op de doedelzak speelde. Terwijl hij daar zat, hoorde Anders weer de golven breken op de woeste Atlantische kust en hij werd overmand door verdriet. Ineens zag hij zijn hele leven voor zich, in een eindeloze rechte lijn: 's morgens opstaan, een pak aantrekken, naar kantoor gaan, thuiskomen in een eenzaam appartement, naar bed gaan, de volgende morgen opstaan… Verantwoordelijkheid. Loyaliteit. Plicht. Regels. Verwachtingen. Familietraditie. En toen de muzikanten pauzeerden probeerde Anders aan Erika uit te leggen waarom hij bij zijn vader moest blijven, maar de woorden wilden niet komen. Zijn zinnen vervlogen.

'Het is alleen dat…' begon hij haperend. 'Het is familietraditie. Ik bedoel, als ik niet… Er zijn verwachtingen… Het is wie ik ben. En ik kan het. Ik dóé het. Ik ben de volgende Almkvist. Ze wachten allemaal op mij. Mijn hele leven… En in elk geval, als ik dat niet ben, wie ben ik dan?'

'Anders, hou op alsjeblieft. Luister, ik vind het niet erg dat je bij je vader in de zaak werkt. Wat ik erg vind, is dat je er een hekel aan hebt en dat altijd zult hebben. Maar je wilt niets anders. Het is jouw beslissing, niet de hunne. Het is jouw leven, niet het hunne. Je kunt met je leven doen wat je wilt. Denk er tenminste over na wat je anders zou willen. Als je weet wat dat andere is, dan kun je besluiten of je daar weg wilt of niet.'

Ze boog zich naar hem toe en streelde zijn hand. 'Vergeet het nu even,' stelde ze voor.

'Wat betekent, vergeet het voor altijd,' zei hij bedroefd.

'Nee, je bent zo ver de weg afgegaan als je kunt, en je komt elke keer bij dezelfde splitsing uit. Misschien gebeurt er iets. Iets wat je liever wilt dan dat kantoor. Dan, als die dag komt, kun je er weer over nadenken.'

Hij wilde zo graag zeggen dat hij Erika liever wilde dan het kantoor, maar dat was niet echt waar. Hij kon niet weggaan en dat wisten ze allebei. Ze knuffelden elkaar voordat hij aan de lange rit naar huis begon.

Zijn hart was zwaar terwijl hij in de auto zijn muziek afspeelde. Het was alleen maar een droom, een vakantieherinnering. Het was kinderlijk om te denken dat er een ander leven voor hem zou kunnen zijn.

De weken gingen voorbij en zijn vader deed koud en afstandelijk over de verhuizing van Anders naar zijn eigen appartement. Fru Karlsson brieste van woede. Ze probeerde hem de belofte af te dwingen dat hij elke avond in zijn vaders huis zou verschijnen.

Vaak at hij alleen in zijn flat, waar hij een kant-en-klaarmaaltijd in de magnetron zette en een biertje openmaakte. Thuis in het grote appartement zou zijn vader ook alleen zitten te eten.

Eén keer in de week verscheen Anders aan het diner, gewapend tegen de woede en de spanningen die hem daar zouden begroeten. Zijn vader of Fru Karlsson zou hem eraan herinneren dat zijn kamer nog steeds klaar voor hem was, mocht hij willen blijven slapen. Er werd diep gezucht over hoe groot en leeg het familieappartement was. Zijn vader klaagde hoe moeilijk het was om te weten wat er op kantoor omging, nu hijzelf er nog maar drie uur per dag was en Anders elke avond de bloemetjes buitenzette en niet hier was om de gebeurtenissen van de dag door te nemen.

Hij vroeg zich vaak af hoe het John Paul was vergaan in de maanden sinds hij hem voor het laatst had gezien. Was het leven op de boerderij hem mee- of tegengevallen? Was zijn offer de moeite waard geweest? Misschien had John Paul spijt dat hij zo openhartig was geweest over zijn tegenzin om voor zijn vader te gaan zorgen. Misschien zou hij het niet prettig vinden om daar weer aan herinnerd te worden.

Op een avond zocht Anders Stoneybridge op, de plek waar John Paul weer zou gaan wonen. Op zijn laptop zag hij dat het een klein, aantrekkelijk kustplaatsje was, dat duidelijk alleen in de zomermaanden tot leven kwam en dat op deze winterse dagen tamelijk troosteloos zou zijn. Toch las hij dat er een nieuwe onderneming van start was gegaan; een groot huis op een rots, dat Stone House heette, en dat een Winterweek aan de Atlantische kust aanbood, in een prachtige omgeving, met lekker eten, wandelen en wilde vogels. In de plaatselijke pubs zouden de gasten naar muziek kunnen luisteren, als ze dat wilden. Het was een krankzinnig idee en hij wist het, maar toch ging hij het internet op en reserveerde er een week.

Tegen zijn vader zei hij weinig over zijn reis – gewoon een weekje wintervakantie. Zijn vader vroeg natuurlijk niets, deed hooguit vaag afkeurend over zijn zoons plotselinge besluit om weg te gaan.

En aan Erika vertelde Anders niets over zijn reis. Hun vorige ontmoeting was een soort waterscheiding geweest. Het had geen zin om haar te vertellen dat hij weer naar Ierland zou gaan; ze zou toch niet met hem mee willen. Ze zou er alleen maar weer over beginnen dat hij zijn leven verspilde. Ze begreep niet dat hij gewoon geen keus had op dit punt. Dat gesprek wilde hij niet meer voeren.

Hij vloog naar Dublin en nam de trein naar het westen.

Chicky Starr kwam hem van het station halen. Ze leek er niets vreemds in te zien dat een jonge Zweedse accountant op deze afgelegen plek tijd kwam doorbrengen. Ze complimenteerde hem met zijn uitstekende Engels. Ze zei dat Scandinaviërs zo goed in talen waren. Toen ze nog New York woonde, had het haar altijd weer verbaasd hoe snel nieuwkomers uit Denemarken, Zweden en Noorwegen zich wisten aan te passen.

Hij was al volkomen ontspannen en op zijn gemak, lang voordat ze bij het prachtige huis aankwamen en hij zijn medegasten ontmoette. De Amerikaan was het evenbeeld van de acteur Corry Salinas, hij sprak zelfs net als hij. Anders vroeg zich af wat Corry Salinas hier in hemelsnaam te zoeken had. Hij wisselde een blik met de Engelse arts die de acteur ook had herkend. Maar wat dan nog? Als de man even rust wilde, iets anders, dan verschilde hij niet van alle andere mensen die hier verzameld waren. Niemand zou een ander lastigvallen.

Aan het diner raakte hij in gesprek met Freda, een aardige vrouw die verrast reageerde op zijn belangstelling voor muziek. Hij had de juiste plek uitgekozen, zei ze; muziek hing in dit deel van Ierland overal in de lucht. Ze was zelf ook van plan om naar mooie muziek te gaan luisteren.

'Je speelt zelf ook een instrument,' zei ze. Het was eerder een vaststelling dan een vraag. Voor Anders het wist, zat hij haar te vertellen over de nyckelharpa en over zijn liefde voor muziek.

'En wat doe je voor de kost?' vroeg ze.

'Ik ben maar een saaie accountant,' zei hij met een wrang lachje.

'Accountants zijn niet saaier dan andere mensen,' antwoordde ze. 'Maar als je hart er niet bij is, wil je dan niet liever je bestemming volgen?' Terwijl ze dit zei, keken haar ogen in de verte.

'Ach nee,' zei hij spijtig. 'Ik weet heel goed waar mijn bestemming ligt. Binnenkort neem ik de zaak van mijn vader over en dan ga ik het bedrijf leiden dat zijn levenswerk is. En een of twee keer in de week ga ik in een kroegje spelen voor een stuk of vijf mensen. Zo ziet mijn leven eruit.' En toen, alsof hij de triestheid van zijn woorden wilde wegnemen, lachte hij en voegde eraan toe: 'Maar nu heb ik vakantie en ik ga de beste muzieksessies in de streek opzoeken. Zin om mee te gaan?'

Dat was afgesproken. Meteen al de volgende ochtend zouden ze na het ontbijt samen de deur uit gaan op zoek naar de mooiste muziek die ze konden vinden.

Het ging allemaal vanzelfsprekend en makkelijk, en hij was blij dat hij gekomen was. Voordat hij naar bed ging, keek hij uit over de brekende golven in het maanlicht, en hij wist dat hij goed zou slapen. Vannacht zou hij niet twee of drie keer wakker worden, rusteloos en onzeker. Alleen dat maakte het al de moeite waard dat hij hierheen gekomen was.

De volgende ochtend vroeg Anders aan Chicky of ze wist waar muziek werd gemaakt.

Ze kende twee pubs in de omgeving die bekendstonden om hun muzieksessies. Een daarvan serveerde heerlijke vis en schelpdieren bij de lunch, als hij zin had om de lokale keuken uit te proberen.

Terwijl ze in gesprek waren, kwam Freda erbij, helemaal klaar om aan de dag te beginnen. Het weer zag er goed uit en enthousiast gingen de twee op pad in de richting van het stadje. Anders droeg een rugzakje met kaarten en gidsen erin. Ze kwamen voorbij witgepleisterde huisjes, boerderijen en schuren. Een tijdlang volgde de weg de kustlijn en hier, hoog boven op het klif, sloegen de wind en het zoute water hun in het gezicht. Zelfs de bomen waren gedrongen en kromgegroeid door de Atlantische stormen. Toen boog de weg landinwaarts, zodat ze de zee niet meer konden zien. Terwijl ze de stad naderden, verdwenen de landerijen. Die waren op de schop genomen en er stonden nu rijen nieuwe huizen, die er akelig leeg uitzagen.

Aan beide kanten van de hoofdstraat in Stoneybridge stonden gebouwen van een of twee verdiepingen, die allemaal in een andere kleur waren geschilderd. De beide pubs vielen meteen op, maar de twee ontdekkingsreizigers gingen eerst naar het kleine café. Daar zaten ze vriendschappelijk te kletsen, en ze vertelden elkaar wat hun op het eerste gezicht was opgevallen aan hun medegasten op Stone House.

Anders merkte op dat Freda weinig losliet over haar eigen redenen om naar Stone House te komen, maar dat ze alle anderen goed had geobserveerd. De arts en zijn vrouw, zei ze, terwijl ze lichtjes haar hoofd schudde, waren heel bedroefd – ze hadden pas iemand verloren, dat zag ze zo. Hoe ze dat zag zei ze niet. En die aardige verpleegster – hoe heette ze ook al weer? Winnie toch? – vermaakte zich helemaal niet met die vriendin van haar, Lillian, maar uiteindelijk zou het de moeite waard blijken.

Ze gingen lunchen bij de grootste van de twee pubs en aten daar een grote, dampende kom vol sappige mosselen met knapperig vers brood. En toen, alsof er een onzichtbaar teken was gegeven, haalde een kleine man met een rood gezicht die in de hoek zat, een viool tevoorschijn en begon te spelen. De sessie was begonnen...

In het begin waren er meer muzikanten dan publiek, maar geleidelijk aan kwamen er meer mensen binnen. De meeste mensen zouden 's avonds komen, hoorden ze, maar sommige muzikanten speelden graag 's middags en iedereen mocht meespelen. De muziek, die eerst zacht en meeslepend was, werd sneller en sneller. Aan één kant van de ruimte begon een stel te dansen en zelf leende Anders een gitaar en hij speelde een paar Zweedse liedjes. Hij leerde iedereen de tekst van zijn liedjes en ze zongen uit volle borst mee met het refrein.

Hij had, bekende hij nogal verlegen, een traditioneel Zweeds instrument meegebracht op vakantie en dat zou hij de volgende dag mee kunnen nemen. Alleen als ze dat leuk vonden, natuurlijk...

Freda keek hem eigenaardig aan, toen hij bij hun tafeltje terugkwam. 'Een of twee keer in de week, voor een stuk of vijf mensen?' zei ze, zo zacht dat hij haar nauwelijks kon verstaan boven het gejuich uit. 'Nee, dat denk ik niet.'

Anders had het gevoel dat hij hier altijd had gewoond. De Amerikaanse man was inderdaad Corry Salinas, maar hij hield zich blijkbaar schuil en noemde zich John. De twee vrouwen, Winnie en Lillian, waren op de tweede dag van hun verblijf hier bijna verdronken en hadden gered moeten worden uit een grot: Anders had de hele toestand gemist, omdat hij in de stad was gebleven voor de muzieksessies van die avond. Deze keer had hij zijn nyckelharpa meegenomen en hij was keer op keer opgeroepen om mee te spelen en te zingen. Van John Paul was geen spoor te bekennen, ook al wisselde Anders af en toe van pub.

Op zo'n avond vroeg hij een man met een verweerd gezicht die fluit speelde, of hij een doedelzakspeler kende die John Paul heette.

Natuurlijk kende hij die. Iedereen kende hem, prima kerel. Vier andere muzikanten mengden zich meteen in het gesprek. Allemaal kenden ze die arme John Paul. Opgesloten op Rocky Ridge, met die oude duivel van een vader van hem, bij wie niemand het ooit goed kon doen. Een ontevreden man die wou dat hij jaren geleden het emigrantenschip had genomen en er nu iedereen behalve zichzelf de schuld van gaf dat hij dat niet had gedaan.

'En speelt John Paul hier in de buurt wel eens op zijn doedelzak?'

'Hij is al in geen maanden meer geweest,' zei een van de mannen en hij schudde droevig zijn hoofd.

'We zijn hem een keer met een stel in een busje gaan ophalen, maar hij zei dat hij zijn oude heer niet alleen kon laten.'

De volgende ochtend vroeg Anders aan Chicky de weg naar Rocky Ridge, en ze maakte een lunchpakket voor hem klaar.

'John Paul zal vast wel iets te eten voor je maken, maar voor het geval hij er niet is, moet je toch iets bij je hebben,' zei ze.

Het was verder lopen dan hij had verwacht en hij was moe toen hij bij het grote, rommelige boerenerf aankwam. Het leek of er niemand thuis was. Anders liep naar de deur en een paar kippen stoven verstoord kakelend uiteen.

Binnen aan de tafel zat een oude man die met een vergrootglas probeerde een krant te lezen. Aan zijn voeten lag een grote schaaphond, die meer op een kleedje leek dan op een hond.

'Ik ben op zoek naar John Paul…' begon Anders.

'De halve wereld is naar hem op zoek. Hij is God weet hoeveel uren geleden de deur uit gegaan en sindsdien heb ik niks meer van hem gehoord. Ik ben zijn vader, Matty, trouwens, ik heb nog niet eens gegeten, en het is al bijna drie uur.'

'Nou, ik ben Anders en ik heb een picknick meegebracht, dus die kunnen we samen opeten,' zei Anders en hij maakte het pakje in vetvrij papier open uit het tasje dat Chicky hem had meegegeven.

Hij pakte twee borden en verdeelde daarover de koude kip, kaas en chutney. Hij zette een pot thee en daarna zaten ze zo gewoon te eten alsof de vader van John Paul elke dag een maaltijd kreeg opgediend door een passerende Zweedse toerist.

Ze spraken over het boerenbedrijf en hoe dat in de loop der jaren veranderd was, over de recessie en dat die huizen die die verwaande O'Hara's in de stad hadden gebouwd, nu leegstonden en net een spookstad vormden, omdat de mensen inhalig waren geweest en hadden gedacht dat de Keltische Tijger eeuwig zou duren. Hij vertelde over zijn andere kinderen, die het gemaakt hadden in het buitenland. Hij vertelde dat de hond Shep blind was en nutteloos, maar dat hij altijd een thuis zou hebben.

Hij vroeg naar de boeren in Zweden en Anders gaf hem zo goed mogelijk antwoord, maar zei dat hij wilde dat hij er meer over kon vertellen. Hij was in zijn hart eigenlijk een stadsmens.

'En wat kom je hier dan doen, als je zo'n stadsmens bent?' wilde Matty weten.

Anders vertelde hoe hij tijdens de busreis John Paul had leren kennen.

'Hij is gek op die ouwe bus, baantje van niks, van de ene kroeg naar de andere, zo blij als een kind. Wou zelfs zijn eigen kroeg beginnen, maar daar heeft hij toch maar van afgezien en nu heeft hij hier zijn anker uitgegooid en probeert hij er de laatste paar centen uit te persen,' zei hij, en hij schudde afkeurend zijn hoofd.

Anders voelde hoe zijn keel dichtkneep van woede. Dit was de dank van de oude man voor het offer dat zijn zoon had gebracht. Kon het leven nog oneerlijker zijn?

Hij probeerde op een redelijke toon uit te leggen dat John Paul misschien wel zijn vader had willen helpen.

'Jij wilt de zaak hier niet kopen, toevallig?' Matty tuurde hem met half dichtgeknepen ogen aan.

'Nee, wilt u het dan verkopen?'

'O, als dat zou kunnen... Ik zou er vanavond nog uit trekken.'

'En waar zou je dan heen gaan, Matty?'

'Ik zou in het St.-Joseph gaan wonen. Dat is een soort tehuis hier in het dorp. Daar zou ik bezoek krijgen, en gezelschap hebben. Ik zou niet opgesloten zitten hier op Rocky Ridge met John Paul die de godganse dag werkt, en waarvoor? Voor praktisch niks.'

'Heb je dat wel eens tegen hem gezegd?'

'Dat kan ik niet. Hij denkt dat hij hier zijn brood kan verdienen. Hij heeft het niet ver geschopt in het leven, maar hij heeft een goed hart en hij verdient een kans om hier iets van te maken. Ik kan het niet onder zijn kont verkopen.'

Anders bleef een tijdje zwijgend zitten. Matty was een man die wel gewend was aan stiltes. Shep snurkte door. Misschien zat het leven wel vol met dit soort misverstanden.

John Paul was daarbuiten in de heuvels bezig met dingen waar hij een hekel aan had, zijn vader hunkerde naar een prettig, warm, veilig thuis waar hij bezoek zou kunnen krijgen en waar elke middag om een uur zijn eten op tafel zou staan. Allebei dachten ze dat de ander verschrikkelijk graag op de boerderij wilde blijven.

Zou dat in Zweden net zo kunnen zijn?

Wilde zijn vader niets liever dan het bedrijf aan anderen overdragen, zodat hij zijn zoon een leven waarvan hij niet genoot, kon besparen? Of dacht Anders dat alleen maar, omdat hij dat zelf graag wilde? Was het een verkeerde vergelijking?

Zo simpel losten problemen zichzelf niet op, door een toevallige samenloop. Problemen los je op door besluiten te nemen, dat had Erika altijd gezegd en hij had haar dan altijd frikkerig gevonden. Maar het was waar. Beslissen om niets te veranderen was op zichzelf een beslissing. Dat had hij nooit eerder zo begrepen.

Het licht verdween uit de lucht en Shep bewoog in zijn dromen. Anders zette nog een pot thee en vond wat koekjes die ze samen opaten. Matty vertelde hem dat Chicky met een man was getrouwd die in New York bij een auto-ongeluk was omgekomen, en die haar geld had nagelaten zodat ze terug kon komen en dat huis van de Sheedy's kon kopen. Volgens Matty was Chicky een echte overlever; niemand hoefde voor haar de kastanjes uit het vuur te halen. Heel wat mannen hadden belangstelling voor haar getoond, maar ze was altijd heel duidelijk: zij had niemand nodig, zei ze tegen hen.

Maar je wist nooit wat de Heer voor je in petto had. Misschien kwam er wel een aardige Amerikaan vakantie bij haar houden, op wie ze weer stapel werd. Logeerde er nu geen gast die in aanmerking zou kunnen komen?

Anders dacht van niet. Er was wel een vriendelijke Amerikaan, ja, maar er was hem niets romantisch opgevallen.

'O, is dat Corry Salinas? Ik heb gehoord dat hij daar logeert,' zei Matty.

'O ja?'

'Ja, hij probeerde het geheim te houden, maar iedereen hier heeft hem herkend. Frank Hanratty vertelde alleen een of ander idioot verhaal, dat Corry de golfclub binnenkwam om een borrel met Frank te drinken, omdat hij Franks roze busje buiten voor de deur had zien staan. Frank moet eens een beetje normaal gaan doen.'

Op dat moment hoorden ze de auto aankomen en John Paul kwam binnengerend.

'Pa, de koeien waren door het hek in het bovenste weiland gebroken. Ze liepen zomaar over de weg. Dokter Dai probeerde ze door het gat terug het weiland in te drijven met een golfclub. Hij was er nog slechter in dan ik. En toen er eindelijk iemand kwam om het hek te repareren...' Hij onderbrak zichzelf toen hij Anders zag. Zijn grote gezicht lichtte op van blijdschap.

'Anders Almkvist! Je bent ons komen opzoeken!' zei hij op-getogen. 'Pa, dit is mijn vriend…'

'Ik weet er alles van. We zaten hier al een hele tijd te praten voor jij eindelijk terugkwam, en ik weet nu precies waarom de Zweden het beter hebben met hun kroon dan wij met de euro,' zei Matty.

John Paul bleef met open mond staan kijken.

'En hij heeft me ook nog te eten gegeven,' verklaarde zijn vader. Het sluitstuk. Anders pakte nog een beker en schonk thee in voor John Paul.

Ze hadden geen haast. Er zou tijd genoeg zijn om alles uit te leggen.

John Paul reed Anders terug naar Stone House. 'Stel je voor, je bent teruggekomen en helemaal naar Rocky Bridge gelopen om mij op te zoeken!' zei hij.

'Ik hoopte dat ik je zou horen spelen in een van de pubs hier, maar ze zeggen dat je te hard werkt. Dat je te moe bent.'

'En ik had gehoopt dat jíj mij zou komen vertellen dat je weg bent gegaan uit dat kantoor van je,' zei John Paul.

'Nee. Nog niet.'

'Maar misschien…' John Paul leek blij voor zijn vriend. 'Dus de wonderen zijn de wereld nog niet uit.'

'Wacht maar tot je hoort wat jóúw vader echt wil, dan geloof je echt in wonderen,' zei Anders.

Anders verontschuldigde zich omstandig toen hij bij Chicky's grote eettafel aanschoof. 'Het spijt me dat ik een beetje te laat ben,' zei hij terwijl hij naast de arts en zijn vrouw ging zitten.

'Geeft niets. We eten eend vanavond, ik heb het voor je warm gehouden. Alles in orde bij John Paul?'

'Prima, prima. Hoe is het om in St.-Joseph te wonen?'

'Zo prettig als maar mogelijk is. Konden ze Matty maar over-halen om daarheen te gaan, hij zou het er heerlijk vinden. Een tante van mij woont er ook, en als je haar komt opzoeken heeft ze nauwelijks tijd voor je.'

'Nee, hij wíl erheen. John Paul is degene die twijfelt.'

'We kunnen hem wel geruststellen. En zeg jij dan tegen John Paul dat hij weg zou moeten gaan, een beetje moet gaan reizen. Laten zijn broers en zussen maar eens terugkomen om hier een steentje bij te dragen. Zij kunnen Matty best af en toe eens opzoeken, in plaats van het allemaal aan John Paul over te laten.'

'Ik heb wel een idee.'

'Als dat betekent dat John Paul een beetje geluk krijgt in het leven, sta ik er helemaal achter.'

'Ik dacht erover om in Zweden een Ierse bar te beginnen. En hem dan te vragen om het muziekgedeelte voor me op te zetten. Ik kan zelf de zakelijke kant voor mijn rekening nemen.'

'Dus dáárom ben je hier. Ik vroeg het me al af.' Chicky was duidelijk blij dat ze daar achter was gekomen zonder ernaar te vragen.

'Nee, dit was ik niet van plan. Het ontstond hier min of meer.'

'Dingen ontstaan hier, ja. Dat heb ik al zo vaak gezien. Ik denk dat er iets in onze zeelucht zit.'

'Ik heb het er nog niet met mijn vader over gehad.'

'En als hij ertegen is?' vroeg Chicky voorzichtig.

'Ik zal het hem uitleggen. Ik zal duidelijk zijn en vriendelijk, net zoals hij altijd is geweest. Ik zal niet negatief doen over zijn droom, alleen duidelijk maken dat het zíjn droom is, niet de mijne.' Zijn stem klonk heel zelfverzekerd.

Chicky knikte een paar keer. Het was of ze het al voor zich zag. 'En als je mensen zoekt, zou je mijn nichtje Orla kunnen vragen te komen, in elk geval voor een seizoen, om het eten voor je te doen. Dat zou echt goed zijn voor je pub, en zij wordt dan niet oud en geschift hier bij mij.'

'Er zijn slechtere plekken om oud en geschift te worden,' lachte Anders. Hij hoopte dat hij dit allemaal aan zijn vader zou kunnen uitleggen en dat die niet al te teleurgesteld zou zijn. Klara kon de firma Almkvist overnemen. Bij haar zat de zaak in het bloed, net als bij zijn vader. Zij kende de zaak beter en was er meer aan verknocht dan Anders ooit zou zijn. Nu hoefde hij alleen nog maar zijn vader ervan te overtuigen dat een vrouw aan het hoofd kon staan van een gerenommeerd bedrijf als de firma Almkvist. Hij zuchtte en leunde achterover in zijn stoel.

En wie zou hem kunnen helpen zijn vader dat te laten inzien? Hij pakte een blocnote en een pen en begon een lijst te maken van dingen die hij moest doen. Erika bellen stond boven aan de lijst.

De Walls

Ze stelden zichzelf nooit voor als Ann en Charlie, ze zeiden altijd: 'Wij zijn de Walls.'

Kerstkaarten ondertekenden ze ook met 'van de Walls' en als ze de telefoon opnamen zeiden ze: 'Met de Walls'.

Misschien was het een blijk van solidariteit. Je zag zelden de een zonder de ander, en ze stonden altijd heel dicht bij elkaar. Blijkbaar werden ze elkaars gezelschap nooit beu, wat maar goed was ook, want ze werkten samen in hun huis in Dublin, waar ze huiswerk corrigeerden voor een universiteit in schriftelijk onderwijs. Ze waren allebei leraar geweest, maar dit was veel gezelliger en minder stressvol. Ze hadden thuis een kleine werkkamer waar ze 's morgen om negen uur naar binnen gingen en 's middags om twee uur weer uit tevoorschijn kwamen. Volgens de Walls was het heel belangrijk om jezelf discipline op te leggen als je vanuit huis werkte, anders glipte de dag door je vingers.

's Middags gingen ze meestal wandelen of tuinieren of boodschappen doen en om vijf uur gingen ze zitten voor het hoogtepunt van hun dag: meedoen aan prijsvragen.

Ze hadden al heel veel prijzen gewonnen. Alles deden ze, van een naam verzinnen voor een chocolade paashaas tot een limerick schrijven om tuinhuisjes aan te prijzen. Ze hadden een vakantie in Zuid-Frankrijk gewonnen met een slagzin voor een nieuw parfum; ze wonnen een zwaar gietijzeren pannenset door het gewicht van een kalkoen te raden. Ze hadden een hypermoderne televisie gewonnen, een geavanceerde magnetron, een dames- en een herensportfiets, fluwelen gordijnen en een reeks

236

kleinere dingen zoals trendy waterkokers en in leer gebonden fotoalbums. Ze hadden een slechte week als ze niet íéts wonnen. En ze genoten evenveel van het meedoen als van het extra comfort dat de prijzen met zich meebrachten.

Ze hadden twee zoons, die nauwelijks een rol speelden in hun leven. Dat was altijd zo geweest. Toen de jongens nog op school zaten, gingen ze altijd bij vriendjes spelen: de Walls hielden niet graag een stel kinderen bezig. Hun ene zoon, Andy, was profvoetballer en had een contract gekregen bij een Engelse topclub; de andere, Rory, was vrachtwagenchauffeur en zat uren achtereen aan het stuur, terwijl hij heel Europa door reed.

Beide carrières verbijsterden de Walls, die niet konden bevatten waarom hun zoons niet naar de universiteit wilden. De jongens, op hun beurt, snapten niets van een vader en moeder die de kranten en tijdschriften doorspitten om een broodrooster of iets dergelijks te winnen.

Maar de jaren gleden rustig voorbij voor de Walls. Ze waren heel tevreden met hun leven. Ze kozen hun prijsvragen zorgvuldig uit en deden alleen mee als ze dachten dat ze een redelijke kans hadden om te winnen. Ze haalden hun neus op voor het soort quizzen dat ze wel op tv zagen: met multiplechoicevragen als *Wenen is de hoofdstad van a) Andorra, b) Oostenrijk, c) Australië. Kies tussen a, b of c.* Dit waren geen échte prijsvragen, het waren gewoon handige trucs om geld te verdienen met dure belnummers. Daar zou een zichzelf respecterende prijsvraagdeelnemer nooit aan meedoen.

Ze wisten ook dat een slagzin of een rijmpje niet al te slim moest zijn. Ze hadden gemerkt dat je maar het beste ergens in het midden kon blijven. Ze keken elkaars oplossingen na op woordspelingen of verwijzingen die al te ver van de gemiddelde inzending zouden afwijken, ze moesten oppassen dat ze niet buiten de gebaande paden traden. En tot nu toe was het allemaal heel goed gegaan.

Op een zomeravond zaten ze op de tuinset die ze hadden gekregen omdat ze de bloeimaand van twaalf tuinplanten hadden geraden, dronken uit Waterford-glazen die ze hadden gewonnen met een lofdicht op kristal, en feliciteerden zichzelf met hun vijfentwintigste trouwdag. Vanavond waren ze in alle staten: ze waren van plan om een prachtige prijs te winnen om over een paar maanden hun zilveren bruiloft te vieren. Die cruise naar Alaska, bijvoorbeeld. Maar daar zouden erg veel inzendingen op komen. Deelnemers uit de hele wereld zouden een poging wagen en dus konden ze er niet op rekenen dat zij zouden winnen. Er was een kookcursus van een week in Italië, wat wel leuk zou zijn. Of een week in een Schots kasteel. De mogelijkheden waren eindeloos. Het was niet dat ze gierig waren of moesten letten op wat ze uitgaven; de Walls konden zich best een vakantie in het buitenland veroorloven, maar het was veel spannender om die te winnen, dus vulden ze vol overgave formulieren in en bedachten slagzinnen.

Toen vonden ze de droomprijs. Het was een wintervakantie in Parijs, een week in een luxehotel. Ze zouden een auto met chauffeur tot hun beschikking hebben en elke dag van de week stond er een uitstapje op het programma: Versailles, Chartres, maar ook excursies in de stad zelf en maaltijden in internationaal befaamde restaurants. Zoiets beleefde je maar één keer in je leven.

Ze dachten een goede kans te maken. Ze hadden de prijsvraag gevonden in een vrij chic tijdschrift met een kleine oplage; dat was een goed teken. Het betekende dat hij niet miljoenen lezers was opgevallen. Je moest in een opstel vertellen waarom jij deze vakantie verdiende.

De Walls wisten dat ze hun tekst niet grappig moesten maken. De jury bestond uit de hoofdredacteur van het tijdschrift, een reisbureau en hoteleigenaren in Ierland en Engeland die de tweede en de derde prijs ter beschikking hadden gesteld. Dit waren mensen die hun product serieus namen. Met satire of oneerbiedig zijn won je niet. De opdracht moest serieus aangepakt worden.

En ze waren tevreden over hun inzending. Daarin vertelden de Walls simpelweg dat ze na een gelukkig partnerschap van vijfentwintig jaar heel graag een beetje romantiek terug wilden brengen in hun leven. Ze waren nooit mensen geweest van glitter en glamour, maar zoals iedereen zouden ze het heerlijk vin-

238

den als er een beetje magie over hun leven gesprenkeld zou worden. Ze hadden woorden als 'gesprenkeld' en 'magie' eerder gebruikt in onderschriften en slogans en die hadden het altijd
goed gedaan. Ze zouden het nu weer goed doen.

Ze wisten bijna zeker dat ze de prijs in hun zak hadden en
waren dan ook niet voorbereid op de schok toen ze hoorden
dat ze de twééde prijs hadden gewonnen – een vakantie in een
afgelegen hotel op de rotsen langs de Atlantische Oceaan, aan
de andere kant van het land. Ontzet keken ze elkaar aan. Dit was
wel een erg armzalige beloning voor alle moeite die ze hadden
gedaan om het vurige, oprechte tekstje te schrijven over hun
verlangen om even op een roze wolk te mogen verkeren!

De vrouw aan de telefoon verwachtte duidelijk dat ze erg opgewonden waren omdat ze een week op dat Stone House hadden gewonnen, en omdat de Walls van nature beleefde mensen
waren, deden ze hun best om toch enig enthousiasme te tonen.
Maar hun hart werd zwaar als ze eraan dachten dat iemand anders door Parijs zou rijden in wat ze al waren gaan beschouwen
als hún auto met chauffeur, naar hún gereserveerde tafeltje in
een vijfsterrenrestaurant.

Ann Wall had de kleren die ze zou meenemen al uitgezocht.
Daarbij waren een designtas en een zijden Hermès-sjaal die ze
in eerdere prijsvragen hadden gewonnen. Charlie legde met
tegenzin de reisgids weg die hij had gekocht, om te zorgen dat
ze goed op de hoogte zouden zijn van de Parijse gebouwen en
kunstschatten als ze daar aankwamen.

Ze kookten allebei van woede en ergernis omdat ze zich zo
vergist hadden, door te denken dat zij de eerste prijs zouden
winnen. Ze wilden met alle geweld weten waar de winnende
tekst over was gegaan en namen zich voor om daar achter te
komen.

De Walls belden Chicky Starr, de eigenares van Stone House
om hun bezoek te regelen. Zij klonk opgewekt en praktisch,
terwijl ze hen op de hoogte bracht van de treindienstregeling
en zei dat ze van het station zouden worden opgehaald. Ze was,
moesten ze toegeven, heel aardig en gastvrij. Als ze deze vakantie
hadden willen winnen, zouden ze erg ingenomen met haar zijn

geweest, maar mevrouw Starr mocht er nooit achter komen wat een schrale troost deze vakantie voor de Walls betekende.

Ze vroeg of ze misschien vegetariër waren en raadde ze aan warme en waterdichte kleding mee te brengen. Geen plek voor designsjaals en tassen, beseften ze. Ze zei dat ze wat folders en informatie over de streek zou opsturen, zodat ze van tevoren konden bedenken wat ze wilden gaan doen. Er waren fietsen die ze konden gebruiken, en ze konden vogels gaan kijken en ze zouden elke avond met een groep gelijkgestemden aan tafel zitten.

Gelijkgestemden? De Walls dachten van niet.

Geen van de andere gasten zou zo teleurgesteld zijn over deze vakantie als zij.

Mevrouw Starr zou de andere gasten niet vertellen dat zij de week gewonnen hadden, zei ze. Ze moesten zelf beslissen of ze het daarover wilden hebben. Dit vonden de Walls vreemd. Zij vonden het juist heerlijk om mensen te vertellen dat ze een prijsvraag hadden gewonnen en dat ze iets hadden weten te bemachtigen door hun verstand te gebruiken in plaats van geld te betalen. Maar het was attent van mevrouw Starr om hieraan te denken.

Met een zwaar hart gingen ze akkoord met de afspraken over de trein en het ophalen en ze zeiden, zonder het te menen, dat ze zich erg op die week verheugden.

Hun beide zoons kwamen naar Ierland om de zilveren bruiloft te vieren. Ze namen hun ouders mee uit eten bij Quentin, een van de meest gerenommeerde restaurants van Dublin.

De Walls verwonderden zich erover dat hun zoons zulke mannen van de wereld waren geworden. Andy, die als voetballer in de Premier League gewend was aan het goede leven, nam het menu door alsof hij elke avond zo chic at; zelfs Rory, die meestal in wegrestaurants at en in andere gelegenheden waar langeafstandschauffeurs kwamen om snel een hap te eten en dan de weg weer op te gaan, voelde zich prima op zijn gemak.

Ze luisterden verbijsterd naar de verhalen over de laatste prijsvraagsuccessen van hun ouders. Die hadden een set bij elkaar passende koffers gewonnen, kleurige tuinverlichting en een uit hout gesneden saladeschaal met bijpassend bestek.

Andy en Rory mompelden iets lovends en bewonderends. Ze vertelden over hun eigen leven en de Walls luisterden zonder er veel van te begrijpen naar de verhalen van Andy over transfers en degradaties in de Premier League, en naar die van Rory over de nieuwe regels die de hele vrachttransportwereld dreigden te verstikken en het geld dat hem voortdurend werd aangeboden om illegale immigranten als vracht mee te nemen. Beide jongens vertelden over hun liefdesleven. Andy ging om met een supermodel en Rory was gaan samenwonen met een Spaans meisje dat Pilar heette.

De Walls vertelden dat ze over een week naar West-Ierland zouden gaan. Ze beschreven het hotel en noemden alle pluspunten daarvan op. Ze zeiden dat mevrouw Starr, de eigenaresse, heel erg aardig klonk.

Tot hun verrassing toonden de jongens oprechte belangstelling.

'Goed dat jullie eens iets anders gaan doen,' zei Andy bewonderend.

'En iets wat jullie zelf hebben uitgekozen en niet alleen maar hebben gewonnen,' zei Rory goedkeurend.

De Walls lieten ze in de waan. Echt liegen was het niet, ze vertelden het gewoon niet – dat het wél een prijsvraag was geweest. Deels omdat ze nog steeds niet over het verlies van de Parijse reis heen waren, maar vooral omdat ze zich gevleid voelden dat hun zoons ineens zo blij waren met hun besluit om naar die van God verlaten plek te gaan.

Ze vonden het wel prettig om zich daar een beetje in te koesteren en wilden hun enthousiasme niet bederven door hun de echte reden te vertellen waarom ze westwaarts gingen.

Andy vertelde dat zijn supermodel-vriendin altijd al eens naar de rimboe had gewild voor een gezonde wandelvakantie, dus zij konden voor hem vast de omgeving verkennen. Rory zei dat Pilar de oude film *The Quiet Man* zeker vijf keer had gezien en ontzettend graag naar dat deel van de wereld wilde. Misschien was dit wel precies waar ze heen moesten.

Voor het eerst in lange tijd hadden de Walls het gevoel dat ze op dezelfde golflengte zaten als hun kinderen. Dat was een heel prettig gevoel.

Een week later reisden ze met de trein dwars door Ierland en het gedeprimeerde gevoel keerde terug. De trein reed maar door. Zonder plezier keken ze naar de natte landerijen en grauwe bergen. Op ditzelfde moment kwamen andere mensen aan op vliegveld Charles de Gaulle in Parijs. Zij werden opgehaald door de chauffeur die de Walls had moeten ophalen. Er zouden dekens in de auto liggen, voor als het koud was; de chauffeur zou ze naar het prachtige vijfsterrenhotel Martinique brengen, waar de welkomstchampagne koud zou staan in hun suite. Dat was niet zomaar een slaapkamer, het was een suite. Vanavond zouden die mensen in het hotel eten, een keus maken uit het menu dat de Walls al op internet hadden bekeken, terwijl zij op weg waren naar een of ander opgehemeld pension. Het zou er waarschijnlijk zo verschrikkelijk tochten dat ze binnen hun jas aan moesten houden. Ze zouden elke avond, een week lang, moeten eten in de keuken van mevrouw Starr.

In de keuken!

Ze hadden moeten dineren onder de kroonluchters in Parijs.

Hoe verder ze naar het westen kwamen hoe kleiner en natter de weilanden buiten werden. Dit alles hoefden ze niet tegen elkaar te zeggen. De Walls deelden alles al; allebei wisten ze wat de ander dacht. Dit zou een lange, akelige week worden.

Op het station herkenden ze Chicky Starr meteen van haar foto op de folder van Stone House. Ze begroette hen hartelijk en droeg hun bagage naar haar busje, al babbelend over de streek en zijn bezienswaardigheden. Chicky legde uit dat ze, nu ze toch in de stad was, nog een paar dingen moest oppikken en de Walls keken toe hoe hun dure, bij elkaar passende koffers op het dak van het busje werden geladen. Ze zagen er nogal verdwaald uit tussen de heel wat minder chique tassen en zakken van Chicky Starr.

Het leek wel of ze iedereen hier kende. Ze vroeg de buschauffeur of het druk was geweest op de markt en begroette schoolkinderen in uniform met vragen over de wedstrijd die ze die dag hadden gespeeld. Een oudere man bood ze een lift aan, maar hij zei dat zijn schoondochter hem zou komen ophalen, dus hij zou hier lekker blijven zitten kijken hoe de wereld voorbijtrok, tot ze kwam.

Belangstellend keken de Walls toe. Het moest heel bijzonder zijn om werkelijk iedereen om je heen te kennen. Gezellig natuurlijk, maar ook benauwend. Niemand had het over een meneer Starr gehad. Ann Wall besloot om dit meteen aan de orde te stellen.

'En helpt uw man u met deze hele onderneming?' vroeg ze opgewekt.

'Hij is helaas jaren geleden gestorven. Maar hij zou het heel fijn hebben gevonden om Stone House in bedrijf te zien,' antwoordde Chicky eenvoudig.

De Walls hadden het gevoel dat ze een standje hadden gekregen. Ze waren opdringerig geweest.

'U woont hier in een prachtig stukje van de wereld,' zei Charlie zonder het te menen.

'Het is hier heel bijzonder,' stemde Chicky Starr in. 'Ik heb lang in New York City gewoond en in die tijd kwam ik elk jaar hierheen op familiebezoek. Hier kon ik mijn batterijen weer opladen voor de rest van het jaar. Ik dacht dat anderen dat misschien ook zouden kunnen.'

Dat betwijfelden de Walls, maar ze maakten enthousiaste, instemmende geluiden.

Ze werden aangenaam verrast door Stone House, toen ze daar aankwamen. Het was er warm, om te beginnen, en erg comfortabel. Hun slaapkamer was heel stijlvol en had een groot boograam dat uitkeek op zee. Op het tafeltje bij het raam stonden twee kristallen glazen en een ijsemmer met een half flesje champagne.

'Dat is om u te feliciteren met het feit dat u vijfentwintig jaar gelukkig getrouwd bent. U boft dat u dat mag meemaken en u boft nog meer dat u het ook zelf beseft,' zei Chicky.

Voor één keer waren de Walls sprakeloos.

'Nou, we zíjn inderdaad gelukkig getrouwd,' zei Ann Wall. 'Maar hoe wist u dat?'

'Ik heb uw inzending voor de prijsvraag gelezen. Hij was heel ontroerend, dat u geniet van gewone dingen, maar daar toch wel graag eens wat magie over gesprenkeld zou willen hebben. Ik hoop echt dat we u die magie hier kunnen bieden.'

Natuurlijk, ze had hun opstel gelezen.

Ze waren vergeten dat zij in de jury had gezeten. Maar ook al was ze geraakt geweest door hun inzending, ze had er niet voor gestemd dat ze de vakantie van hun dromen kregen.

'Dus u hebt alle inzendingen gelezen?' vroeg Charlie.

'Ze gaven ons een selectie. We hebben alleen de beste dertig gelezen,' gaf Chicky toe.

'En de mensen die gewonnen hebben...'

'Nou, er waren vijf winnaars, alles bij elkaar,' zei Chicky.

'Ja, maar de mensen die de eerste prijs wonnen. Wat hebben zij geschreven?' Ann Wall moest het weten. Wat voor tekst had hen van het hoogste podium gehouden?

Chicky zweeg even, alsof ze aarzelde of ze dit wel zou vertellen.

'Het is vreemd eigenlijk. Zij hadden iets heel anders geschreven. Helemaal niet zoals jullie verhaal. Het was meer een liedje, een versie van "I Love Paris in the Springtime", maar dan met een andere tekst.'

'Een liedje? Er stond niet dat het een liedje moest zijn. Er stond een opstel.' De Walls waren diep verontwaardigd.

'Ach, weet u, mensen vatten dingen soms anders op.'

'Maar een tekst maken op een liedje van een ander – is dat geen plagiaat?' Ze waren een en al afschuw.

Chicky haalde haar schouders op.

'Het was goed, pakkend. Iedereen vond het leuk.'

'Het originele liedje was misschien goed en pakkend, maar zij hebben er gewoon een parodie op geschreven en zij mogen nu naar Parijs.' Alles aan hen drukte gekwetstheid en bitterheid uit.

Chicky keek van de een naar de ander.

'Tja, u bent nu hier, dus laten we hopen dat u ervan geniet,' zei ze hulpeloos.

Ze worstelden om weer in hun gewone doen te komen, maar het lukte ze niet.

Het leek Chicky het verstandigst om ze maar alleen te laten.

Het was overduidelijk dat deze vakantie voor de Walls een armzalige troostprijs was.

'Misschien hebben jullie er iets aan te weten dat alle juryleden jullie verhaal hartverwarmend vonden, al hebben de Flemmings dan de eerste prijs gewonnen. We benijdden jullie allemaal om jullie relatie,' probeerde ze nog.

Het was zinloos. Niet alleen waren ze teleurgesteld, maar nu wisten de Walls ook nog dat er vals was gespeeld. Dat zou altijd blijven knagen.

Ze deden een poging om zich te herpakken. Een moedige poging, maar het was niet makkelijk. Ze probeerden met hun medegasten te praten en deden alsof ze geïnteresseerd waren in hun verhalen. Het was een eigenaardige groep: een serieuze jongen uit Zweden, een bibliothecaresse die Freda heette, een Engels stel die allebei arts waren, een vrouw met een afkeurend dichtgeknepen mond, die Nell heette, een Amerikaan die een vliegtuig had gemist en hier in een opwelling naartoe was gekomen en twee vriendinnen die niet bij elkaar pasten, Winnie en Lillian. Wat deden ze hier allemaal?

Het eten was uitstekend, en werd opgediend door Orla, het aantrekkelijke nichtje van de eigenares. Werkelijk, er was niets mis hier. Niets, behalve dan dat de Flemmings, wie dat ook waren, hun vakantie in Parijs hadden gestolen.

Die nacht sliepen de Walls niet goed. Ze waren om drie uur in de ochtend klaarwakker en zetten op hun kamer thee. Ze zaten te luisteren naar de wind en de regen buiten en naar het geluid van de golven die terugrolden en dan weer stuksloegen op de kust. Het klonk droevig en klaaglijk, alsof de zee medelijden met ze had.

De volgende ochtend zaten de andere gasten al enthousiast klaar voor de tripjes die ze hadden gepland. De Walls gingen op goed geluk een kant uit en kwamen op een lang, verlaten strand terecht.

Het was verkwikkend, zeker, en gezond. Dat moesten ze toegeven. Het landschap was adembenemend.

Maar het was Parijs niet.

Ze gingen naar een pub die Chicky had aangeraden en bestelden een kom soep.

'Ik denk niet dat ik dit zes dagen volhou.' Ann legde haar lepel neer.

'Die van mij is lekker,' zei Charlie.

'Ik bedoel niet de soep, ik bedoel hier zijn, terwijl we hier niet wíllen zijn.'

'Ik weet het, dat gevoel heb ik ook,' stemde Charlie in.

'En dan hebben ze nog niet eens eerlijk gewonnen ook. Zelfs Chicky geeft dat toe.' Ann Wall was diep gegriefd.

'Zou jij niet graag willen weten hoe het ze vergaat?' vroeg Charlie.

'Ja, maar ik wil het tegelijk níét en wél weten.' Samen moesten ze hierom lachen.

De vrouw achter de bar keek hen goedkeurend aan.

'Hemel, wat geweldig om eens een stel te zien dat het zo goed met elkaar kan vinden,' zei ze. 'Ik zei gisteravond nog tegen Paddy dat ze hier meestal maar wat in hun drankjes zitten te staren, zonder iets te zeggen. Het was Paddy niet opgevallen. Misschien zijn ze uitgepraat met elkaar, zei hij.'

De Walls vonden het prettig dat ze nu al voor de tweede keer in vierentwintig uur lof kregen toegezwaaid omdat ze zo'n goede relatie hadden. Zelf hadden ze dat nooit iets bijzonders gevonden. Chicky had zelfs gezegd dat de juryleden jaloers op hen waren geweest. Niet jaloers genoeg, natuurlijk, om hun de hoofdprijs te geven…

Ze vertelden dat ze uit Dublin kwamen en op vakantie waren in Stone House.

'Chicky heeft echt iets van dat huis gemaakt,' zei de vrouw. 'Ze is een goed voorbeeld voor de mensen hier. Toen haar arme man, God hebbe zijn ziel, omkwam bij dat verschrikkelijke ongeluk daar in New York, heeft ze zich er gewoon op gericht om hier terug te komen en een heel nieuw leven te beginnen en hier ook nog wat bedrijvigheid te brengen in de winter. We hopen allemaal dat het een succes wordt.'

Het was droevig, van Chicky's man, dat vonden de Walls ook, maar daardoor gingen ze zich niet meer thuis voelen in dit afgelegen deel van Ierland, terwijl hun droom zich ergens anders afspeelde.

Pas op de derde avond vertelden ze dat ze deze vakantie hadden gewonnen met een prijsvraag. De sfeer 's avonds aan tafel was meer ontspannen; iedereen realiseerde zich inmiddels dat niemand was wat hij leek. De twee vrouwen, Lillian en Winnie, waren helemaal geen oude vriendinnen en ze waren bijna verdronken en hadden gered moeten worden; de artsen hadden een jongen uit de buurt ervan weerhouden om zich van de rotsen te storten; de Amerikaan bleek filmster te zijn; de Zweedse jongen bleek een passie voor muziek te hebben; en Freda, de bibliothecaresse, bleek griezelig goed voorspellingen te kunnen doen over het leven van mensen. Nell keek nog steeds afkeurend – dat was niet veranderd. Maar ze voelden zich nu meer als mensen die elkaar kenden, in plaats van als een toevallige verzameling vreemden.

Iedereen vond het heel spannend dat je prijsvragen kon winnen. Ze hadden gedacht dat dat allemaal doorgestoken kaart was, of dat er zoveel mensen aan meededen dat je toch geen kans maakte.

De Walls noemden een aantal dingen die ze gewonnen hadden en genoten ervan dat iedereen dit zo bijzonder vond.

'Is er een trucje voor?' wilde Orla weten. Ze zou heel graag een motorfiets willen winnen om daarmee door Europa te reizen, legde ze uit.

Gul gaven de Walls goede raad. Het was niet zozeer een trucje, het was eerder een kwestie van doorzetten en het eenvoudig houden.

Ze raakten allemaal aangestoken en wilden niets liever dan aan een prijsvraag meedoen. Konden ze er maar een vinden. Chicky en Orla raapten vlug wat kranten en tijdschriften bij elkaar, en die bladerden ze door op zoek naar prijsvragen.

Er was er één waarbij je een beest in de dierentuin een naam moest geven. De Walls legden uit dat deze in een rubriek voor kinderen stond en dat elke school in het land namen zou insturen. De overmacht zou veel te groot zijn. Ze spraken met de autoriteit van een pokeraar die uitlegt hoe groot de kans is dat je een straat of een flush in handen krijgt. De anderen luisterden vol ontzag.

Toen vonden ze een prijsvraag in een plaatselijke krant voor West-Ierland: 'Bedenk een festival'.

Aandachtig lazen de Walls wat erin stond. Deelnemers moesten een voorstel doen voor een festival, iets wat in de winter wat bedrijvigheid zou brengen aan de westkust.

Dit zou wel eens kunnen zijn wat ze zochten. Wat voor festival zouden ze voor Stoneybridge kunnen bedenken?

Twijfelend keken de gasten elkaar aan. Ze hadden gehoopt op een snelle slagzin of een creatieve limerick. Een festival bedenken was te moeilijk.

De Walls waren daar niet zeker van. Ze zeiden dat deze prijsvraag wel mogelijkheden bood, die ze moesten verkennen. Het moest iets winters zijn, dus een missverkiezing sloeg nergens op – die arme meisjes zouden doodvriezen. Galway had al een oesterfestival gehad, dus dat konden ze niet doen. Andere delen van de kust hadden zich gericht op surf- en kajakactiviteiten.

Rotsklimmen was te specialistisch. Er was wel traditionele muziek, natuurlijk, maar Stoneybridge stond niet bekend als centrum van muziek, zoals Doolin of Miltown Malbay in het graafschap Clare, en ze hadden hier in het verleden geen legendarische doedelzakspelers of violisten gehad. Er was al een wandelfestival, en Stoneybridge kon zich niet beroemen op literaire figuren die als basis konden dienen voor een wintercursus.

Er was geen geschiedenis van beeldende kunst in het dorp. Ze hadden geen Jack Yeats of Paul Henry om zich op te richten.

'Wat denken jullie van een verhalenfestival?' stelden Henry en Nicola, de twee rustige Engelse artsen, voor. Dat vond iedereen een goed idee, maar blijkbaar was er al een verhalenvertellersevenement in het naburige graafschap, dat vrij bekend was.

Anders kwam met het idee voor een cursus Leer Jezelf Ierse Muziek Spelen, maar de anderen zeiden dat het hier al krioelde van de toeristen die op de fluit leerden spelen en op de lepels en de Ierse drum, de *bodhrán*.

De Amerikaan, die afwisselend John en Corry werd genoemd,

zei dat hij dacht dat een 'Op-zoek-naar-je-roots-festival' een succes kon worden. Daar kon je dan genealogen bij halen, die mensen hielpen hun voorouders te vinden. Algemeen werd gevonden dat Ierland al genoeg roots-industrie had.

Winnie stelde een kookfestival voor, met mensen uit het dorp die de bezoekers konden leren hoe ze bruin brood en aardappelkoekjes bakten, en vooral hoe je zo'n heerlijke mousse van zeewier kon maken als ze gisteravond hadden gegeten. Blijkbaar waren er al te veel kookscholen, en zou het moeilijk zijn om daarmee te concurreren.

Ze spraken af dat ze er allemaal nog een nachtje over zouden slapen en de volgende avond met nieuwe ideeën zouden komen. Het was een gezellige avond geweest en de Walls hadden er, ondanks zichzelf, van genoten.

Eenmaal terug in hun slaapkamer gingen hun gedachten weer naar Parijs. Vanavond hadden ze naar de Opéra zullen gaan. Hun limousine zou voortgegleden zijn door de lichten van Parijs; daarna zouden ze terug gesnord zijn naar het Martinique, waar ze door de staf verwelkomd zouden zijn, die hen nu wel zou kennen. De maître d'hôtel zou voorstellen dat ze nog een drankje namen in de pianobar voordat ze naar bed gingen. Maar nee, zij zaten hier uit te leggen hoe je een prijsvraag won aan een groep onbekenden die geen idee hadden waar ze moesten beginnen.

Zoals altijd werden ze al chagrijnig door er alleen maar aan te denken.

'Ik wed dat ze het niet eens waarderen,' zei Charlie.

'Ze hebben waarschijnlijk de Opéra afgezegd en zijn een pub ingedoken,' zei Ann minachtend.

Toen kwam ze ineens op een idee.

'Laten we ze bellen en vragen hoe ze het hebben. Dan weten we het tenminste.'

'We kunnen ze toch niet opbellen in Parijs!' Charlie was geshockeerd.

'Waarom niet? Gewoon een kort gesprekje. We zeggen dat we ze veel plezier wilden wensen.'

'Maar hoe kunnen we ze ooit vinden?' Charlie was met stomheid geslagen.

'We weten hoe het hotel heet; we weten hoe zij heten – hoe moeilijk kan het zijn?' Voor Ann was het heel eenvoudig.

De Walls hadden alle bijzonderheden van het tripje naar Parijs al in hun prijsvraag-opschrijfboek genoteerd, en dus ook het telefoonnummer van Hotel Martinique. Voor hij er nog iets tegen in kon brengen, had zij haar mobiele telefoon al gepakt, het nummer getoetst en verbinding gekregen.

'*Monsieur et madame Flemming, d'Irlande, s'il vous plaît,*' zei ze met een stem die klonk als een klok.

'Wie ga je zeggen dat we zijn?' vroeg Charlie angstig.

'Laten we gewoon zien wat er gebeurt.' Ann was de situatie volkomen meester.

Bezorgd luisterde Charlie mee terwijl ze werd doorverbonden.

'O, mevrouw Flemming, even een belletje om te vragen hoe het gaat met de vakantie. Is alles naar wens?'

'O, nou, ja... Ik bedoel, dank u wel.' De vrouw klonk aarzelend.

'En, geniet u van uw week in het Martinique?' hield Ann vol.

'Bent u van het hotel?' vroeg de vrouw nerveus.

'Nee, ik bel vanuit Ierland, omdat ik hoop dat alles daar goed gaat.'

'Nou ja, ik vind dit een beetje vervelend. Het is heel moeilijk om dit te zeggen, omdat het echt een heel duur hotel is. Dat weten we, maar het is toch niet helemaal wat we hadden gehoopt.'

'O, hemeltje, wat spijt me dat nu. In welk opzicht precies?'

'Nou... het is geen suite, om te beginnen. Het is een heel klein kamertje naast de lift, die de hele nacht op en neer gaat. En we mogen niet in de eetzaal eten, de vouchers die we hebben gekregen, zijn alleen voor wat ze hier "Le Snack Bar" noemen.'

'Foei, dat stond niet in de overeenkomst,' zei Ann afkeurend.

'Nee, maar als je er iets van zegt, kun je net zo goed tegen de muur praten, zo weinig reactie krijg je. Ze halen hun schouders op en zeggen dat zij het niet geregeld hebben.' Mevrouw Flemming begon heel boos te klinken.

'En de chauffeur?'

'Die hebben we maar één keer gezien. Hij is verbonden aan het hotel en blijkbaar is hij steeds nodig voor vips. Hij is nooit beschikbaar. Ze hebben ons vouchers gegeven voor de bus naar Versailles; dat was heel vermoeiend en we moesten kilometers over kinderkopjes lopen. Naar Chartres zijn we helemaal niet geweest.'

'Dat is niet wat ze ons beloofd hebben.' Ann klakte misprijzend met haar tong.

'Nee, precies, en we hebben een hekel aan klagen. Ik bedoel, het is een erg mooie prijs. Het is alleen... Het is alleen...'

'En de sterrenrestaurants? Waren die wel goed?'

'Ja, tot op zekere hoogte, maar de prijs geldt alleen voor de *prix fixe*, weet u, het vaste menu, en dat zijn vaak dingen als trijp of konijn en dat lusten we niet. Ze zeiden dat we konden kiezen uit de speciale menu's, maar dat bleek niet zo te zijn.'

'En wat gaat u nu doen?'

'Tja, we wisten niet wát we konden doen, dus daarom ben ik heel blij dat u nu belt. Bent u van het tijdschrift?'

'Niet direct, maar we zijn er wel aan verbonden,' zei Ann Wall.

'We vinden het niet prettig om te gaan klagen en zeuren tegenover hen; dat lijkt zo ondankbaar. Maar het is allemaal zoveel minder dan we hadden verwacht.'

'Ik begrijp het, ik begrijp het.' Ann voelde oprecht met ze mee.

'Op zichzelf zijn de mensen van het hotel heel aardig, echt aardig en prettig, het is alleen dat we in hun ogen blijkbaar een veel goedkoper arrangement hebben gewonnen dan in de aanbieding stond. Wat raadt u ons aan om te doen?'

De Walls keken elkaar vragend aan. Ja, wat?

'Misschien kunt u contact opnemen met het pr-bureau dat het heeft georganiseerd,' zei Ann uiteindelijk.

'Zou ú dat misschien kunnen doen?' Mevrouw Flemming was duidelijk iemand die geen moeilijkheden wilde veroorzaken.

'Het heeft misschien meer effect als u het zelf doet, omdat u daar ter plaatse bent enzo...' Ann deed koortsachtig haar best de hete aardappel aan de Flemmings terug te geven.

'Maar u was zo vriendelijk ons te bellen om te vragen of alles goed ging. Waar bent u eigenlijk van?'

'Gewoon een bezorgde burger.' En trillend verbrak Ann Wall de verbinding.

Wat moesten ze nu doen?

Eerst lieten ze dat heerlijke gevoel over en door zich heen stromen. De droomvakantie in Parijs bleek een nachtmerrie. Wat een geluk dat ze daaraan waren ontsnapt. Ze waren veel beter uit op deze rare plek aan de Atlantisch Oceaan, die ze in het begin zo'n teleurstelling hadden gevonden.

Hier kreeg je wel alles wat je beloofd was. Misschien hadden ze achteraf toch de eerste prijs gewonnen.

Ze besloten dat ze de volgende ochtend het pr-bureau zouden bellen om te vertellen dat alles niet was zoals het zou moeten zijn in Hotel Martinique.

Voor het eerst sliepen ze de hele nacht door. Ze werden niet vol wrok wakker om drie uur in de ochtend om thee te drinken en te piekeren over de onrechtvaardigheid van het leven in het algemeen en van prijsvragen in het bijzonder.

De Walls namen een lunchpakket mee en wandelden langs de kliffen en rotsen tot ze een ruïne vonden van een kerkje, waarvan Chicky had gezegd dat het een heerlijk plekje was om te picknicken. Je zat er beschut tegen de storm en kon regelrecht naar Amerika kijken.

Ze lachten blij terwijl ze hun heerlijke, welgevulde stukken kippastei uitpakten en hun veldflessen met warme soep openmaakten. Stel je voor, de Flemmings zouden in Parijs weer een lunch met trijp en konijn voorgeschoteld krijgen.

Ann Wall had bij het pr-bureau een cryptische boodschap achtergelaten, dat het voor iedereen beter was als ze contact opnamen met de Flemmings in het Martinique; anders zou er wel eens heel onaangename publiciteit van kunnen komen. Ze voelden zich als kinderen die onverwacht vrij van school hadden gekregen. De rest van hun vakantie zouden ze gaan genieten.

Die avond zat iedereen aan Chicky's tafel klaar met festivalideeën; ze konden nauwelijks wachten tot ze hun eten ophadden en met hun plan op de proppen konden komen. Lillian, die de afgelopen dagen een zachter gezicht had gekregen, zei dat elk festival tegenwoordig, als ze die afschuwelijke uitdrukking mocht gebruiken, een feelgoodfactor nodig had. Ze knikten allemaal wijs en zeiden dat dat inderdaad precies was wat je nodig had.

Chicky zei dat gemeenschapsgevoel steeds belangrijker werd in de wereld van nu. Jonge mensen vluchtten eerst weg uit een kleine gemeenschap, en dat was ook goed, maar later wilden ze er dan toch weer deel van uitmaken.

Orla peinsde over het organiseren van een familiereünie. Ze vonden dat een aardige gedachte, maar zeiden dat het moeilijk concreet te maken was. Betekende het een clan bij elkaar brengen, of mensen die elkaar uit het oog waren verloren? Lillian dacht dat een festival ter ere van oma's misschien leuk zou zijn. Iedereen wilde oma worden, zei ze overtuigd. Winnie keek haar aan. Dit was nog niet eerder ter sprake gekomen.

Henry en Nicola vroegen zich af of gezondheid misschien een goed thema zou zijn. Mensen waren tegenwoordig zo bezig met diëten en lifestyle en lichaamsbeweging. Stoneybridge kon het allemaal bieden. En plotseling zei Anders dat je een festival kon organiseren ter ere van de vriendschap. Je weet wel, oude vrienden die er samen heen gaan, misschien mensen die met een vriend van vroeger een reis gaan maken, dat soort dingen. Daar dachten ze een tijdje beleefd over na. Hoe langer ze erover dachten, hoe beter het klonk.

Het hoefde familieleden niet uit te sluiten. Je vriend of vriendin kon ook je zus zijn of je tante.

De meeste mensen zouden wel graag wat tijd willen inhalen met iemand die ze minder vaak zagen dan ze wilden.

Stel dat er een festival was dat verschillende attracties bood, zoals de ideeën die iedereen al had geopperd, maar dan allemaal in de naam van vriendschap? Ze liepen over van de ideeën. Er zouden inderdaad kookdemonstraties kunnen plaatsvinden, fitnessklasjes, wandeltochten, vogelexcursies, theepartijtjes op een boerderij, meezingsessies, toneel, tapdanslessen.

Met stijgende opwinding keken de Walls toe hoe de hele tafel plannen bedacht en aantekeningen maakte en een programma opstelde. Ze hadden een winnend idee.

Ze keken nog een keer in de krant om te zien welke prijs er eigenlijk te winnen viel.

De winnaar mocht twaalfhonderdvijftig euro besteden bij een groot warenhuis in Dublin.

De Walls rekenden het uit. Ze waren met z'n twaalven: honderd euro per persoon en dan nog vijftig extra voor Anders, die met het idee was gekomen. Was dat goed?

Iedereen was opgetogen.

Hoe zouden ze zich noemen? Het Stone House Syndicaat? Ja, dat klonk perfect. Orla zou alles uittypen en iedereen een print geven. Ze zouden allemaal op de uitslag letten, die in de week voor Kerstmis bekend zou worden gemaakt.

Als het festival er kwam, zouden ze allemaal hier terugkomen om het te vieren.

En het mooist van alles: de Walls konden de rest van de week nog genieten van dit prachtige huis, met de golven die stuksloegen op de kust. Een hotel dat hun had gegeven wat het had beloofd en zelfs nog meer.

Niet dat ze nu echt de magie van die roze wolk over zich heen gesprenkeld hadden gekregen, het ging dieper: een besef van wat echt belangrijk was en een heerlijk gevoel van rust.

Juffrouw Nell Howe

De meisjes op de Wood Park School dachten dat juffrouw Howe negentig was, toen ze met pensioen ging. In werkelijkheid was ze zestig. Wat maakte het uit. Ze was oud. Ze stonden geen moment stil bij de vraag hoe zij daarna haar dagen, weken en maanden zou doorbrengen. Oude mensen bleven gewoon de baas spelen en mopperen en klagen. Ze hadden er geen idee van hoe ze tegen deze dag had opgezien en hoe bang ze was voor de eerste maand september in veertig jaar dat ze niet zou beginnen aan een nieuw schooljaar vol hoop en plannen en projecten.

Juffrouw Howe was er al zolang iedereen zich kon herinneren. Ze was lang en mager, met strak achterovergekamd haar dat op haar achterhoofd bijeen werd gehouden door een ouderwetse haarspeld. Ze droeg donkere kleren onder een toga. In het verleden had ze de moeders en tantes van deze meisjes lesgegeven, maar de laatste jaren was ze, als hoofd van de school, zelden in een klaslokaal geweest; ze zat meestal in haar kantoor.

De meisjes vonden het verschrikkelijk als ze naar het kantoor van juffrouw Howe moesten. Dat betekende altijd een standje, een slechte aantekening of straf. Maar dat was het niet alleen. Het kantoor was een plek zonder leven. Juffrouw Howe had een zeer functioneel en altijd volkomen leeg bureau: ze kon niet tegen chaos of rommeligheid.

Aan een muur waren goedkope planken bevestigd met daarop veel boeken over onderwijs. Geen op maat gemaakte boekenkasten, zoals je zou verwachten bij een vrouw die tientallen jaren in het onderwijs had gezeten. Een andere muur hing vol lesroosters en lijsten van komende gebeurtenissen, details van verschillende projecten en bijbehorende tijdstippen. De kamer werd gedomineerd door twee grote ijzeren archiefkasten – waarschijnlijk vol met de gegevens van generaties Wood Park-scholieres – en een grote computer. Voor het raam hingen saaie, bruine gordijnen; geen schilderijen aan de wanden, niets wat erop duidde dat er ook een leven was buiten deze muren. Geen foto's, decoraties of tekenen dat juffrouw Howe, hoofd van de school, nog ergens anders belangstelling voor had dan voor Wood Park School. Hier ondervroeg ze toekomstige leerlingen en hun ouders, mogelijke nieuwe leerkrachten, inspecteurs van het ministerie van Onderwijs en af en toe een ex-leerling die geslaagd was in het leven en terug was gekomen om een bibliotheek te stichten, of een sportzaal.

Juffrouw Howe had een assistente, Irene O'Connor, die hier al jaren werkte. Irene was rond en gezellig en in de lerarenkamer noemden ze haar altijd 'het aardige gezicht van het Howe-kantoor'. Het leek wel of ze niet merkte dat juffrouw Howe haar meer afblafte dan tegen haar sprak. Juffrouw Howe bedankte haar zelden voor iets wat ze had gedaan, en deed altijd een beetje verrast en bijna geërgerd als Irene haar thee en koekjes bracht tijdens een bespreking die zo te horen nogal ongemakkelijk of ruzieachtig verliep.

Er stonden geen planten of bloemen in het kantoor van juffrouw Howe, dus had Irene er een kleine Kalanchoe in een koperen pot neergezet. Het was een vetplant die vrijwel geen verzorging nodig had, en dat was maar goed ook, want juffrouw Howe gaf hem nooit water en zag hem blijkbaar niet eens. Irene droeg meestal donkere jasjes en rokken, maar met een felgekleurd T-shirt. Het was of ze probeerde toch nog een beetje kleur in het treurige kantoor te brengen, zonder juffrouw Howe te ergeren. Irene was hoogstwaarschijnlijk een heilige, en zou misschien wel bij leven zalig verklaard worden.

Zij werkte in een kamertje voor het kantoor en daarin was haar persoonlijkheid overduidelijk aanwezig, net als in haar conversatie. Er stonden weelderige geraniums en haar prikbord hing vol ansichtkaarten die ze van vrienden had gekregen; op het bureau had ze lijstjes met foto's van haarzelf gezet. Op de planken aan de muur stonden souvenirs die ze had meegebracht van vakanties naar Spanje en foto's van haarzelf op een fiësta, in een strokenrok en met een grote sombrero op haar hoofd. Hier vond je de bewijzen van een druk, gelukkig leven, heel anders dan in de sombere cel waar juffrouw Howe zo trots op was.

Ze ging elke dag tussen de middag naar huis, omdat ze een invalide moeder had en een neefje, Kenny, het zoontje van haar overleden zus. Irene en haar moeder hadden Kenny een fijn thuis gegeven en hij groeide op tot een prima jongen.

In de lerarenkamer was iedereen vol bewondering voor Irenes eindeloze geduld en haar goede humeur. Soms hadden ze medelijden met haar, maar Irene wilde geen kwaad woord over haar werkgeefster horen.

'Nee, nee, dat is alleen maar haar manier van doen,' zei ze dan. 'Ze heeft een hart van goud en voor mij is dit de ideale baan. Begrijp dat alsjeblieft.'

De leraren zeiden tegen elkaar dat mensen als Irene altijd het slachtoffer zouden zijn van de juffrouw Howes van deze wereld. Wat bedoelde Irene met 'alleen maar haar manier van doen'? Mensen wáren hun manier van doen. Hoe moest je ze anders kennen?

Juffrouw Howe werd terecht Haar Eigen Ergste Vijand genoemd. De leerkrachten giechelden vaak om die mooie bijnaam, die haar op de een of andere manier onschadelijk maakte. Ze werd minder beangstigend als ze haar achter haar rug zo konden noemen, al zorgden ze er wel voor dat de leerlingen nooit lucht kregen van die bijnaam.

In het jaar voordat juffrouw Howe met pensioen zou gaan, werd er veel gespeculeerd over haar opvolger. In de huidige staf zat niemand die genoeg dienstjaren of autoriteit bezat om haar te vervangen. Dat kwam door de manier waarop juffrouw Howe de school altijd had geleid, zonder ook maar iets aan anderen te willen overlaten. Er zou waarschijnlijk iemand van buiten benoemd worden. Dat vond de staf ook geen prettig idee. Ze waren gewend aan Haar Eigen Ergste Vijand. Ze wisten hoe ze met haar om moesten gaan en ze hadden Irene om de scherpe kant-jes eraf te halen. Wat zou de nieuwe niet allemaal willen ver-anderen? Beter het kwaad dat je kende dan een nieuw opgelegd kwaad dat totaal onbekend was.

Ze vroegen zich ook af hoe het met Irene zou gaan. Zou ze blijven en de nieuwe tsaar dienen? Zou ze ook excuses vinden voor het volgende hoofd en haar manier van doen? En wat als het nieuwe hoofd Irene niet wilde?

Het betekende verandering. Ze waren bang voor verandering.

En dan was er nog de kwestie van het cadeau voor juffrouw Howe. Geen van allen had ook maar een idee waar haar be-langstelling naar uitging. Zelfs de oppervlakkige gesprekjes aan het begin van elk schooljaar hadden nooit iets onthuld. Juf-frouw Howe had geen vakantieverhaal te vertellen, ze had het nooit over iets dergelijks, en ook niet over een familiefeest, of over een huis dat geschilderd of een tuin die omgespit moest worden. Uiteindelijk vroegen ze er niet meer naar.

Maar wat kon je deze vrouw geven ter ere van al haar jaren hier op Wood Park? Een cruise, een week in een welnessresort, een kristallen glasservies of een mooi, handgemaakt meubel-stuk: er kon allemaal geen sprake van zijn. Ze wisten allang dat in de ogen van juffrouw Howe alleen bruikbaarheid telde: als iets werkte, was het goed.

De leerkrachten smeekten Irene om iets te bedenken.

'Jij ziet haar elke dag. Je praat met haar. Jij moet toch wel enig idee hebben van wat ze graag zou willen hebben?' pleitten ze.

Maar Irene zei dat er werkelijk niets bij haar opkwam. Juf-frouw Howe was erg gesloten. Ze geloofde niet in gesprekjes over persoonlijke aangelegenheden.

De oudercommissie vroeg Irene hetzelfde. Ze wilden iets speciaals doen, maar wisten niet wat. Irene besloot dan ook wat harder haar best te doen om meer te weten te komen over het leven van haar werkgeefster.

Ze kende het adres van juffrouw Howe, dus het eerste wat ze deed was naar haar huis gaan kijken. Het lag aan een hellende straat die St.-Jarlath's Crescent heette. Kleine huizen, die ooit beschouwd werden als arbeiderswoningen, later bestempeld waren tot stadswoningen en nu weer in waarde daalden door de recessie. De meeste voortuintjes waren goed onderhouden, veel hadden een border met fleurige bloemen en bloembakken in de vensterbank.

De tuin van juffrouw Howe was saai. Twee bloeiende struiken en een keurig gemaaid gazon. Het schilderwerk van de deur, het hek en de kozijnen kon wel een opknapbeurt gebruiken. Het zag er allemaal niet echt verwaarloosd uit, eerder genegeerd. Hier kon ze niets uit opmaken.

Irene besloot dapper te zijn en het huis vanbinnen te gaan bekijken. Met dat doel voor ogen stopte ze de volgende ochtend juffrouw Howes leesbril in haar eigen handtas en ging na werktijd naar het huis om die af te geven: ze zou doen alsof ze de bril op het bureau had gevonden.

Juffrouw Howe deed zonder enthousiasme de deur voor haar open.

'Dat was niet nodig geweest, Irene,' zei ze koud.

'Maar ik was bang dat u anders vanavond niet zou kunnen lezen,' stamelde Irene.

'Nee, ik heb genoeg reservebrillen. Maar toch bedankt. Heel vriendelijk van je.'

'Mag ik even binnenkomen, juffrouw Howe?' Irene viel bijna in katzwijm, dat ze dit durfde te vragen.

Het bleef even stil.

'Natuurlijk.' Juffrouw Howe hield de deur voor haar open.

Het huis was klinisch kaal, net als het kantoor op Wood Park. Geen schilderijen aan de muren, een gammel boekenkastje, een klein, ouderwets tv-toestel. Een tafel waarop een dienblad stond met haar avondeten: een stuk kaas, twee tomaten en twee sneden brood. Bij Irene thuis zouden ze pasta eten met pittige tomatensaus. Irene had Kenny leren koken en vanavond zou hij een rabarbertoetje maken. Ze zouden met z'n drieën een spelletje Scrabble spelen en daarna zouden Irene en haar moeder naar een tv-serie kijken en Kenny, die nu achttien was, zou met vrienden gaan stappen.

Wat een fijn thuis, vergeleken bij deze kille, sombere plek.

Maar Irene wilde het nog niet opgeven, nu ze al zover gekomen was.

'Juffrouw Howe, ik zit met een probleem,' zei ze.

'O ja?' De stem van juffrouw Howe klonk ijzig.

'Ja. De leerkrachten én de ouders hebben mij gevraagd wat een passend cadeau zou zijn voor uw afscheid komende zomer. Iedereen vindt het belangrijk u iets te geven wat u graag wilt hebben. En omdat ik de hele dag met u samenwerk, dachten ze blijkbaar dat ik het wel zou weten. Maar ik weet het niet. Ik kan niets bedenken, juffrouw Howe. Ik vroeg me af, kunt u me misschien op een idee brengen?'

'Ik wil niets hebben, Irene.'

'Maar juffrouw Howe, daar gaat het niet om. Zíj willen u iets geven, iets wat past bij u, bij de gelegenheid.'

'Waarom?'

'Omdat ze u hoog aanslaan.'

'Als ze me echt hoog aanslaan, dan laten ze me met rust en besparen me dat sentimentele gedoe.'

'O, maar zo zien zij het niet, juffrouw Howe.'

'En jij, Irene, hoe zie jíj het?'

'Ik denk dat ze mij maar een slechte vriendin en collega zullen vinden, als ik na twintig jaar voor u werken niet eens kan vertellen wat een mooi afscheidscadeau zou zijn.'

Juffrouw Howe keek haar een tijdlang aan.

'Maar Irene, je bént geen vriendin of collega,' zei ze uiteindelijk. 'Het is een heel andere verhouding. Mensen hebben het recht niet om te verwachten dat je zoiets zou weten.'

Irene deed verschillende keren haar mond open en weer dicht.

Toen de leerkrachten in de lerarenkamer juffrouw Howe hadden bespot en haar Haar Eigen Ergste Vijand hadden genoemd, was zij voor deze vrouw opgekomen. Nu vroeg ze zich af waarom. Juffrouw Howe was inderdaad iemand zonder warmte of gevoel, zonder vrienden of interesses. Ze moesten maar een picknickmand voor haar kopen of een stofzuiger. Het deed er niet toe. Het kon Irene niet meer schelen.

Ze pakte haar tas en liep naar de deur.

'Nou, dan ga ik maar, juffrouw Howe. Ik zal u niet langer van uw avondeten afhouden. Ik wilde alleen maar uw leesbril terug-brengen, dat is alles.'

'Ik had mijn bril niet op het bureau laten liggen, Irene. Ik laat nóóit iets op mijn bureau liggen,' zei juffrouw Howe.

Het lukte Irene nog net om zonder wankelen bij het hek te komen. Pas toen ze een eindje de straat in was gelopen, werden haar benen slap.

Al die jaren had ze voor juffrouw Howe gewerkt, haar afge-schermd voor boze ouders, ontevreden leerkrachten, opstandige leerlingen. Vanavond had juffrouw Howe haar recht in haar ge-zicht gezegd dat ze het niet in haar hoofd moest halen zich haar vriendin of collega te noemen. Ze was alleen maar iemand die werkte voor het hoofd.

Hoe had ze zo blind kunnen zijn en zo zeker van haar eigen positie?

Ze moest een hek vastgrijpen om overeind te blijven. Een jonge vrouw kwam haar huis uit en keek haar bezorgd aan.

'Voelt u zich wel goed? U ziet zo wit als een doek.'

'Het gaat wel, geloof ik. Ik voel me alleen een beetje duizelig.'

'Kom even binnen. Ik ben verpleegster, trouwens.'

'Ik ken je wel,' hijgde Irene. 'Je werkt in de hartkliniek van het St.-Brigid Ziekenhuis.'

'Ja. U bent daar toch geen patiënt?'

'Ik kom wel eens mee met mijn moeder, Peggy O'Connor.'

'O, natuurlijk. Ik ben Fiona Carroll. Peggy heeft het altijd over u en hoe goed u voor haar zorgt.'

'Dan is er tenminste iemand die vindt dat ik ergens goed voor ben,' zei Irene.

'Kom binnen, juffrouw O'Connor, dan schenk ik een kop thee voor je in.' Fiona gaf haar een arm en Irene liet zich dank-baar opnemen in een huis dat zo anders was dan dat van juffrouw Howe dat het op een andere planeet had kunnen staan. Fiona en haar twee kleine jongens kwamen met thee en chocoladecake om haar op te peppen.

Irene begon zich veel beter te voelen.

Discreet en loyaal als ze was, weerstond ze de verleiding om haar hart te luchten tegenover deze vriendelijke Fiona, ook al wist die vast wel hoe moeilijk haar buurvrouw was en had ze haar misschien een beetje troost kunnen bieden.

Maar oude gewoonten laat je niet zo makkelijk los.

Als je iemands assistente was, vond Irene, dan hoorde je over die persoon geen kwaad te spreken tegenover anderen. Ze zei dan ook geen woord over haar akelige bezoekje aan juffrouw Howe. Ze verzekerde Fiona dat ze zich nu goed genoeg voelde om de bus naar huis te nemen. Op dat moment kwam een man die Dingo heette bij het huis aan, om pootaarde en trays met tuinplanten af te leveren. De familie Carroll zou een weekend gaan tuinieren, vertelden ze aan Irene. De jongens kregen allebei een eigen tuintje.

'Dingo brengt je wel even naar huis, juffrouw O'Connor,' hield Fiona vol. 'Hij moet toch die kant op.'

Dingo vond dit een prima idee.

'Wat een leuk gezin,' zei Irene tegen hem, terwijl ze in zijn busje ging zitten. 'Heb je zelf ook een gezin, Dingo?'

'Nee, ik heb altijd geloofd in een solocarrière,' zei hij. 'Geloof me, juffrouw O'Connor, niet elk huwelijk is zo goed als dat van Fiona en Declan. Je komt soms echtparen tegen die elkaar het leven tot een hel maken. Bent u zelf nooit getrouwd?'

'Nee, Dingo. Eén keer had ik de kans, maar hij gokte en dat maakte me bang, en daarna had mijn moeder me nodig, dus hier zit ik dan.' Ze besefte dat ze terneergeslagen klonk, wat voor haar ongewoon was. Dat was het effect dat juffrouw Howe vandaag op haar had gehad.

Dingo reed door, zonder iets te merken.

'Met mijn oom Nasey is het net zo. Hij zegt dat hij jaren geleden verliefd op iemand was, maar zijn kans heeft laten lopen. Hij vraagt altijd of ik voor hem wil uitkijken naar iemand van in de veertig. Bent u in de veertig, juffrouw O'Connor?'

'Nog net,' zei Irene. 'Vraag me dat volgend jaar niet weer, want dan moet ik nee zeggen.'

'Oké, dan zal ik hem nu over u vertellen, voor het te laat is,' beloofde Dingo.

Irene ging naar huis en maakte het eten klaar. Ze vertelde haar moeder en Kenny niet wat er die dag gebeurd was. Ze hadden geen idee dat al het werk van Irene voor juffrouw Howe was afgedaan in één, wrede zin.

Ook wisten ze niet dat er, op het moment dat zij aan tafel gingen voor het avondeten, pogingen werden gedaan om Irene aan een echtgenoot te helpen. Dingo was bij zijn oom Nasey langsgegaan en vertelde hem dat er een erg aardige vrouw van negenenveertig op de markt was. En hij was zo overtuigend, zo meeslepend dat oom Nasey heel graag meer over Irene te weten wilde komen...

In de weken die volgden merkten de leerkrachten op dat er iets veranderd was aan Irene. Ze deed afwerend in plaats van enthousiast als ze met haar probeerden te bespreken wat voor afscheid ze zouden organiseren voor juffrouw Howe en welk cadeau ze voor haar zouden kiezen.

'Ik denk niet dat het iets uitmaakt,' zei Irene dan, en ze veranderde van onderwerp. Misschien maakte ze zich zorgen over haar baan, dachten ze. Misschien zou het volgende hoofd zelf een assistente willen aannemen.

Irene bleef haar werk doen als altijd, maar zonder warmte of enthousiasme. Als dit juffrouw Howe was opgevallen, en als ze had gezien dat er iets niet klopte, dan liet ze dat niet merken. Irene bracht geen thee en koekjes meer tijdens ongemakkelijke besprekingen. Ze haalde de kleine Kalanchoe weg, gaf hem plantenvoedsel en vertroetelde hem net zo lang tot hij weer blakend van gezondheid in haar kantoortje stond. De tijd dat Irene vrolijke verhalen vertelde over haar wereldje, was voorbij.

Maar nu had Irene een sociaal leven waar juffrouw Howe niets van wist. Nasey had haar gebeld en gezegd dat die idioot van een neef van hem heel hoog van haar had opgegeven. Misschien wilde ze een keertje met hem naar de film? Daarna gingen ze samen bowlen en naar een pub met live muziek. Eigenlijk heette hij Ignatius, legde hij uit, en dat was in elk geval beter dan Iggy, zoals een jongen met wie hij op school had gezeten, werd genoemd. Hij werkte in een slagerswinkel voor een meneer Malone, de meest fatsoenlijke kerel die er op aarde rondliep.

Hij begon ook bij Irene thuis langs te komen en bracht dan altijd lekkere lamskarbonaadjes of een mooi stuk varkensvlees mee. Irenes moeder Peggy was dol op hem en liet geen gelegenheid voorbijgaan om hem te vertellen wat een geweldige vrouw Irene was.

'Dat weet ik, mevrouw O'Connor. U hoeft haar niet aan mij te verkopen. Ik ben al verslingerd,' zei hij dan, en Peggy bloosde van blijdschap.

Nasey kwam uit het westen van Ierland en had zelf weinig familie in Dublin. Hij had twee neven: Dingo had Irene al ontmoet; die reed rond in een busje en deed allerlei klussen voor mensen. En dan waren er nog zijn zus Nuala en haar zoon Rigger, die pech had gehad in zijn leven en een tijdlang op een tuchtschool had gezeten. Hij was weggestuurd naar de westkust en het zag ernaar uit dat hij daar op zijn pootjes terecht was gekomen. Hij had een aardig meisje gevonden, verbouwde groenten en hield kippen. Hij werkte als een soort manager voor een hotel dat nog open moest gaan; een soort klein Groot Huis, als ze begreep wat hij bedoelde. Het stond hoog op een klif en het uitzicht was oogverblindend. Op een dag, beloofde Nasey, zou hij Irene en haar moeder meenemen om het allemaal te gaan bekijken. Dat zouden ze enig vinden.

Kenny vond het ook prettig als Nasey er was en ze konden altijd een beroep op hem doen om een oogje op zijn oma te houden, wanneer de twee parkietjes, zoals hij ze noemde, de stad in wilden.

Vlak voor het eind van het schooljaar, na zes maanden hofmakerij, vroeg Nasey Irene ten huwelijk. Het zou een bescheiden bruiloft worden, en toen ze Kenny het nieuws vertelden, bood die aan om zijn tante weg te geven. Maar Irene was met haar gedachten bij iets anders. Ze wachtte tot Peggy naar bed was gegaan.

'Ik moet je iets vertellen, Kenny,' begon Irene.

'Ik heb het altijd geweten,' zei hij eenvoudig. 'Ik wist al op mijn negende dat jij mijn moeder was.'

'Waarom heb je dat nooit gezegd?' Ze was verbijsterd.

'Het maakte niets uit. Ik wist dat je er altijd zou zijn.'

'Wil je me nog iets vragen?' vroeg ze met een klein stemmetje en ze begon te huilen.

'Was je erg bang en alleen in die tijd?' vroeg hij, en hij ging naast haar zitten en sloeg zijn armen om haar heen.

'Een beetje, maar hij was niet vrij, zie je. Je vader was al getrouwd. Het zou niet eerlijk geweest zijn om alles wat hij had in de war te schoppen. Toen stierf Maureen in Engeland en dus deden we net alsof jij van haar was. Voor mam. Zo kreeg mam haar kleinkind en ik kreeg mijn zoon – en alles was goed.' Nu lachte Irene door haar tranen heen.

'Weet Nasey het?'

'Ja, ik heb het hem gelijk verteld. Hij zei dat jij het waarschijnlijk al geraden had, en hij had nog gelijk ook.'

'Komt Nasey hier wonen?'

'Als jij dat niet erg vindt,' zei Irene. 'Hij kan geweldig met je oma opschieten.'

'Alsof ik dat niet weet. Ik vind het prachtig om te zien hoe fanatiek jullie 's avonds bridge-voor-drie zitten te spelen. Dat is spannender om naar te kijken dan wat ze in Las Vegas doen.' Hij zei dat hij het heel fijn vond dat Nasey hier zou komen wonen, want hij wilde zelf al een tijdje gaan reizen. Er was een kans dat hij naar Amerika kon. Nu voelde hij zich vrij om zijn eigen plannen te maken.

Achttien jaar lang had Irene opgezien tegen de dag dat ze dit aan Kenny zou moeten vertellen, en nu had hij er nauwelijks op gereageerd. Wat kon het toch vreemd lopen in het leven.

Irene deed haar verlovingsring om naar haar werk; juffrouw Howe gaf er geen commentaar op en Irene begon er niet over. De leerkrachten zagen hem natuurlijk wel; Irene vertelde hun dat haar moeder haar getuige zou zijn en Naseys neef Rigger uit Stoneybridge zou overkomen om zijn getuige te zijn; dat er op die laatste zaterdag van augustus thee en broodjes klaar zouden staan in een pub en zij het erg leuk zou vinden als alle leerkrachten dan zouden komen. Koortsachtig van opwinding begonnen ze een huwelijkscadeau voor haar te bedenken.

Voor Irene was dat makkelijk: zij vond alles leuk. Het kon een vakantie in Spanje zijn, een tuinschuurtje, een schilderij van Connemara, een weekend in een kasteel, een set koffers met wieltjes, een croquetspel, een grote spiegel versierd met engeltjes. Irene zou al die dingen enig vinden en de hemel in prijzen.

Met het afscheidscadeau voor juffrouw Howe waren ze nog geen stap verder.

Er werd veel druk op Irene uitgeoefend om te bedenken wat het moest worden; haar kon het absoluut niet schelen, maar ze vond dat ze ter wille van de leerkrachten en leerlingen toch moest proberen iets te verzinnen, ze wilde hen niet teleurstellen. Het was zo fijn om Nasey alles te kunnen vertellen als ze 's avonds klaar was met werken.

Nasey zei dat hij erover zou denken. Ondertussen had hij zelf ook nieuws. Zijn neef Rigger had hem gebeld.

'Ze zijn in paniek op Stone House. Ze hebben nog niet één echte reservering voor de openingsweek. Chicky en hij zijn bang dat het een mislukking wordt, en dat na al hun harde werken.'

'Nou,' zei Irene, 'we moeten Rigger om wat folders vragen, dan kan ik die ronddelen op school. Er zijn wel een paar leerkrachten die dit leuk zouden vinden.'

'Waarom sturen jullie juffrouw Howe er niet heen?' zei Nasey triomfantelijk.

'Maar ze is zo verschrikkelijk, kunnen we hun dat wel aandoen?'

'Misschien valt ze buiten de school wel mee. Ik bedoel, ze kan gaan wandelen; ze zou niet al te veel mensen in de weg zitten.' Nasey was te optimistisch van aard om al te slecht over Irenes baas te denken.

'Ik zal het voorstellen. Het zou de perfecte oplossing kunnen zijn,' zei Irene.

'Laten we duimen dat ze de boel daar niet ineens sluiten,' zei Nasey met een brede lach. En toen richtten ze hun aandacht weer op de bruiloft.

Het viel de leerkrachten op dat Haar Eigen Ergste Vijand de laatste tijd nog stijver deed dan anders, en nog bozer werd dan vroeger, als iemand blij deed omdat het einde van het schooljaar in zicht was. Ze hield zich meer bezig met rapportcijfers dan met de toekomst van de kinderen, en was zo mogelijk nog minder benaderbaar dan voorheen.

Haar auto werd steeds later op de avond nog op het schoolplein gesignaleerd en 's morgens kwam ze steeds vroeger op school. Zo te zien was juffrouw Howe doordeweeks nog maar zeven of acht uur per etmaal níet op Wood Park.

Het was niet normaal.

Uiteindelijk sprak ze Irene aan over haar bruiloft.

'Een van de ouders vertelde me dat je erover denkt te gaan trouwen, Irene,' zei juffrouw Howe met een lachje. 'Is dat waar?'

'Jazeker, juffrouw Howe, eind augustus,' zei Irene.

'En je vond het niet nodig om dat aan mij te vertellen?' Er klonk afkeuring en verdriet in haar stem.

'Ach, nee. Zoals u zelf zei, ik ben niet uw collega of uw vriendin. Ik werk alleen maar voor u. En het gebeurt toch allemaal in de vakantie, dus ik zag niet in waarom ik het u zou vertellen.'

Al klonk dit niet echt onvriendelijk, toch lag er iets kortafs in de toon van Irene, en juffrouw Howe keek haar scherp aan. Dit was het moment waarop ze zou kunnen zeggen hoe blij ze was voor Irene en dat ze haar alle geluk wenste. Dit was zelfs het moment om te zeggen dat ze Irene wel degelijk beschouwde als een vriendin en collega.

Maar nee, al die jaren haar eigen ergste vijand zijn lieten zich gelden en dus lachte ze weer.

'Nou, ik neem niet aan dat je nog een gezin wilt stichten, zo laat in je leven,' zei ze, geamuseerd bij de gedachte alleen al.

Irene keek haar recht aan, zonder te glimlachen. 'Nee, inderdaad, juffrouw Howe. Ik ben al gezegend met een zoon, die nu achttien is. Nasey en ik willen niet nog meer kinderen.'

'Nasey!' Juffrouw Howe kon haar lachen bijna niet inhouden. 'Heet hij zo? Grote goedheid!'

'Ja, zo heet hij, en goedheid is inderdaad een heel mooi woord om hem te beschrijven, Hij is erg goed. Voor mij, voor mijn zoon Kenny en voor mijn moeder. Hij werkt als slager, mocht u dat ook grappig vinden.'

'Alsjeblieft, Irene, rustig. Wat doe je hysterisch. Ik heb net twee buitengewone ontdekkingen over je gedaan. Je liet me altijd foto's zien van Kenny en dan zei je dat hij je neef was.'

'Dat leek me verstandig, omdat ik niet getrouwd was.'

'En deze Nasey maakt een fatsoenlijke vrouw van je, is dat het?'

Irene vroeg zich af hoe ze achttien jaar lang voor deze vrouw had kunnen werken, om nog maar te zwijgen over de excuses die ze voor haar had gezocht, dat het alleen maar haar manier van doen was. Juffrouw Howe bezat geen hart, geen warmte.

'Ik heb mezelf altijd als fatsoenlijk beschouwd. Net als iedereen die mij kent. Maar ja, u kent mij ook helemaal niet, juffrouw Howe, u hebt me nooit gekend.'

'Ik neem aan dat je hier wilt blijven werken als ik weg ben, en na dat... eh... huwelijk?' De ogen van juffrouw Howe stonden woedend.

'Jazeker. Ik hou van deze school, van de staf en de leerlingen.'

'Dan kun je maar beter oppassen met wat je zegt, Irene, als je wilt dat ik een goede referentie voor je schrijf. Mijn opvolgster voelt er misschien niet voor om te blijven zitten met iemand die achterbaks is en een slechte werkhouding heeft.'

'U schrijft maar wat u wilt, juffrouw Howe. Dat zou u toch wel doen.'

'Je gedraagt je wel heel kortzichtig, Irene.'

'Dank u, juffrouw Howe. Ik ga maar weer aan het werk, zolang ik nog een baan heb.' En Irene liep de kamer uit zonder om te kijken.

Trillend ging ze achter haar bureau zitten en ze kon nauwelijks de kracht opbrengen om haar mobiele telefoon op te nemen.

Het was haar moeder, met goed nieuws. Nasey was tussen de middag langsgekomen en had haar laten zien hoe ze op internet moeder-van-de-bruid-outfits kon bekijken. Ze zou een blauw met witte jurk kopen met een jasje erbij. Paste dat bij wat Irene in haar hoofd had?

Al snel vloeiden de blijheid en opwinding in haar terug. De giftige, koude eenzaamheid van juffrouw Howe achter de deur van haar gevangenisachtige kantoor, ebde weg.

De hele school verzamelde zich om afscheid te nemen van juffrouw Howe. Zoals elke ochtend stond ze op het verhoogde podium in de hal van de school. Nog steeds in haar zwarte toga, haar haar bijeengehouden door dezelfde haarspeld. Haar gezicht was nog steeds volkomen onbewogen. Verscheidene leerkrachten lazen een tekst op waarin ze de verdiensten van juffrouw Howe roemden; de leerlingvertegenwoordigster hield een toespraak en de voorzitter van de oudercommissie drukte zijn dankbaarheid uit namens alle meisjes die zulke goede resultaten hadden behaald hier op Wood Park, dankzij juffrouw Howe. Niemand zei iets over een welverdiende rust of dat haar echte leven nu pas begon. Ten slotte werd de enveloppe overhandigd, als blijk van hun aller waardering. Het was een bon voor een vakantie in de openingsweek van Stone House, een nieuw hotel aan de westkust van Ierland. Juffrouw Howe deed geen poging om iemand te bedanken, en van haar gezicht viel niets af te lezen, toen werd gezegd wat het cadeau inhield. Maar niemand had ook een andere reactie verwacht.

Het nieuwe schoolhoofd was al benoemd. Het was mevrouw Williams, een weduwe die hoofd was geweest van een grote meisjesschool in Engeland, maar nu terug wilde naar haar familie in Ierland. Blijkbaar zou ze haar eigen spullen meebrengen om het kantoor in te richten en wilde ze de administratie graag houden zoals hij was. Irene zou in juli en een deel van augustus werken, om haar te helpen zich in te werken. Ze wist dat Irene drie weken met vakantie zou gaan, maar dat ze op de eerste schooldag weer op haar post zou zijn.

Mevrouw Williams was uitgenodigd voor het afscheid van juffrouw Howe, maar had dat afgeslagen. Ze wilde de aandacht niet afleiden, zei ze. Dit was de dag van juffrouw Howe.

Eigenlijk zou iedereen juist blij geweest zijn met de aanwezigheid van mevrouw Williams. Zij zou de pijnlijke ceremonie en de eindeloze borrel daarna goed hebben gedaan. Mensen keken verlangend op hun horloge, in de hoop dat ze al met goed fatsoen konden vertrekken. Was de tijd ooit zo langzaam gegaan?

Was er ooit zo'n vreugdeloze toespraak gehouden, waarin de moderne ontwikkelingen in het onderwijs werden betreurd, de noodzaak van discipline en uit het hoofd leren op scholen werd benadrukt en waarin bepleit werd dat zogenaamde creativiteit nooit ten koste mocht gaan van de goede, ouderwetse basiskennis?

Alle aanwezigen – de leerkrachten die hun best hadden gedaan om het programma zowel boeiend als serieus te maken, de ouders die stiekem opgelucht waren dat hun dochters goede cijfers hadden behaald en naar goede universiteiten konden, de leerlingen die niet konden wachten tot de vakantie begon – baden dat het snel voorbij mocht zijn.

Irene ging terug naar haar kantoortje om haar spullen te pakken. Ze kon niet wachten tot ze thuis was en Nasey kon vertellen over het huwelijkscadeau dat de leerkrachten op Wood Park voor hen hadden bedacht. Het was niet alleen een prachtige gasbarbecue, maar ook zou een tuincentrum een patio voor hen aanleggen en een muur om hun tuin bouwen, zodat ze beschut konden zitten. Nu hadden ze alleen nog maar een leven lang mooie zomers nodig om heerlijk buiten te kunnen eten!

Tot haar verbazing hoorde ze een geluid in het kantoor van juffrouw Howe. Ze klopte op de deur. Daar stond juffrouw Howe, alleen achter haar bureau, dat leeg was afgezien van haar autosleutels. Het raam achter haar, omlijst door de zware, donkerbruine gordijnen, keek uit op het lege schoolplein.

'Ik kwam even kijken of er geen insluiper was.' Irene wilde alweer weglopen.

'Blijf nog even, Irene, ik wil je een huwelijkscadeautje geven.'

Hier had ze niet op gerekend.

'Dat is heel aardig van u, juffrouw Howe, echt heel aardig.'

Juffrouw Howe overhandigde haar een chic draagtasje met glitters. Niet iets wat je van juffrouw Howe zou verwachten. Irene wist niet wat ze moest zeggen.

Meteen voelde ze zich schuldig. Ze had geen cent bijgedragen aan het afscheidscadeau voor juffrouw Howe, ze had haar naam niet op een kaart gezet en haar niet het beste gewenst. Nu schaamde ze zich.

'Het is niets. Alleen maar een kleinigheidje om je aan mij te herinneren.'

'Ik zal het werken voor u echt niet vergeten, juffrouw Howe.'

'En ik hoop van harte dat mevrouw Williams besluit je aan te houden.'

'Dat hoop ik ook. En nogmaals bedankt voor het cadeau. Zal ik het nu openmaken?'

'O, nee, alsjeblieft...' Juffrouw Howe deinsde terug, bijna met afkeer, alsof het openmaken van het cadeau het lege kantoor zou bezoedelen.

De boeken waren allemaal weg, maar de goedkope hardboard planken hingen er nog, klaar om binnenkort weggehaald te worden, al wist juffrouw Howe dat niet. Aan niets was te zien dat iemand hier zo lang had gewerkt.

'Nou, dan maak ik het vanavond open en dan bedank ik u nu alvast dat u de moeite hebt genomen om iets voor ons uit te zoeken. Dat waardeer ik heel erg.' Irene straalde oprechtheid uit.

Juffrouw Howe huiverde licht om zoveel vertrouwelijkheid.

'Nou, ik hoop dat het bevalt. Je weet niet wat je moet geven, eigenlijk. Vooral bij een laat huwelijk.'

'Het spijt me.'

'Ik bedoel, jullie hebben waarschijnlijk alles al. Het is niet zo spannend als voor een jong stel dat een nieuw nestje gaat bouwen.'

Irene weigerde haar blije gevoel om het cadeau te laten verpesten.

'Nee, natuurlijk niet. Maar voor ons is het allemaal nog wel heel nieuw en spannend. We zijn geen van beiden eerder getrouwd geweest.'

'Juist.' Juffrouw Howe perste haar lippen afkeurend op elkaar.

'In elk geval wens ik u het allerbeste, juffrouw Howe. U hebt vast al allerlei plannen voor het komende jaar.'

Juffrouw Howe had haar kunnen bedanken voor deze vriendelijke opmerking. Ze had vaag kunnen zeggen dat ze inderdaad van alles te doen had. Maar Nell Howe deed niet vaag en aardig. Dus zei ze: 'Wat leef jij toch in een prachtig sprookjes-

271

wereldje vol clichés, Irene. Het moet heel rustig zijn om nergens over na te denken.' Toen pakte ze haar autosleutels en vertrok.

Irene zag door het raam hoe juffrouw Howe in haar autootje stapte en wegreed uit het enige leven dat ze jarenlang had gekend. Ze bleef nog even staan nadat de auto door de poort van Wood Park was gereden. Wat zou juffrouw Howe vanavond doen? En al die avonden die nog volgden? Zou er altijd een dienblad met eten staan in die koude kamer? Was er iemand om dat met haar te delen?

Er was niet één vriend of familielid op de receptie geweest die ter ere van haar was gehouden. Wie ging er zo door het leven, zonder iemand om uit te nodigen voor haar eigen afscheidsreceptie?

Irene was edelmoedig van aard. Ze kon niet alleen maar slecht denken over de vrouw die haar beledigd had, en die haar nu zelfs op het allerlaatste moment nog belachelijk had proberen te maken. Juffrouw Howe had per slot van rekening een huwelijkscadeau voor haar gekocht. En, belangrijker nog, als Irene die dag niet bij juffrouw Howe op bezoek was gegaan, had ze nooit Dingo ontmoet, die zijn oom Nasey voor haar had gevonden.

Ze zuchtte en nam de bus naar huis, met in haar hand het glanzende draagtasje vol glitters waarin het huwelijkscadeau zat.

Bij het avondeten maakten ze het open. Het was een tafelkleedje met een patroon van rozenknopjes en een kanten rand. Ze kon nauwelijks geloven dat juffrouw Howe naar een winkel was gegaan en dit had uitgekozen. Helemaal niet praktisch, en een beetje ouderwets, maar zo aardig bedacht.

Toen zag ze onder in het tasje een enveloppe liggen met een kaartje. Irene haalde het eruit en las: *Voor juffrouw Howe, uit dankbaarheid, omdat u ervoor hebt gezorgd dat onze dochter haar leven heeft gebeterd en is gaan leren.* Het was ondertekend door de ouders van een leerlinge die onlangs een beurs had gewonnen voor de universiteit. Juffrouw Howe had het cadeau doorgegeven zonder het te openen, zonder het kaartje te lezen. Ze had de enveloppe niet eens opengemaakt, om kennis te nemen van de dankbaarheid die daarin zat.

Snel verfrommelde Irene het kaartje.

'Wat schrijft ze?' Peggy O'Connor genoot van elke kleinigheid, elke harteklop.

'O, ze wenst ons het beste,' zei Irene. Inwendig nam ze zich voor om nooit meer aan juffrouw Howe te denken. Ze zou haar gewoon uit haar geest en uit haar leven bannen. De vrouw was een oester. Ze was geen enkele gedachte meer waard.

Maar een week later, toen mevrouw Williams haar plaats had ingenomen, werd Irene gedwongen om toch nog een keer aan juffrouw Howe te denken. Mevrouw Williams had het kantoor van het hoofd zo veranderd dat het een totaal andere ruimte leek.

In plaats van de enorme, bonkige computer stond er nu een kleine laptop; op het bureau met houtsnijwerk stonden aantrekkelijke raffia mandjes, vrolijk gekleurde dossiermappen en een foto van wijlen meneer Williams. De nieuwe boekenplanken waren goedgevuld, maar er waren plekken opengelaten voor ornamenten en bloempotjes. Mevrouw Williams had zelfs een gietertje bij de hand, zodat ze voor de planten kon zorgen.

De harde stoelen waren vervangen door minder naargeestige meubels. Ze had een dagritme ingevoerd dat normaler en minder bezeten was dan dat van haar voorganger. Ze leek erg blij te zijn met Irene en bedankte haar voortdurend voor haar efficiëntie en haar steun. Dat was totaal nieuw voor Irene, die eraan gewend was geweest dat een grimmig stilzwijgen van de kant van juffrouw Howe het beste was wat ze kon verwachten.

Ze waren bezig het programma van de dag door te nemen, toen mevrouw Williams opkeek en zei: 'Trouwens, waarom heb je me niet verteld dat je gaat trouwen?'

'Ik wilde u niet vervelen met mijn eigen beslommeringen. Ik heb de neiging om dan een beetje door te draven!' zei Irene en ze lachte verontschuldigend.

'Nou, als je niet eens mag doordraven over je bruiloft, waar dan wél over?' Mevrouw Williams toonde oprechte belangstelling. 'Vertel me er alles over.'

Irene vertelde haar over Nasey en hoe hij al die jaren in een slagerij had gewerkt en nu zijn flat ging verkopen en bij haar en haar moeder zou komen wonen. Ze gingen een extra badkamer in het huis aanleggen... Vol enthousiasme vertelde ze maar door en ze zei dat ze hoopte dat het een heerlijke dag zou worden, en dat er niets mis zou gaan.

Mevrouw Williams keek naar de foto op haar bureau en zei dat ze zich haar eigen trouwdag nog herinnerde als de dag van gisteren. Alles was goed gegaan.

'Scheen de zon?' vroeg Irene.

Dat wist mevrouw Williams niet meer, het weer was zo onbelangrijk. Iedereen was zo gelukkig geweest. Dat was het belangrijkste.

Op dat moment rinkelde de directe telefoonlijn. Irene was er een beetje beduusd van. Ze had nooit eerder meegemaakt dat er op die lijn werd gebeld. Hij was er voor het gemak van het hoofd, voor het geval zij snel even wilde bellen zonder het hele systeem door te hoeven. Op een knikje van mevrouw Williams nam Irene op.

Een man vroeg naar juffrouw Howe.

'Juffrouw Howe is met pensioen en werkt hier niet langer als schoolhoofd. Wilt u misschien mevrouw Williams spreken, het huidige hoofd, en kunt u me dan zeggen waar het over gaat?'

'Geeft u me haar adres,' zei hij.

'Ik vrees dat we nooit adressen van stafleden vrijgeven.'

'U zei net dat ze ex-staflid was.'

'Het spijt me, maar ik kan u niet helpen. We hebben geen contact met juffrouw Howe, dus ik kan haar ook geen boodschap doorgeven,' zei Irene, en de man hing op.

Irene en mevrouw Williams keken elkaar verbaasd aan.

Een week voor de bruiloft zag Irene Nell Howe aan de overkant van de straat lopen. Irene kon het niet laten. Ze rende de straat over naar haar toe.

'Juffrouw Howe, wat ben ik blij dat ik u zie.'

Nell Howe keek haar aan alsof ze zich haar alleen met de grootste moeite kon herinneren, en uiteindelijk zei ze vlak: 'Irene.'

'Ja, juffrouw Howe. Hoe gaat het met u? Ik was al een tijdje van plan contact met u op te nemen.'

'O ja? Waarom heb je dat dan niet gedaan?'

'Kunnen we misschien even ergens een kop koffie gaan drinken?' stelde Irene voor.

'Waarom?' Juffrouw Howe verbaasde zich over de familiariteit van die vraag.

'Ik moet u iets vertellen.'

'Tja, is er nauwelijks een geschikte gelegenheid hier.' Juffrouw Howe haalde haar neus op voor de buurt.

'In dit café hebben ze lekkere koffie. Alstublieft, juffrouw Howe…'

Alsof ze zich bij het onvermijdelijke neerlegde, stemde juffrouw Howe in. Terwijl ze allebei achter een kop schuimige koffie zaten, vertelde Irene over haar plannen voor de bruiloft en over de huwelijksreis die ze gingen maken. Ze vroeg juffrouw Howe of ze zich erop verheugde om in de winter een weekje weg te gaan.

'Waarom zou iemand ooit naar zo'n afgelegen plek willen?' was het enige antwoord.

Irene veranderde van onderwerp. Ze wilde het hebben over de man die gebeld had en die zo vreemd had gedaan.

'Hebt u enig idee wie het geweest kan zijn?' vroeg ze. 'Hij heeft geen boodschap achtergelaten en wilde geen telefoonnummer geven.'

'Het moet mijn broer zijn geweest,' zei juffrouw Howe.

'Uw broer?'

'Ja, mijn broer Martin. Ik heb hem al heel lang niet meer gezien.'

'Maar waarom niet?' Haar hart ging tekeer. De terloopse manier waarop juffrouw Howe dit zei, bracht haar van haar stuk.

'Waarom niet? O, dat is allemaal jaren en jaren geleden.' Het gezicht van juffrouw Howe stond nietszeggend en onbewogen. 'En het gaat je trouwens niets aan. Is dat het? Is dat alles?' En met een kil knikje verliet juffrouw Howe het café.

Het was een prachtige dag voor een bruiloft. Kenny gaf de bruid weg, en Peggy barstte bijna van trots. Dingo was getuige, keurig in een nieuw pak, en vertelde in zijn toespraak trots dat hij de koppelaar was geweest die het gelukkige paar bij elkaar had gebracht.

Carmel en Rigger hadden voor deze gelegenheid tijd vrij kunnen maken om te komen; Riggers moeder, Naseys zus Nuala, was er ook. De zon scheen van de vroege ochtend tot de late avond. Mevrouw Williams kwam ook naar de pub en voelde zich volkomen op haar gemak tussen de leerkrachten, de slagers van de winkel van Malone en alle vrienden en buren. De arme juffrouw Howe zou hier in geen miljoen jaar tussen hebben gepast.

Ze gingen op huwelijksreis naar Spanje en daarna zou Irene weer aan het werk gaan op Wood Park, waar het leven heel wat makkelijker en prettiger zou zijn dan onder de vorige school-leiding.

Rigger en Carmel hielden hen voortdurend op de hoogte over Stone House. De bon die ze voor juffrouw Howe hadden ge-maakt, had hen op meer ideeën gebracht en een week op Stone House was nu een van de prijzen voor een prijsvraag in een tijdschrift. De gastenlijst raakte aardig gevuld; het zag ernaar uit dat Chicky Starr in haar openingsweek helemaal vol zou zitten. De opwinding rondom het hotel was groot. Rigger zei dat zijn moeder snel op bezoek zou komen. Het zou voor het eerst zijn sinds ze een meisje was dat ze weer in Stoneybridge zou komen.

Ze wilde niet in het grote huis logeren, maar Rigger en Chicky stonden erop. Het zou zo'n geweldige thuiskomst voor haar zijn.

Irene probeerde hen nog wel te waarschuwen dat het mis-schien moeilijk zou zijn om juffrouw Howe tevreden te stellen.

'Dat kunnen we wel aan,' zei Rigger opgewekt. 'Het zal een goede oefening voor ons zijn. We hebben Barbara en Howard overleefd, jouw juffrouw Howe zal voor ons geen probleem zijn. Neem dat maar van mij aan.'

Juffrouw Howe kwam met een late trein, dus ging Rigger haar ophalen. Hij zag een lange, streng uitziende vrouw met één kleine koffer die ongeduldig het station rondkeek. Dat moest haar zijn. Hij stelde zich voor en pakte haar koffer op.

'Mij was verteld dat mevrouw Starr me zou komen ophalen,' zei de vrouw.

'Ze is in het huis, om de andere gasten te verwelkomen. Ik ben Rigger, haar bedrijfsleider. Ik woon op het terrein,' zei hij.

'Ja, je hebt al gezegd hoe je heette.' Te oordelen naar haar stem vond ze het allemaal maar niets.

'Ik hoop dat u hier een heerlijke week zult hebben, juffrouw Howe. Het huis is heel gerieflijk.'

'Daar ga ik wel van uit, ja,' zei ze.

Rigger hoopte dat hij nog de kans zou krijgen om Chicky te waarschuwen dat het tijd was om de veiligheidsgordels vast te maken.

Chicky had die waarschuwing niet nodig. Alleen al met haar lichaamstaal maakte juffrouw Howe duidelijk genoeg dat ze geen vrolijke Frans was. Ze stond stijf en onbuigzaam in het groepje dat zich in de grote, gezellige keuken had verzameld. Ze wilde geen sherry of wijn maar vroeg om een glas gewoon, koud water met ijs en citroen. Ze knikte zonder iets te zeggen, wanneer ze aan een medegast werd voorgesteld.

Ze zei dat ze niet eerst naar haar kamer hoefde om zich op te frissen; aangezien ze als laatste was aangekomen, zou ze de maaltijd niet nog verder vertragen door haar afwezigheid. Ze slaagde erin elk gesprek in de kiem te smoren met een of andere nadrukkelijke uitspraak.

Ze toonde geen belangstelling voor de routes en bezienswaardigheden die Chicky voorstelde. Een voor een hielden de gasten het met haar voor gezien.

De Amerikaan vroeg haar wat voor werk ze deed, en zij zei dat, anders dan in de Verenigde Staten, de mensen hier anderen niet beoordeelden op het beroep dat ze uitoefenden of hadden uitgeoefend.

Een Zweedse jongen vertelde haar dat dit zijn tweede bezoek was aan Ierland, en nog voor hij goed en wel zijn tweede zin had uitgesproken, had ze al duidelijk laten blijken dat hij haar verveelde.

Een verpleegkundige, Winnie, vroeg of juffrouw Howe eerder aan de westkust was geweest, en zij haalde haar schouders op en zei nee, niet voorzover ze zich kon herinneren. Twee beleefde Engelse artsen vertelden haar dat ze zo onder de indruk waren van het spectaculaire landschap hier. Juffrouw Howe zei dat ze in het donker was aangekomen, dus dat ze tot nu toe niets bijzonders had gezien.

Toen Orla, die aan tafel bediende, haar vroeg of de maaltijd naar wens was geweest, antwoordde juffrouw Howe dat ze, als dat niet zo was geweest, dat zeker zou hebben gezegd. Ze zou deze zaak geen dienst bewijzen als ze niet zei wat ze vond.

Na het eten bracht Chicky Starr juffrouw Howe naar haar kamer en ze verwachtte een klein blijk van ingenomenheid met het mooie meubilair, het frisse nieuwe linnengoed op het bed, het theeblad met het fijnste porselein erop... alle anderen waren er enthousiast over geweest.

Juffrouw Howe gaf alleen maar een kort knikje.

'U bent vast moe na die lange reis,' zei Chicky Starr, terwijl ze haar teleurstelling verbeet en een excuus probeerde te vinden voor deze lauwe reactie.

'Nauwelijks. Ik heb alleen maar de hele weg vanaf Dublin in een trein gezeten.' Juffrouw Howe kende geen genade.

En de dagen daarna, alleen tussen de andere gasten, zag juffrouw Howe geen reden om ergens iets positiefs over te zeggen, van de ongerepte natuur te genieten, een compliment te geven voor het eten dat Orla en Chicky haar elke avond voorzetten.

Chicky ging zelf naast deze vreemde, gesloten vrouw zitten, om de andere gasten de beproeving te besparen met haar te moeten praten. Zelfs voor Chicky, die al die jaren in een New Yorks pension had gewerkt, met een kamer vol mannen die waren afgestompt door het zware werk in de bouw, was dit een opgave.

Juffrouw Howe stelde nooit een vraag, maakte nooit een opmerking. Wat er ook in haar leven was misgegaan, het was echt heel erg misgegaan.

278

Op de derde ochtend, toen juffrouw Howe weer geen behoefte had getoond om de kustlijn te verkennen, smeekte Chicky Rigger om haar mee naar de markt te nemen.

'O god, Chicky, moet dat echt? De melk wordt nog zuur van haar.'

'Alsjeblieft, Rigger, anders zit ze weer de hele dag alleen maar naar me te kijken en ik heb heel veel te doen voor het eten.'

Goedgemutst deed Rigger wat ze vroeg. Afgezien van juffrouw Howe ging het deze week allemaal zo goed. Al deze mensen zouden goede reclame maken voor hun hotel, Stone House zou net zo'n succes worden als ze altijd hadden geloofd. Een dag met juffrouw Howe zou hij wel overleven.

Elke vraag over hoe haar vakantie tot nu toe beviel, stuitte op een muur, dus kletste hij opgewekt honderduit over zijn eigen leven. Hij vertelde juffrouw Howe over zijn twee kinderen: de tweeling Rosie en Macken, en knikte trots naar de foto's die op het dashboard van zijn busje zaten geprikt.

'Ze hebben het uiterlijk van hun moeder,' zei hij trots. 'Ik hoop dat ze ook haar hersens hebben! Aan vaderskant zitten niet al te veel hersens.'

'En waren jouw ouders dom?' vroeg ze. Haar stem klonk koud, maar het was voor het eerst dat ze belangstelling toonde voor een gesprek.

'Mijn moeder niet. Mijn vader heb ik nooit gekend,' zei hij.

De meeste mensen zouden hebben gezegd dat ze dat speet, of dat het jammer voor hem was, maar juffrouw Howe zei niets.

'Waren uw ouders intelligent, juffrouw Howe?' vroeg Rigger.

Ze zweeg even, alsof ze overwoog of ze hier antwoord op zou geven. Uiteindelijk zei ze: 'Nee, totaal niet. Mijn moeder was helemaal geen mens voor kinderen. Ze vertrok toen ik elf was en mijn vader is daar nooit overheen gekomen. Hij raakte zijn baan kwijt en dronk zich dood.'

'O god, wat een ellendige start, juffrouw Howe. En had u nog broers en zussen die u konden opvangen?'

'Een jongere broer, maar daar ging het niet goed mee, vrees ik. Hij heeft niets van zijn leven gemaakt.'

'En was er niemand die een beetje op hem lette?'

Weer een stilte.

'Nee, die was er niet, toevallig.'

'Wat een narigheid. En u was te jong om iets voor dat joch te kunnen doen. Ik heb geluk gehad. Ik ben een tijdje van het rechte pad af geweest, maar ik had mijn moeder, die me altijd probeerde te helpen, ze schreef me zelfs elke week toen ik op tuchtschool zat. Ze deed voor me wat ze kon, ze stuurde me zelfs hierheen om me uit de problemen te halen. Ik was een beetje achteropgeraakt met lezen en schrijven enzo, ziet u. Het heeft wel even geduurd voordat ik dat had ingehaald. Ik heb geen diploma's gehaald of zoiets, maar ik heb het nu allemaal wel voor elkaar.'

'Waarom heeft ze je geen diploma's laten halen?'

'Ach, ze wist wel dat ik nooit professor zou worden, juffrouw Howe. Ze was altijd aan het werk om brood op de plank te hebben voor ons. Maar het was niet altijd makkelijk dat iedereen geld had en ik niet.'

'Ben je daarna weer in de problemen geraakt?' Juffrouw Howe had haar lippen stijf op elkaar geperst alsof ze wel had verwacht dat het slecht met hem zou zijn afgelopen.

'Ik kwam diezelfde jongens van vroeger weer tegen. Ze hadden allemaal succes, maar niet legaal, als u begrijpt wat ik bedoel. Ze zeiden dat het doodeenvoudig was en dat je niet betrapt kon worden. Maar mijn oom Nasey bracht me weer op het rechte pad. Hij vond dat ik een nieuwe start moest krijgen op het platteland. Dat wilde ik helemaal niet. Ik was bang voor koeien en schapen, en het leek me erg saai, vergeleken met Dublin. Maar mijn moeder had hier gewoond toen ze jong was, en ze zei dat ze het er heerlijk had gevonden.'

'Waarom was ze dan weggegaan?' Juffrouw Howe had een hekel aan witte plekken.

'Ze raakte in moeilijkheden, en de man wilde niet met haar trouwen.'

'En heeft ze jou toen hier mee naartoe genomen?'

'Nee, ze is zelf nooit meer terug geweest, maar nu komt ze. Al heel gauw zelfs.'

Het was druk op de markt. Juffrouw Howe keek toe hoe Rigger

eieren verkocht en kaas gemaakt van geitenmelk. Hij tilde zakken met groente uit de achterbak van zijn busje en zette er grote hoeveelheden vlees in, klaar om de vriezer in te gaan. Hij kocht twee jonge eendjes, en zei dat die bedoeld waren als huisdieren voor de kinderen, niet om op Chicky's tafel te belanden.

Blijkbaar kende hij iedereen die hij tegenkwam. Mensen vroegen naar Chicky Starr, naar Riggers kinderen, naar Orla. Daarna moest Rigger bij zijn schoonfamilie langs om wat eieren en kaas af te leveren. Juffrouw Howe zei dat zij in het busje bleef.

'Ze zullen me wel thee en appeltaart aanbieden,' zei hij.

'Nou, eet en drink wat je wilt, Rigger, maar laat mij met rust.' Ze zag dat er mensen uit het raam van de boerderij keken, maar peinsde er niet over om een kleine, benauwde keuken binnen te gaan, waar ze een praatje zou moeten maken met onbekenden.

Als uitstapje kon je het nauwelijks een succes noemen, maar Chicky was Rigger dankbaar.

'Ben je nog iets over haar te weten gekomen?' vroeg ze.

'Een beetje, maar het was een soort rijdende biechtstoel. Ze heeft er waarschijnlijk spijt van dat ze het me verteld heeft.'

'Laat het dan maar rusten,' zei Chicky.

De volgende dag ging juffrouw Howe bij Carmel langs in Riggers huis achter in de tuin. Carmel, die van de situatie afwist, ontving haar hartelijker dan ze uit zichzelf zou hebben gedaan. Ze liet juffrouw Howe de twee baby's zien die vrolijk lachten en boertjes lieten; samen gingen ze naar de konijnen kijken, de schildpad en de nieuwe eendjes, die ze Princess en Spud hadden genoemd.

Juffrouw Howe dronk een beker thee en liet zich niet verleiden om Stone House of de vakantie hier in het algemeen lof toe te zwaaien. Carmel ploeterde voort, zelfs toen juffrouw Howe haar de les las over hoe goed het was om poëzie uit het hoofd te leren.

Plotseling vroeg juffrouw Howe wat voor boeken Carmel en Rigger in hun bibliotheek hadden.

'Wij zijn niet bepaald mensen die een bibliotheek bezitten,' begon Carmel.

'Nou, dan geven jullie wel een heel slecht voorbeeld aan jullie kinderen,' snauwde juffrouw Howe.

'We zullen ons best doen.'

'Niet als je geen woordenboek, geen atlas, geen dichtbundels in huis hebt. Hoe moeten ze het nut van leren gaan inzien, als er nergens in huis iets is wat met leren te maken heeft?'

'Ze gaan toch naar school,' zei Carmel verdedigend.

'Ja, hoor, laat alles maar aan de school over, en als het dan misgaat, kun je die ook mooi de schuld geven.'

Juffrouw Howe sloeg een dreigende toon aan. Het was alsof ze het tegen een ongehoorzaam kind had op haar school, in plaats van tegen een vriendelijke vrouw die haar een prettige vakantiedag had willen bezorgen.

'Wij zouden nooit de school de schuld geven, zo zijn wij niet.'

'Maar wat hebben jullie ze te bieden? Wat heeft het allemaal voor zin, als de volgende generatie niet een stevige basis en een goede start meekrijgt? Je wilt toch zeker niet dat ze straks ook zonder diploma's op een tuchtschool terechtkomen, zoals je man?'

Carmel kon er niet langer tegen.

'Het spijt me, juffrouw Howe, maar ik laat u niet zo beledigend over mijn man praten. Als hij tegen u iets heeft gezegd over zijn verleden, en dat moet wel, want Chicky zou u dat niet hebben verteld, dan heeft hij dat in vertrouwen gedaan, niet om het vervolgens voor onze voeten geworpen te krijgen.' Carmel wist dat haar stem scherp klonk, maar ze kon er niets aan doen. Wat was er met deze vrouw aan de hand?

'Het spijt me, maar ik moet u vragen weg te gaan. Nu. Ik ben te overstuur en dan zeg ik misschien dingen waar ik spijt van krijg. Ik weet niets van u of van uw leven en waarom u zo verschrikkelijk doet tegen iedereen, maar iemand had al heel, heel lang geleden stop tegen u moeten zeggen.'

Zonder waarschuwing verschrompelde het gezicht van juffrouw Howe. Plotseling legde ze haar hoofd op tafel en begon zo hard te huilen dat haar hele lichaam ervan schokte.

Carmel was verbijsterd. Even wist ze niet wat ze moest doen, toen probeerde ze een troostende hand op juffrouw Howes schouder te leggen.

Stug schudde juffrouw Howe hem af. Ze had twee rode vlekken op haar lange, bleke gezicht.

Carmel zette een verse pot thee, ging tegenover haar ongenode gast zitten en keek haar zwijgend aan.

Langzaam, aarzelend, begon juffrouw Howe te praten.

'Het was 1963. Ik was elf; Martin was acht. We waren met z'n tweeën. President Kennedy kwam dat jaar naar Ierland en we gingen allemaal langs de route staan om hem te zien.'

Wat onwerkelijk was dit. Juffrouw Howe die praatte over haar privéleven van vijftig jaar geleden.

'Ik bedacht dat we thuis vergeten waren de ramen beneden dicht te doen. Dat was mijn taak. Het huis was leeg. Pap was naar zijn werk, en mijn moeder zou naar haar zuster gaan en ze waren er heel precies op dat alles goed werd afgesloten. Dus al wilde ik het niet, ik moest het mooie plekje dat ik gevonden had, wel verlaten en terug naar huis hollen. Binnen hoorde ik geluiden, alsof iemand pijn had, dus ik rende naar boven en daar lagen mijn moeder en die man op het bed, naakt. Ik dacht dat hij haar wilde vermoorden en probeerde hem van haar af te sleuren… en toen viel mijn moeder voor me op haar knieën en smeekte me om het niet aan mijn vader te vertellen. Ze zei dat ze de rest van mijn leven lief voor me zou zijn als ik dit geheimpje onder ons hield. Ondertussen kleedde de man zich aan en zij bleef maar zeggen: "Ga niet weg, Larry, Nell begrijpt het wel. Ze is al een groot meisje van elf. Ze weet wat ze moet doen." En ik rende het huis uit en belde mijn pa op zijn werk en zei dat hij snel thuis moest komen, omdat een man die Larry heette mijn moeder pijn deed en zij wilde dat ik het geheimhield en hij kwam naar huis en…'

'U was nog maar een kind,' suste Carmel.

'Nee, ik wist het. Ik wist dat het verkeerd was wat ze deed en dat ze gestraft moest worden. Ik was niet van plan om bij een geheim betrokken te raken. Ik wílde dat ze gestraft werd. Ik wist niet dat Larry een goede vriend van mijn vader was. Maar al had ik dat wel geweten, dan nog zou ik het hem hebben verteld. Het was verkeerd, begrijp je.'

'En wat heeft uw vader toen gedaan?'

'Dat hebben we nooit geweten, maar toen Martin en ik terug-kwamen van het wuiven naar president Kennedy, was onze moe-der weg en ze is nooit meer teruggekomen.'

'Waar is ze heen gegaan?' Carmel probeerde haar afschuw niet in haar stem te laten doorklinken.

'Dat hebben we nooit geweten. Pa zorgde voor ons, maar dat kon hij helemaal niet en toen ging hij drinken. En hij bleef mij maar bedanken dat ik die hoer van een vrouw van hem had ontmaskerd, en Martin sloeg hij om de haverklap. Martin ging op school om met een stel schooiers en weigerde te leren. Ik duwde alleen maar mijn handen tegen mijn oren en studeerde de godganse dag. Ik kreeg overal beurzen voor en toen mijn va-der aan de alcohol stierf, kon ik op eigen benen staan. Martin zei dat ik zijn leven twee keer had verpest. Eerst had ik zijn moeder weggestuurd en nu was hij door mij zijn vader kwijt.'

'En hij heeft u nooit vergeven?'

'Nee. Hij heeft niets van zijn leven gemaakt. Ik heb hem in geen jaren gezien. Nog niet zo lang geleden heeft hij naar de school gebeld, ik weet niet waarom. Ik wil hem niet meer zien.'

'Dus sindsdien heeft hij geen rol gespeeld in uw leven?' vroeg Carmel bedroefd. Ze kon alleen maar hopen dat ze aan deze hele situatie kon ontkomen, voordat ze nog meer te horen kreeg; ze wist nu al dat juffrouw Howe het zichzelf nooit zou vergeven dat ze zo haar zelfbeheersing had verloren, en Carmel ook niet. Het moet op haar gezicht te lezen zijn geweest dat ze graag een einde aan het gesprek wilde maken. Juffrouw Howe zag het.

'Nou goed, dus je wilt dat ik nu wegga. Ik ga wel weg, het kan mij niet schelen!'

Carmel stak haar hand uit om de hare te schudden. 'Dan zeg ik u vaarwel en wens u het beste voor de toekomst.'

'Je zegt me vaarwel, je zegt me vaarwel, welja,' sneerde juf-frouw Howe. 'Wat zullen jullie die arme kinderen een arsenaal aan clichés leren. Ik beklaag ze om hun toekomst.'

'Beklaagt u ze maar, als u dat wilt. Wij zullen altijd van ze houden en voor ze zorgen en ze een heerlijk leven geven,' zei Carmel verdrietig.

'Jij en je man zullen er wel voor zorgen dat de hele wereld dit vandaag nog allemaal te horen krijgt, neem ik aan,' zei juffrouw Howe bitter.

'Nee, juffrouw Howe, zo zijn wij niet. Rigger en ik zijn fatsoenlijke, eerbare mensen, we roddelen of veroordelen niet. Wat u mij hebt verteld is uw zaak en blijft tussen deze vier muren.'

Toen juffrouw Howe weg was, bleef Carmel nog een tijdje bevend aan de keukentafel zitten. Rigger zou woedend zijn; Chicky zou het vervelend vinden. Waarom had ze haar boosheid niet kunnen bedwingen? Juffrouw Howe zou het haar nooit vergeven dat zij nu haar verleden kende.

'Ik wil die juffrouw Howe hier niet meer in huis hebben,' zei ze tegen Rigger toen hij die avond thuiskwam. 'Ze zei dat wij onwetende ouders zijn en dat ze Rosie en Macken beklaagt.'

'Nou, dan is ze de enige,' zei Rigger. 'Iedereen vindt dat ze het geweldig doen. En wie kan het iets schelen wat juffrouw Howe zegt?'

Carmel lachte naar hem. Dat was waar. Ze zou haar haar gaan kammen en dan zouden ze een wandeling op het strand gaan maken; ze zouden langs de vloedlijn lopen en schelpen oprapen, terwijl het zout hun in het gezicht prikte. Ze zouden hun zoon en dochter het beste leven geven dat maar mogelijk was.

Voor het avondeten fluisterde Rigger tegen Chicky dat er woorden waren gevallen tussen Carmel en juffrouw Howe en dat ze dat maar beter kon weten.

'Maak je geen zorgen,' zei Chicky. 'Zij zou toch geen reclame voor ons maken. Ze heeft me net verteld dat ze morgen teruggaat naar Dublin. Over een paar uur is ze weg en uit ons leven. Zeg maar tegen Carmel dat ze er niet over in moet zitten.'

'Je bent geweldig, Chicky.'

'Nee, dat ben ik niet. Ik heb geluk gehad. Jij ook. Juffrouw Howe niet.'

'Dat geluk hebben we zelf een handje geholpen.'

'Misschien, maar wij hebben geluisterd toen mensen probeerden ons te helpen. Zij niet.'

De volgende ochtend droeg Chicky de kleine koffer van juffrouw Howe naar het busje.

'Ik hoop dat er íéts was wat u beviel, juffrouw Howe,' zei ze. 'Misschien komt u nog eens hierheen, als het beter weer is?' Chicky bleef altijd vriendelijk.

'Dat denk ik niet,' antwoordde juffrouw Howe. 'Het is niet echt een vakantie voor mij. Ik heb in mijn leven al te veel tegen mensen moeten praten. Ik word er te gespannen van.'

'Nou, dan zult u wel blij zijn als u terug bent in de rust en stilte van uw eigen huis,' zei Chicky.

'Ja, in zekere zin.'

De vrouw was meedogenloos eerlijk. Dat was haar probleem.

'Hebt u hier nog iets ontdekt? Mensen zeggen dat vaak.'

'Ik heb ontdekt dat het leven erg oneerlijk is en dat we daar niets aan kunnen doen. Vindt u ook niet, mevrouw Starr?'

'Niet helemaal, maar ik begrijp wat u bedoelt.'

Juffrouw Howe knikte tevreden. Zelfs nu ze wegging, hing er een sombere wolk om haar heen. Ze zou alleen in de trein naar Dublin zitten en dan de bus nemen, terug naar haar eenzame huis. Ze keek recht voor zich uit terwijl Rigger haar naar het station reed.

Freda

Toen Freda O'Donovan tien jaar was, werd mevrouw Scully, een vriendin van haar moeder, gevraagd om tijdens een feestje de handen van alle gasten te komen lezen. Mevrouw Scully voorzag bij iedereen veel kinderen en lange, gelukkige huwelijken in de toekomst. Ze voorspelde reizen naar het buitenland en kleine erfenissen uit onvoorziene hoeken. Iedereen was dolenthousiast en het was een zeer geslaagd feest.

'Kunt u mijn toekomst ook voorspellen?' had Freda gevraagd.

Mevrouw Scully bestudeerde haar kleine hand geconcentreerd. Ze zag een lange, knappe man, een huwelijk en drie heerlijke kinderen. Ze zag ook vakanties in het buitenland – hield Freda toevallig van skiën? 'En je zult een lang en gelukkig leven leiden,' vertelde ze met een glimlach.

Er viel een stilte. Na een moment dat eindeloos leek te duren zuchtte Freda. Hoewel haar moeder erg tevreden leek te zijn met de voorspelling van mevrouw Scully, was Freda een beetje in de war. Ze wist dat er niets van de voorspelling klopte.

'Ik wil gewoon weten wat er gaat gebeuren,' drong ze aan, en ze barstte in tranen uit.

'Wat is er nu aan de hand? Het is een prachtige toekomst,' zei haar moeder, die haar dochter op het hart drukte dat ze zich niet zo moest opwinden over zoiets futiels als een toekomstvoorspelling.

Maar Freda luisterde niet en begon juist harder te huilen. Ze wilde niets met deze voorspelling te maken hebben. Het klopte niet wat mevrouw Scully zei. Dat wist ze zeker. Soms had Freda het gevoel dat ze al wist wat er te gebeuren stond, hoewel ze al had geleerd dat ze haar inzichten beter voor zich kon houden.

Zelf voorzag ze geen echtgenoot en ook geen drie kinderen. En ze voorzag al helemaal geen lang en gelukkig leven. Ze moest er des te harder om huilen.

Haar moeder begreep niet waar Freda zich zo druk om maakte. Ze had nog nooit ergens zoveel spijt van gehad als van het feit dat ze mevrouw Scully had gevraagd de toekomst van haar dochter te voorspellen en ze was vast van plan om te zorgen dat het nooit weer zou gebeuren.

Mevrouw Scully werd daarna niet meer uitgenodigd om te komen handlezen. En Freda vertelde niemand wat ze over de toekomst wist.

Het leven thuis was rustig en een beetje karig voor Freda en haar twee oudere zussen. Haar vader overleed al jong en er was geen geld voor luxe zoals centrale verwarming of vakanties naar het buitenland. Mam werkte bij een stomerij en Freda's schooltijd kende geen hoogte- of dieptepunten; ze was intelligent en deed haar best en kreeg een beurs om door te leren. Ze wilde graag bibliothecaresse worden. Lane, haar beste vriendin, wilde de theaterwereld in. Zij tweeën waren onafscheidelijk.

Freda kon zich niet herinneren wanneer ze voor het eerst het vermoeden kreeg dat ze ongewone inzichten had. Ze waren moeilijk te beschrijven. Het woord 'voorgevoel' dekte niet helemaal de lading, daar waren haar inzichten te levendig voor. Ze wist ook niet meer wanneer ze zich had gerealiseerd dat niet iedereen dit soort dingen zag; in de loop der jaren had ze geleerd dat ze er maar beter met niemand over kon praten. Mensen schrokken ervan als ze er iets over zei, en dus had ze altijd haar mond gehouden. Zelfs met Lane praatte ze er niet over.

Ze had geen hartstochtelijk liefdesleven. Als student ging Freda wel eens naar een club of een bar, en daar ontmoette ze dan jongens, maar er was er niet een bij die haar hart sneller deed kloppen. Mam had de neiging om alles te willen weten van Freda's privéleven en was teleurgesteld dat er op het gebied van de liefde niets te melden viel.

Freda hield van boeken en toen ze eenmaal haar bibliothe-caressediploma had gehaald en ook nog een baan als assistent in de plaatselijke bibliotheek wist te bemachtigen, was ze volkomen tevreden. Haar zussen deden laatdunkend over het gebrek aan liefde in haar leven.

'Tja, natuurlijk kun je geen man vinden, jij kunt alleen maar over boeken praten,' zei Martha.

'Je had best wat meer succes kunnen hebben, als je het had geprobeerd,' snoof Laura.

Freda keek verslagen en de zussen kregen wroeging.

'Nou ja, helemaal mislukt ben je ook niet,' zei Martha be-moedigend. Zij had zelf een stormachtige relatie met een jonge-man die Wayne heette en haar kijk op mannen was niet al te op-timistisch.

'Je bent toch maar aangenomen als assistent-bibliothecaresse, en nu kun je overal je brood verdienen,' zei Laura met tegenzin, maar eerlijk. Zij ging om met Philip, een erg gewichtigdoene-rige bankier, voor wie alles draaide om stijl en reputatie.

Zij waren geen objectieve raadgevers.

Vlak voor Kerstmis had Freda weer zo'n 'voorgevoel'. Zij en haar zussen lunchten bij hun moeder om te bespreken wat ze met Kerst zouden doen. Freda zou in elk geval de hele dag komen, maar Laura zou naar het grote kerstdiner gaan dat de ouders van Philip gaven. Martha was chagrijnig, omdat Wayne maar geen plannen wilde maken. Wie maakte er nou geen plannen voor Kerstmis?

Hun moeder bracht het gesprek weer veilig op de kalkoen. Ze zouden om drie uur 's middags een kerstlunch houden en wie wilde komen was welkom.

Laura zat onrustig te draaien; ze had iets te vertellen. Hele-maal zeker wist ze het niet, maar ze dacht dat Philip haar op Kerstavond ten huwelijk zou vragen. Hij had heel vaag gedaan over het diner bij zijn ouders. Normaal gesproken hechtte hij veel gewicht aan dit soort gebeurtenissen en vertelde hij haar van tevoren wie er allemaal zouden komen. Nee, er was nu iets belangrijkers ophanden. Laura's gezicht gloeide van opwinding.

En ineens, volkomen onverwacht, wist Freda het, ze vermoedde het niet alleen, nee ze wíst dat Philip zijn relatie met Laura voor Kerstmis zou verbreken; hij zou haar vertellen dat hij een baby ging krijgen met een andere vrouw. Ze wist het zeker, alsof ze het met grote koppen in de krant had zien staan, en Freda voelde zelf hoe ze wit wegtrok.

'Nou, zeg dan iets!' Het ergerde Laura dat niemand reageerde op haar belangrijke onthulling.

'Dat zou geweldig zijn,' zei haar moeder.

'Bofkont,' zei Martha.

'Weet je het wel zéker?' stootte Freda uit.

'Nee, natuurlijk weet ik het niet zeker. Nu heb ik er spijt van dat ik het heb verteld. Jij zegt dat alleen maar omdat ik gewaagd heb tegen je te zeggen dat je zelf geen man kon krijgen. Je bent gewoon jaloers.'

'Hebben jij en Philip het ooit over trouwen gehad?' vroeg Freda.

'Nee, maar wel over liefde. Vergeet het maar, Freda. Wat weet jij ervan?'

'Maar misschien vergis je je wel.'

'O, doe toch niet zo zuur.'

'Spreek je hem nog, voor het diner?'

'Ja, we hebben vanavond afgesproken. Hij komt om zeven uur naar mijn flat.'

Freda zei niets meer. Vanavond zou hij het uitmaken. Het drukte de hele dag op haar borst, alsof ze iets gegeten had wat in haar keel bleef steken. Om negen uur die avond belde ze haar zus.

Laura's stem klonk onherkenbaar.

'Jij wist het al die tijd, hè? Jij wíst het en je lachte me uit. Ben je nu blij?'

'Ik wist het niet, eerlijk niet,' zei Freda smekend.

'Ik haat je, dat je het wist. Ik vergeef het je nooit!' zei Laura.

In de weken en maanden daarna deed Laura heel koel tegen Freda. Ze huilde toen op Kerstavond Philips verloving werd aangekondigd: hij zou in januari gaan trouwen met een meisje dat Lucy heette.

Volgens Martha zou Laura tot haar laatste snik niet willen geloven dat Freda niet van tevoren van Lucy had geweten. Het kón niet anders.

'Ik had alleen maar een voorgevoel,' gaf Freda toe.

'Fijn voorgevoel!' snoof Martha. 'Als je ooit een voorgevoel krijgt over Wayne en mij, vertel het me dan alsjeblieft.'

'Ik denk niet dat ik ooit nog iemand over een voorgevoel vertel,' zei Freda heftig.

Op donderdag 12 september om 18.30 uur houden de Vrienden van de Finn Road Bibliotheek hier hun eerste bijeenkomst. Iedereen is welkom en we horen graag uw ideeën en voorstellen voor activiteiten die u in uw bibliotheek zou willen zien.

Binnen een paar minuten nadat ze dit berichtje in de bibliotheek had uitgeprint, wist Freda dat er iets niet goed zat. Je hoefde niet helderziend te zijn om dat te weten: juffrouw Duffy keek over haar schouder, met een gezicht dat strak stond van afkeuring. Deze Bibliotheek had geen Vrienden nodig, zei haar blik. Het was geen datingbureau. Het was een plek waar mensen kwamen om boeken te lenen en, belangrijker nog, terug te brengen. Dit soort dingen hoorde niet thuis in een bibliotheek. Het was, op z'n allerzachtst gezegd, támelijk ongepast.

Freda zette een ferme glimlach op. Ze had met opzet haar lange donkere krullen met een lint naar achteren gebonden, zodat ze er serieuzer uit zou zien voor deze confrontatie. Dit was het moment om een zakelijke indruk te maken. Het was absoluut niet het moment om een gevecht aan te gaan. En als ze verloor, zou ze gewoon een poosje wachten en het dan nog eens proberen.

Ze mocht juffrouw Duffy niet laten merken dat ze zich in het hoofd had gezet om de bibliotheek open te stellen voor de gemeenschap, om mensen binnen te halen die er nooit een voet hadden gezet. Freda wilde heel graag degenen die wel kwamen, het gevoel geven dat ze welkom waren en erbij hoorden. Juffrouw Duffy kwam uit een ander tijdperk, een tijd waarin men vond dat mensen van geluk mochten spreken als ze een bibliotheek in hun buurt hadden, en daar tevreden mee moesten zijn.

'Juffrouw Duffy, weet u nog dat u tegen me zei, toen ik hier kwam solliciteren, dat het onze taak was om meer mensen binnen te halen?'

'Als gebruikers van de bibliotheek, ja, maar niet als Vríénden.' Juffrouw Duffy liet het woord klinken als een scheldwoord.

Was juffrouw Duffy altijd zo geweest, vroeg Freda zich af, of had ze ooit dromen en idealen gehad voor dit muffe oude gebouw?

'Als ze zichzelf min of meer als Vrienden beschouwen, willen ze misschien ook meer doen om ons te helpen,' zei Freda hoopvol. 'Misschien willen ze helpen fondsen te werven, of schrijvers overhalen om hier hun boek te komen signeren. Er is zoveel te bedenken.'

'Als je het zo zegt, neem ik aan dat het geen kwaad kan. Maar waar moeten we al die mensen laten zitten, als ze echt komen?'

'Mijn vriendin Lane heeft klapstoelen genoeg in haar theater. Op die avond heeft ze ze niet nodig.'

'O ja, het theater.' Juffrouw Duffy had nauwelijks belangstelling voor het kleine experimentele zaaltje verderop in de straat.

Freda wachtte af. Ze kon de aankondiging niet op het bord hangen voordat juffrouw Duffy haar toestemming gaf; ze was er bijna, maar nog niet helemaal.

'Ik vind het prima om de bijeenkomst een beetje te leiden, ik bedoel, dan stel ik u voor als de bibliothecaresse en als u dan uw praatje hebt gehouden, kan ik het woord aan hen geven, aan de Vrienden, begrijpt u.' Freda hield haar adem in.

Juffrouw Duffy schraapte haar keel. 'Nou, als je het dan zo graag wilt, hang die aankondiging dan maar op. We zien wel wat er gebeurt.'

Freda kon weer normaal ademhalen. Ze prikte het papier op het mededelingenbord. Ze dwong zichzelf rustig te bewegen en niet te laten merken hoe opgetogen ze was over haar overwinning. Toen ze zeker wist dat juffrouw Duffy veilig achter haar bureau zat, pakte Freda haar mobiele telefoon en belde haar vriendin Lane.

292

'Lane, met mij, ik moet heel zachtjes praten.'

'Dat moet je zeker. Je werkt wel in een bibliotheek, hoor,' zei Lane streng.

'Ik heb het Vrienden-idee erdoor gekregen bij juffrouw Duffy. We zijn binnen. Het gaat gebeuren!'

Een paar deuren verderop hield Lane even op met het schrijven van bedelbrieven om steun voor haar theatertje.

'Fantastisch, goed gedaan, Freda! Superbibliothecaresse.'

'Nee, zeg dat nou niet, wie weet wordt het een ramp. Misschien komt er wel niemand!' Freda was dolblij dat ze zover was gekomen, maar ook doodsbenauwd dat het een grote mislukking zou worden.

'We zorgen wel dat er mensen komen. Ik laat mijn hele team erheen gaan en we kunnen hier in het theater een aankondiging ophangen en zo de toeschouwers erop attenderen. Luister, zullen we samen gaan lunchen om het te vieren?'

'Nee, Lane, ik kan niet, geen tijd. Ik moet aan de budgetaanvragen werken.' En dan te bedenken dat mensen altijd dachten dat er in een bibliotheek niets te doen viel behalve een beetje rondhangen! 'Maar we zien elkaar vanavond toch, bij tante Eva?'

Eva O'Donovan vond het fijn dat Freda en Lane kwamen eten. Dat betekende dat ze zichzelf in beweging moest krijgen om aan de dag te beginnen. Eerst moest ze *Veren* afmaken, de wekelijkse rubriek over vogels kijken die ze voor de krant schreef. Eva had ontdekt dat ze, als ze maar trouw op tijd haar kopij inleverde, netjes getypt op haar laptop, de meest extravagante dingen kon schrijven.

Daarna moest ze in haar vriezer iets te eten voor de meisjes zien te vinden. Ze lunchten nooit behoorlijk en hadden altijd honger. Trouwens, ze wilde ook niet dat ze zouden instorten na een paar Alabama Slammers. Belangstellend bestudeerde ze de inhoud van haar vriezer.

Er was een soort visschotel met tomaat. Die zou ze in de oven zetten als ze kwamen, met wat extra tomaten en verse basilicum. Ze zou een stokbrood ontdooien. Makkelijk zat. Mensen maakten altijd zo'n drukte over koken, je hoefde alleen maar een beetje vooruit te kunnen denken.

Zodra ze op de SEND-toets had gedrukt voor haar artikel over de enorme vluchten pestvogels die uit Noord-Europa waren komen aanvliegen, zou ze een hoed en een kleurige sjaal uitkiezen en de ingrediënten voor de drankjes op haar cocktailtafeltje uitstallen. Dit was het mooiste moment van de dag.

Chestnut Grove was een huis waarin niemand anders dan Eva zou willen wonen. Het was slecht onderhouden en had een verwaarloosde, overwoekerde tuin, het sanitair was erg gammel en het elektriciteitsnet kon het elk moment begeven. Ze had het geld niet om het huis behoorlijk te onderhouden en het was misschien het verstandigst om het te verkopen – maar wanneer had Eva ooit gedaan wat het verstandigst was? Trouwens, in de tuin nestelden allerlei vogels die haar de nodige stof leverden voor haar rubriek.

De muren van haar werkkamer hingen vol foto's van vogels en verslagen van vogelaarsgroepen uit het hele land. Op planken lagen stapels tijdschriften en andere publicaties. Ook Eva's laptop stond er, half overdekt met kranten. Net als in alle andere kamers van het huis stond ook in deze kamer een divanbed klaar, voor het geval iemand wilde blijven slapen. En dat wilde vaak iemand.

In elke kamer hingen kleren, veel met een bijpassende sjaal of hoed. Eva kocht al haar kleding op markten, kofferbakverkopingen of opheffingsuitverkopen. Ze had nog nooit een gewoon kledingstuk gekocht in wat je een gewone winkel kon noemen. Eva vond de prijzen van merkkleding zo onbegrijpelijk dat ze weigerde daar zelfs maar over na te denken.

Wat bezielde vrouwen, dat ze zich lieten meeslepen in een wereld van merken en trends en opgelegde stijlregels? Eva snapte daar niets van. Zij had maar twee stijlregels: makkelijk te wassen en felgekleurd – en dus had ze voor elke gelegenheid de perfecte outfit.

Eva haalde haar cocktailglazen tevoorschijn en zette de Southern Comfort, amarettolikeur en gin naast elkaar. Ze had een welvoorziene drankenkast, maar dronk zelf heel weinig. Voor Eva zat al het plezier van het klaarmaken en serveren van cocktails in de rituele handelingen en het gevoel van decadentie die eraan voorafgingen.

Freda en Lane gingen het tuinhek achter Chestnut Grove in en liepen door de grote, overwoekerde tuin. Er waren geen keurige bloembedden, geen gazon, geen netjes afgebakende patio's of terrassen; het was een oerwoud van struiken en doorntakken waar je in het donker makkelijk in verstrikt kon raken. Hier en daar was nog een glimp te zien van een late roos. Maar over het algemeen was het net een terrein dat klaarlag om op de schop te worden genomen door een tv-programma.

'Wat is het hier anders dan in de tuin van mijn ouders,' zei Lane, terwijl ze een paar laaghangende takken met gemeen uitziende doornen ontweek. 'Hun tuin ziet er altijd uit alsof ze er een prijs mee willen winnen.'

'Maar ze houden hem prachtig bij. Daar riskeer je tenminste je leven niet, zoals hier,' zei Freda.

'Ja, maar pap mag zijn groenten niet eens in het zicht verbouwen. Wat zouden de buren wel niet zeggen als ze rijen aardappelen en bonen zagen?'

Toen ze bij het huis kwamen, holde Eva hen tegemoet. Ze droeg een donkeroranje kaftan en had haar haar in een sjaal van hetzelfde materiaal gewikkeld. Ze zag eruit als een exotische vogel die je in de volière van de dierentuin zou kunnen zien. Ze had op weg kunnen zijn naar een Marokkaanse bruiloft, een gekostumeerd bal of de opening van een galerie.

'Is de tuin niet prachtig, nu?' riep ze uit.

'Prachtig' was niet het woord dat Freda en Lane zouden hebben gekozen om de enorme wildernis te beschrijven waardoor ze zich net een pad hadden gebaand, maar het was onmogelijk om je niet te laten aansteken door Eva's enthousiasme.

'Er zitten nu allerlei mooie kleuren in,' zei Lane.

'Zoals de takken afsteken tegen de lucht nu, dat vind ik zo mooi.' Eva leidde hen de voorkamer binnen en begon de cocktails te mixen.

'Op de bibliotheek, Freda, lieve schat, en op de vele, vele Vrienden die naar het feest zullen komen.'

Ze was zo oprecht blij dat Freda een brok in haar keel kreeg. Alleen Lane en Eva begrepen dat dit voor haar een grote stap was geweest en leefden met haar mee. Wat bofte ze toch dat ze hen had. De meeste mensen hadden niemand om hun enthousiasme mee te delen en te vieren.

De cocktail benam haar bijna de adem. Voorzichtig zette Freda haar glas neer. Eva verwachtte niet dat je je drankje in één teug achteroversloeg; ze vond het fijn als je de verschillende smaken op waarde wist te schatten. Hierin zaten wel vijf verschillende dingen, dacht Freda, allemaal alcoholisch, behalve het sinaasappelsap. Ze ging er met groot respect mee om.

Eva wilde alles weten over het nieuwe plan voor de bibliotheek. Zat juffrouw Duffy te mokken? Deed ze vijandig? Had ze onsportief gereageerd? Wat wilde Freda dat de Vrienden gingen doen, als ze ze eenmaal bij elkaar had?

Ze was zo gretig en enthousiast dat Freda en Lane zich bij haar vergeleken maar saai en sloom voelden. Als Eva hoofd van de bibliotheek was geweest, had ze het gebouw versierd met feestverlichting en had er binnen muziek geschetterd. Zij zou een cocktailbar hebben neergezet in de hal. Haar leven was net als haar huis: een kleurige fantasie waar alles mogelijk was, als je het maar graag genoeg wilde.

Juffrouw Duffy moest mensen te woord staan die Vriend van de Bibliotheek wilden worden, en dat ging haar niet goed af. Ze overhandigde hun de folder die Freda had gemaakt en zei dat iedereen welkom was op de Vriendenavond, maar als mensen haar vroegen wat er die avond zou gebeuren, deed ze ontwijkend. Sommige mensen vroegen bezorgd of ze geld moesten meebrengen, voor een entreeprijs of een inzameling. Nee, helemaal niet, zei juffrouw Duffy. Maar toen ging ze twijfelen. Had Freda niet iets gezegd over fondsen werven?

Een man vroeg of er iemand advies zou geven over welke boeken de moeite waard waren. Dat wist juffrouw Duffy niet. Twee meisjes vroegen of ze een toelatingstest moesten doen, of kon zomaar iedereen komen? Juffrouw Duffy zei dat er geen test was, maar ze wist dat ze haar wenkbrauwen had gefronst bij dat 'zomaar iedereen'.

Er kwam een nerveuze jongeman die zei dat hij op school veel gedichten had geschreven en daarmee ook prijzen had gewonnen, en hij vroeg of hij misschien uit eigen werk zou mogen voorlezen. Hij was verlegen en onhandig en keek de hele tijd alsof hij verwachtte dat juffrouw Duffy hem de deur uit zou zetten bij de gedachte alleen al.

Juffrouw Duffy begon het gevoel te krijgen dat het allemaal een heel slecht idee was geweest.

'O, dáár ben je, juffrouw O'Donovan,' riep ze uit, ook al was Freda zeker anderhalf uur te vroeg.

Freda keek bezorgd op haar horloge.

'Er waren zoveel mensen die naar dat Vriendengedoe vroegen, het brengt ons hele schema in de war.'

Freda's gezicht lichtte op. 'Het spijt me, juffrouw Duffy, maar dat is toch geweldig! Het betekent dat mensen er belangstelling voor hebben.' Freda had haar jas opgehangen en ging meteen aan het werk.

Juffrouw Duffy liet zich vermurwen. Je kon moeilijk niet ingenomen zijn met zoveel ijver, en ook al haalde dat domme meisje zich alleen maar nog meer vragen, moeite en afleiding op de hals, ze deed het extra werk dat het met zich meebracht blijkbaar graag.

'Heb je een prettig weekend gehad, juffrouw O'Donovan?' vroeg ze, om te laten merken dat ze het niet zo kwaad had bedoeld.

Verrast keek Freda naar haar op. Ze glimlachte en zei dat het heel prettig was geweest, maar dat ze blij was dat ze weer hier in Finn Road was. Dat was het juiste antwoord.

Juffrouw Duffy wilde geen persoonlijke informatie, alleen maar toewijding.

Freda nam de lijst door met mensen die inlichtingen hadden gevraagd; ze belde de man terug die had willen weten of iemand advies over boeken zou geven, en zei ja, dat kon, als mensen dat wilden. Ze belde de meisjes die hadden gevraagd of ze een test moesten doen om binnen te komen, en zei dat de avond gewoon voor het plezier was – ze moesten vooral hun vriendinnen meenemen. Ze nodigde de jonge dichter uit, die Lionel heette, om te komen kennismaken. Ze negeerde het hardnekkige gevoel dat er iets belangrijks stond te gebeuren.

De volgende bijeenkomst van de Vrienden van de Finn Road Bibliotheek is op 9 oktober om 18.30. Het onderwerp: de geschiedenis van deze buurt. Toegang is gratis, en iedereen is welkom!

Nog dagenlang spraken ze over de Vriendenavond. Het was in zoveel opzichten zo'n succes geweest. Zelfs juffrouw Duffy was enthousiast.

Iedereen was gekomen. Lionel, de jonge dichter, had een paar prachtige gedichten voorgelezen over zwanen. Hij was opgetogen over de reacties, en werd nog opgetogener toen Freda hem voorstelde aan haar tante Eva. De schrijfster van *Veren* nog wel!

Juffrouw Duffy was wantrouwig geweest toen een stuk of vijf meisjes verschenen, maar zij bleken vol ideeën te zitten over leesclubjes.

'Ik moet zeggen, ik was echt verrast dat ze zoveel waardering voor ons hadden,' zei ze de dag erna. Lane en Freda hadden alles keurig opgeruimd en de stoelen teruggebracht naar het theater. Juffrouw Duffy had niets om over te klagen, dus deed ze maar blij, dankbaar zelfs.

Al lang geleden had Freda besloten dat zij geen lof hoefde te krijgen voor dit alles, ook al had ze wel alle schuld op zich moeten nemen als het verkeerd was afgelopen.

'En dat verdient u ook,' zei Freda, alsof het allemaal juffrouw Duffy's idee was geweest. 'U hebt al die jaren hard gewerkt om deze bibliotheek op te bouwen; het is niet meer dan terecht dat de mensen u daarvoor nu prijzen en zeggen hoeveel de bibliotheek voor hen betekent.'

Juffrouw Duffy nam deze lof minzaam in ontvangst, alsof hij haar toekwam.

Dat was goed: zo kreeg Freda de tijd om verder te gaan met haar plannen. Er viel zoveel te regelen op een gewone werkdag.

Ze moesten de lijst van uitgeleende boeken nalopen. En briefjes sturen naar leners die te laat waren. Ze moesten de lijst met bestellingen nagaan en uitzoeken hoe het daarmee stond. Vandaag was de voorraadvergadering, waarbij ze allemaal met juffrouw Duffy vergaderden over de vraag welke nieuwe titels ze zouden bestellen. Ze moesten de boeken doornemen die ze toegestuurd hadden gekregen als proefexemplaren, en ook de recensies in de literaire bladen. Er was nauwelijks genoeg tijd om over die Vriendenavond na te denken, laat staan om de volgende te organiseren. Het was vreemd dat ze zich zo leeg voelde. Wat het ook was waarvan ze zo zeker had geweten dat het zou gebeuren, het was niet gebeurd.

Tot grote verrassing van juffrouw Duffy was er een enorm boeket erg dure bloemen bezorgd. De boodschap was simpel: 'Ik ben al Vriend van de Bibliotheek, nu wil ik ook graag Vriend van de Bibliothecaresse worden.' De avond was een succes geweest, natuurlijk, maar wie kon deze bloemen hebben gestuurd om haar te bedanken? De enige die ooit bloemen aan juffrouw Duffy had gestuurd, was haar zuster, en dat was meer het type voor viooltjes in een pot. Dus wie kon haar dit boeket hebben gestuurd? Ze keek nog eens bewonderend naar de bloemen. Juffrouw O'Donovan zou ze wel voor haar in een vaas zetten als ze er tenminste eentje konden vinden die groot genoeg was.

Natuurlijk wist Freda een vaas te vinden. Ze ging naar het magazijn en kwam terug met een grote glazen pot. Die bloemen moesten een fortuin gekost hebben. Wie zou ze in hemelsnaam hebben gestuurd?

Juffrouw Duffy deed ontwijkend, en zei dat ze van een vriend kwamen. Ze keek naar haar spiegelbeeld in de glazen deuren en schikte een paar keer haar haren. Er lag een bedachtzame blik in haar ogen.

Freda gaf het op.

Toen ze de langstelige rozen losmaakte van de groene varens om ze mooier te schikken, vond ze het kaartje dat bij de bloemen had gezeten.

'... nu wil ik ook Vriend van de Bibliothecaresse worden.' Ze

waren voor háár. Dat besefte ze met een schok, die bijna licha-
melijk was. Maar wie was het? En wat bedoelde hij? En waarom had hij Freda's naam er niet op gezet, zodat juffrouw Duffy
dacht dat ze voor haar waren? Ze had het gevoel dat alles om
haar heen vertraagde en enigszins onwerkelijk werd. Er waren
veel te veel vragen. Ze wou dat ze alleen kon zijn, om erover
te kunnen nadenken waarom ze zich zo ongemakkelijk en zelfs
een beetje beverig voelde.

Lane had Eva gebeld om haar te vragen welke kleur de poten
van een papegaaiduiker hadden.
    Eva had geen moment geaarzeld. 'Oranje,' zei ze. 'Hoezo?'
    'En de snavel? We zijn bezig een decor te schilderen. Vertel me
eens over de snavel, de vorm weet ik wel, maar wat heeft hij
voor kleur?'
    'Blauw, geel en oranje. Maar je moet de kleuren wel in de
juiste volgorde schilderen.'
    'Ik bedoel niet een exotische papegaaiduiker zoals in een vo-
lière, ik bedoel gewoon een Ierse papegaaiduiker.'
    'Dat is een Ierse, dat is onze eigen huispapegaaiduiker. Kom
maar naar de bibliotheek, daar ben ik zelf ook net naar onderweg. Dan wijs ik je waar de boeken staan.'
    'Ja, dat moest ik maar doen. Een vogel met een blauw-geel-
oranje snavel? Je moet wel iets heel geestverruimends slikken
om dat in Ierland te kunnen zien.'
    Ze ontmoetten elkaar op de stoep voor het gebouw.
    'We schilderen grote achtergronden voor de volgende pro-
ductie,' legde ze uit. 'Ik moest wel zeker weten hoe de poten en
snavel van een papegaaiduiker eruitzien. Hebben ze echt alle
kleuren van de regenboog, of probeerde je me maar wat wijs te
maken?'
    'Snavel heeft drie kleuren, poten zijn oranje – vooral in het
broedseizoen, in de winter zijn ze minder kleurig,' bevestigde
Eva.
    'Lieve god, hier in Ierland, zulke vogels!'
    'Als je nou eens met ons meekwam naar de Atlantische kust,
zou je ze zelf kunnen zien, hele kolonies,' zei Eva verwijtend.

'Er is daar een plaatsje, Stoneybridge. Je moet echt eens mee-gaan.'

Toen ze naar binnen gingen, zagen ze Freda die aan de balie met iemand stond te praten. Ze wees naar een folder en Freda lachte en schudde haar hoofd. Haar ogen stonden vrolijk en ze zag er zo jong uit, zo vol leven in dit oude, grijze gebouw. Juffrouw Duffy droeg zoals altijd een marineblauw vest met een wit kanten kraagje; het toonbeeld van zedigheid en ernst. Freda had een rode blouse aan op een zwarte broek. Ze had haar zwarte krullen bijeengebonden met een lang rood lint. Ze zag eruit als een kleurige bloem, het stralende middelpunt van deze ruimte, dacht Lane. Geen wonder dat iedereen in de rij stond om haar te spreken.

De volgende in de rij was een man met een kasjmier sjaal en een chique overjas. Hij keek aandachtig naar Freda.

Ineens hield Lane haar pas in. Ze wist niet waarom, maar ze voelde zich een beetje ongemakkelijk.

'Wat is er?' vroeg Eva.

'Die man, die daar staat te wachten om Freda te spreken,' fluisterde Lane.

'Ik zie hem niet,' klaagde Eva.

'Kom deze kant op, zo. Dan kun je hem zien, zonder haar af te leiden.'

Allebei zagen ze hoe Freda de man die haar had benaderd, aankeek. Het was te ver weg om te kunnen horen wat ze zei, maar de uitdrukking op haar gezicht was totaal veranderd. Wie hij ook was, hij was belangrijk.

Lane had meteen een hekel aan hem.

'Was je blij met mijn bloemen?'

'De bloemen die juffrouw Duffy kreeg, de bibliothecaresse? Ze zijn prachtig. Zal ik haar voor u roepen?'

Hij zweeg even terwijl hij aan een van de rozen rook. 'Ze waren voor jou, Freda.' Hij was erg knap, en er lag zoveel warmte in zijn lach.

Ze kon zich er niet van weerhouden terug te lachen, ook al was ze vergeten hoe flirten ging, als ze dat al ooit geweten had.

'U was niet op de Vriendenavond,' zei ze. 'Anders zou ik het vast nog wel weten.'

'O, maar ik was er wel. Ik wist niet dat er een bijeenkomst was, ik kwam alleen maar binnen omdat het begon te regenen. Ik stond daar, achterin.' Hij wees naar een zuil naast de achterdeur.

'Dus u bent niet gaan zitten?'

'Nee, ik wilde alleen maar even schuilen tot de ergste stortbui voorbij was, en ik dacht dat een lezing in de bibliotheek wel saai zou zijn.'

'En, was het dat?' Ze vroeg het heel voorzichtig.

'Nee, Freda, het was een erg leuke avond, deze hele ruimte was een en al warmte en enthousiasme en hoop. Daarom ben ik ook gebleven.'

Dat was precies zoals zij het ook had gevoeld. Ze had het idee dat mensen die avond een soort reddingsboei toegeworpen hadden gekregen. Ze verlangden zo naar iets nieuws, iets waarbij ze betrokken konden raken; ze wilden allemaal zo graag helpen. Zonder iets te zeggen keek ze hem aan.

'Ik kwam je vragen of je met me uit eten wilt.' Ze zag dat hij een beetje een kleur kreeg. Opeens keek hij onzeker. 'Ik bedoel, we kunnen ook iets anders doen, gaan wandelen, een kop koffie drinken, naar de film, wat jij wilt. O, nee, wacht, ik heet Mark. Mark Malone. Wil je met me mee uit?'

'Eten zou leuk zijn…' hoorde ze zichzelf zeggen.

'Fijn. Kan ik voor vanavond iets reserveren?'

Freda vertrouwde haar eigen stem niet. 'O, nou, ja, vanavond is prima,' zei ze ten slotte.

'Waar zou je graag heen willen?'

'Ik weet het niet… Ik vind alles goed. Ik kom graag bij Ennio, aan de kade, daar ga ik soms met mijn vriendinnen heen als we onszelf willen trakteren.'

'Nou, ik wil me niet indringen bij een speciaal plekje van jou en je vriendinnen. Wat denk je van Quentin, dat is ook goed, toch? Is acht uur een goede tijd?'

'Afgesproken, acht uur,' zei Freda.

Hij grijnsde en pakte toen demonstratief haar hand en drukte er een kus op.

Toen hij weg was, legde Freda haar hand tegen haar wang en hield hem daar. Ze wist het niet, maar dat gebaar werd gezien door haar tante Eva, haar vriendin Lane, juffrouw Duffy, de dichter Lionel en een meisje dat toevallig binnenkwam omdat ze een baantje als schoonmaakster zocht.

Allemaal zagen ze Freda's gezicht, terwijl ze haar hand langzaam naar haar lippen bracht. De hand die de man had gekust. Er had zich voor hun ogen iets gedenkwaardigs afgespeeld.

De dag ging voorbij. Op de een of andere manier.
Lane zei: 'Heb je me iets te vertellen?'
Freda had gevraagd: 'Over papegaaiduikers?'
'Nee, over mannen die binnenkomen om je hand te kussen.'
Morgen, had Freda beloofd.

Hij zat er al toen Freda bij Quentin binnenkwam. Hij droeg een donkergrijs pak en een onberispelijk wit overhemd. Wat was hij knap. Hij lachte en stond op om haar te verwelkomen toen Brenda, de elegante eigenares van het restaurant, Freda naar het tafeltje bracht.

'Ik dacht dat je misschien wel een glas champagne zou willen, maar ik heb het nog niet voor je besteld,' begon hij.

'Twee keer goed,' glimlachte Freda. 'Ik wil inderdaad graag een glas champagne, maar fijn dat je me de keus niet uit handen neemt.'

'Dat zou ik niet doen, hoop ik,' zei hij. 'Ik vind het zo fijn om je te zien – je ziet er prachtig uit,' zei hij.

'Dank je,' zei zij eenvoudig.

'Nou, het is waar, je bent erg mooi, maar dat is niet de enige reden waarom ik je mee uit eten heb gevraagd.'

'Waarom heb je me dan gevraagd?' Ze wilde het echt graag weten.

'Omdat ik je maar niet uit mijn hoofd kan zetten. Ik vond het prachtig wat je zei over de gedichten van die man, over de subtiele melancholie daarin. Een ander zou twee keer zoveel woorden nodig hebben om dat te zeggen. En hoe je helemaal opgetogen raakte over die schoolmeisjes en hun leesclubjes; je hebt

ze echt enthousiast gemaakt, je straalt zoveel energie, zoveel leven uit. Dat viel me meteen op, daar in de bibliotheek; ik zie het hier ook. Daar wilde ik ook deel van uitmaken. Dat is alles.'
'Ik weet niet wat ik moet zeggen. Ik heb geboft; ik ben erg blij met mijn baan en mijn leven enzo...'
'En ben je ook blij dat je hier bent? Nu?'
'Erg blij,' zei Freda.
Het gesprek verliep soepel.
Hij wilde alles over haar weten. Over haar school, haar studie, het huis waarin ze met haar ouders en zussen had gewoond. Hoe ze aan haar baan bij de Finn Road Bibliotheek was gekomen. Haar appartementje boven in een groot Victoriaans huis. Haar excentrieke tante die al zo lang de rubriek *Veren* in de krant schreef en die Freda soms meenam om vogels te gaan kijken.
'Genieten op grote hoogte,' zei hij plechtig.
'Zeg dat wel,' snoof zij. 'Het geeft je vleugels' En allebei schaterden ze het uit.
Hij toonde belangstelling voor alles wat ze ooit in haar leven had gedaan. Ze hadden het over vakanties en of zo'n weekje naar de zon al dat gedoe wel waard was, en of je goed in sport moest zijn om te gaan skiën. Wat toevallig: ze waren allebei naar hetzelfde Griekse eiland geweest – wat was de wereld toch klein. Ze hielden van dezelfde films, dezelfde muziek. Hij had zelfs een paar van Freda's favoriete boeken gelezen.
Freda vroeg hem ook naar zijn leven. Per slot van rekening was dit net zoiets als een blind date; ze wisten niets van elkaar, en toch zaten ze hier, in een van de beste restaurants van Dublin. Hij was opgegroeid in Engeland, in een Iers gezin. Zijn ouders woonden daar nog, net als zijn broer. Nee, hij zag ze niet veel, zei hij spijtig. Hij haalde zijn schouders op, maar Freda kon zien dat het hem dwarszat.
Hij had in Engeland gestudeerd, marketing en economie, maar daar had hij lang niet zoveel geleerd als later, in de vrijetijdsindustrie. Hij had in de autoverhuur gezeten, in de jachtverhuur, in de cateringbusiness, en was er steeds meer achter gekomen waar het om draait in de zakenwereld. Hij had in Londen gewerkt, in New York en nu in Dublin; en ook al was hij hier als

kind wel in de vakanties geweest, de stad was voor hem nog steeds nieuw. Hij werkte nu voor een recreatieconcern dat wilde investeren in Holly's Hotel; dat wilden ze ontwikkelen tot een groot recreatieoord.

'Het klinkt jou allemaal vast heel saai in de oren, maar het is echt spannend en het gaat niet alleen maar over geld,' zei hij geestdriftig. 'En ik zou heel graag meer te weten komen over de geschiedenis van deze omgeving. Misschien kun jij me daar wel bij helpen.'

Hij had nog geen geschikt huis gevonden, dus logeerde hij in het hotel. Het was wel goed om ter plaatse te zijn, want zo kwam hij erachter wat voor hotel het eigenlijk was. Het was zo'n persoonlijke vluchthaven, het soort plekje waarvan mensen dachten dat ze het op eigen houtje hadden ontdekt. Het personeel onthield je naam, ze deden hun best om je een prettig verblijf te bezorgen. Geen wonder dat ze succes hadden.

Op de dag van de onweersbui had hij net een bespreking met de ontwikkelaars achter de rug, die was uitgelopen. Hij had zich over Finn Road gehaast toen de stortbui op zijn hevigst was. Het was alleen maar een gelukkig toeval, puur geluk, dat hij gezien had dat de bibliotheek open was en besloten had om daar even te schuilen. Toen had hij haar gezien. Stel je voor dat hij gewoon door was gelopen? Stel dat de bespreking op tijd afgelopen was geweest en hij al weg zou zijn geweest voordat het begon te regenen?

'Dan zouden jij en ik elkaar nooit hebben ontmoet.' Hij lachte en deed alsof hij huiverde bij de gedachte aan die mogelijkheid.

Freda voelde hoe haar schouders ontspanden. Zij was dol op Holly's Hotel; het was de perfecte plek voor een familiefeest, en het idee dat het veranderd zou worden in een 'recreatieoord' klonk vreselijk. Maar het maakte niet uit door welk toeval ze deze aantrekkelijke man had ontmoet, die haar om de een of andere onbegrijpelijke reden erg leuk vond. Ze zuchtte van puur plezier.

Hij lachte naar haar en haar hart smolt.

Freda hoopte dat hij niet mee naar haar huis zou willen. Het appartement was één grote puinhoop. En dan had je nog de kwestie van het eerste afspraakje en dat je dan te makkelijk gevonden werd; en als hij mee naar haar huis zou willen, zou ze een week nodig hebben om dat op orde te krijgen. En wat als hij voorstelde om naar Holly's Hotel te gaan? Maar dat zou hij niet doen, toch? Daarvoor had hij te veel klasse.

Ze waren de laatsten die het restaurant verlieten. Quentin regelde een taxi voor ze. Mark zei dat hij haar naar huis zou brengen. Toen de taxi stilhield, stapte hij uit en liep met haar mee naar de deur.

'Leuk huis, maar dat had ik wel gedacht,' zei hij, en hij gaf haar een kus op elke wang en stapte weer in de taxi.

Freda liep de trap op en ging haar appartementje binnen, dat eruitzag alsof het door inbrekers ondersteboven was gekeerd, maar ze had het toch echt zelf zo achtergelaten. Ze ging op de rand van haar bed zitten, en wist niet of ze nu opgelucht of teleurgesteld moest zijn dat hij niet mee naar binnen was gekomen.

Toen ze had zitten vertellen over de bibliotheek, had hij naar elk woord geluisterd, alsof zij de enige persoon in het restaurant was. Maar misschien deed hij dat bij iedereen? Vond hij haar echt leuk? Natuurlijk niet, hoe zou dat kunnen? Ze was maar een bibliothecaresse; hij was zo elegant en had zoveel van de wereld gezien.

Vanavond voelde zich zich opeens eenzaam hier. Misschien moest ze een kat nemen om tegen te praten.

Eva had haar dat afgeraden; ze zei dat katten de natuurlijke vijanden van vogels waren; en trouwens, als je je aan ze hechtte, kon je niet meer op reis. Toch, als ze een kat had, zou die nu misschien tegen haar spinnen, een levende ziel zijn in dit lege appartement helemaal boven in een groot huis.

Ze viel in een onrustige slaap en droomde telkens weer dat ze probeerde op een veerboot te komen, die steeds wegvoer voordat ze aan boord kon stappen.

'Kom op, Freda, wij doen niet aan "vaag",' zei Lane de volgende ochtend bij een kop koffie in het theatertje.

'Ik doe niet vaag, ik vertel je alles over het menu, tot en met de chocolade Q aan het eind,' zei Freda verontwaardigd.

'Maar hoe zat het met hém? Vond je hem leuk? Kon je makkelijk met hem praten?'

'Hij was prima, heel ontspannen, heel charmant. Hij zit in wat ze de "vrijetijdsindustrie" noemen…'

Lane snoof spottend.

'En hij is hier om te praten over investeringen in Holly's Hotel. Ze willen het enorm uitbreiden.'

'Holly's heeft geen uitbreiding nodig. Het is prima zoals het is. Hebben jullie…'

'Nee.'

'En wilde hij…'

'Nog eens nee. Zijn nu alle vragen over de seksuele kant van de zaak beantwoord?' vroeg Freda.

Lane keek gekwetst. 'We vertellen het elkaar altijd, daarom vroeg ik ernaar.'

'Nou, ik héb het je verteld. Niets, nada, *zilch.*'

'O, maar zou je het me vertellen, als er wél iets was?' speculeerde Lane.

'Tja, dat weet je nooit, hè?' Freda klonk luchthartiger dan ze zich voelde.

'Stel dat ik je zou waarschuwen voor die Mark,' zei Lane met een serieuze blik. Ze kon er niet de vinger op leggen, maar er was iets aan hem wat haar niet beviel. 'Stel dat ik zei dat ik hem niet vertrouwde. Stel dat ik zei dat je niets van hem weet, dat hij je alleen maar probeert te versieren. Als ik dat deed, zou ik je dan kwijtraken als vriendin?'

'Er is niets om me voor te waarschuwen – één bos rozen die juffrouw Duffy heeft gekregen, één etentje… niet bepaald een affaire.'

'Dat is nog maar het begin,' zei Lane duister. 'Hij komt terug. Dat weet ik zeker.'

Joe Duggan, een man die Freda vijf jaar geleden op de universiteit had leren kennen, belde om haar uit te nodigen voor een feestje die avond. Freda voelde er niets voor om naar een stel

vreemden te gaan met iemand die ze zich nauwelijks kon herinneren, maar vriendelijk als altijd vroeg ze hem wat hij tegenwoordig deed.

'Ik geef cursussen technologie, vooral voor dummies,' zei hij.
'Je weet wel, mensen die bang zijn voor de nieuwste uitvindin-
gen, maar die niet achterop willen raken. Ik ben er best goed in,
eigenlijk. Ik zeg tegen ze dat apparaten dom zijn en dat stelt ze
gerust.'

'Joe, misschien heb ik wel een leuke klus voor je. Kun je vrijdag bij me langskomen in de bibliotheek,' vroeg Freda. Dit zou
wel eens de oplossing kunnen zijn voor de volgende Vriendenavond.

Het gezicht van juffrouw Duffy stond op storm.

'Als je klaar bent met het regelen van je sociale leven, juffrouw O'Donovan, zou ik je dan kunnen vragen om te helpen
met de uitleenboetes? En er staan bij de balie verscheidene
mensen te wachten tot je tijd voor ze hebt.'

Vooraan in de rij bij de balie stond Mark Malone. Hij zei
niets, keek haar alleen maar aan.

'Moet je niet naar je werk?' vroeg ze, om het gesprek luchtig
te houden en te zorgen dat hij ophield haar aan te staren.

'Ik werk hard genoeg,' zei hij. 'Tot diep in de avond, vaak,
maar vanochtend heb ik tijd vrijgemaakt om jou te komen opzoeken.'

'Heel hartelijk dank voor het etentje,' zei Freda. 'Ik was van
plan je een briefje te schrijven, om je te vertellen hoe leuk ik
het heb gevonden.'

'Wat zou je geschreven hebben?'

'Dat het een heel gezellige en warme avond was en dat ik je
daarvoor wilde bedanken.' Ze liet iets afdoends doorklinken in
haar toon, alsof ze ervan uitging dat dit voor één keer was geweest en dat ze gewoon dankbaar was, zonder bijgedachten.

'Je vertelde dat je morgen een vrije dag hebt,' zei hij.

Anders deed Freda op haar vrije dag altijd wat Lane en zij 'de
gewone dingen van het leven' noemden: haar lakens en hand-

doeken naar de wasserette brengen, boodschappen doen bij de supermarkt, misschien Lane overhalen om uitgebreid te gaan lunchen. Soms ging ze naar een tentoonstelling of etalages kijken bij de modewinkels in het centrum. Of ze verzorgde haar bloembakken, zette er bloembollen in voor de lente, en soms ging ze 's avonds met wat vriendinnen naar een wijnbar.

Maar morgen niet. Dat zou een heel andere dag worden.

Mark had gevraagd of Freda het leuk zou vinden om met hem naar het graafschap Wicklow te gaan. Hij moest naar een bespreking met juffrouw Holly, en misschien konden ze daar ergens lunchen. Onder de douche stelde Freda zich voor hoe de dag eruit zou zien. Ze zouden 's middags een wandeling kunnen maken, dan naar huis gaan en dan zou zij voor hem kunnen koken. Of misschien zouden ze in Holly's Hotel blijven. In elk geval zou hij zeggen dat ze er prachtig uitzag. Hij zou haar in zijn armen nemen.

'We hoeven niet langer te wachten,' zou hij dan zeggen. Of misschien: 'Ik zou niet weten wat ik vanavond zonder jou zou moeten beginnen.' Zoiets. Wat dan ook. Het maakte niet echt iets uit.

Ze vroeg zich af hoe het zou zijn. Ze hoopte dat ze aantrekkelijk genoeg voor hem zou zijn. Hem zou behagen. Ze had weinig ervaring opgedaan en zeker niet kortgeleden.

De vorige keer was bijna twee jaar geleden, toen ze een vakantieliefde had beleefd, met Andy, een erg leuke jongen uit Schotland die beloofd had dat hij contact met haar zou houden en dat hij haar zou komen opzoeken in Ierland. Maar hij had geen contact gehouden en was ook niet naar Ierland gekomen. Ze had het niet zo erg gevonden. Andy had zijn leven al helemaal uitgestippeld: hij zou bij een bank gaan werken, in de buurt van zijn ouders en broers gaan wonen, vaak gaan golfen.

Freda wist niet waarom ze nu opeens aan Andy moest denken, behalve dan omdat ze zich zorgen maakte dat ze er niet goed in was geweest, en dat dat misschien de reden was waarom hij geen contact had gehouden. Misschien was ze waardeloos geweest in bed. Zelf had ze er wel van genoten, die magische zomervakantie, en ze dacht dat dat ook voor Andy gold. Maar ja, je wist het nooit zeker. Het zou fijn geweest zijn om gerustgesteld te worden over die kant van de zaak. Freda lachte wrang in zichzelf bij het idee dat ze na al die jaren Andy's bank zou bellen om zich door hem te laten geruststellen over haar prestaties.

Maar Mark was niet op zoek naar een expert op het gebied van seks. Toch? Waarschijnlijk waren de vrouwen sinds zijn tienertijd bij bosjes voor hem gevallen. Ze wilde dat ze meer wist over hem en over wat hij wilde.

En toen, op het moment dat ze het het minst verwachtte, kreeg Freda een van haar voorgevoelens. Ze zag, zo duidelijk afgetekend als een advertentie van een makelaar in een woninggids, een appartement voor zich, een woonkamer met een open keuken, twee grote slaapkamers en een werkkamer met een overvol bureau. Door het raam kon je de zee zien. Bij de deur stond een kleine vrouw met kort, blond haar, een leesbril aan een ketting om haar hals en een zwakke, bezorgde glimlach.

Ze zei: 'Daar ben je, schat. Fijn dat je thuis bent!' tegen iemand die de deur binnen kwam. Wie was die vrouw? En tegen wie had ze het? Ineens ademde Freda heftig uit, ze voelde zich licht worden in haar hoofd en haar benen leken wel van papier. Was het Mark?

Dat kon niet. Het klopte niet. Het gevóél klopte niet. Ze had geen man gezien, ze had niet gezien wie er binnenkwam. Het kon Mark niet zijn. Het kon niet.

Bevend kleedde ze zich aan en nog steeds met trillende handen deed ze mascara en lippenstift op. Ze stak haar haar op, pakte haar wandelschoenen en klaar was ze. Ze voelde een huivering over haar rug gaan. Wat was ze blij dat ze niemand over deze afspraak had verteld.

De schrille toon van de intercom klonk. Hij stond voor haar deur.

'Ik kom meteen naar beneden,' zei ze in de microfoon.

Hij keek haar vol bewondering aan toen ze de trap naar de hal af kwam. 'Wat ben je mooi,' zei hij.

Freda voelde zich nog steeds verward en wilde een grapje maken om de spanning uit de lucht te halen. Ze was er niet aan gewend zo'n compliment te accepteren alsof het de gewoonste zaak van de wereld was. Ze zei het eerste positieve dat in haar hoofd opkwam.

'En jij bent heel knap, geweldig, eigenlijk.'

Hij gooide zijn hoofd achterover en lachte. 'Wat lief van je om dat te zeggen! Nou, laten we ophouden met elkaar te bewonderen en in de auto stappen, de kou uit.' Hij hield de deur van een donkergroene Mercedes voor haar open.

De rit naar Wicklow ging als in een roes voorbij. Freda kon zich achteraf nauwelijks herinneren hoe ze er gekomen waren, waar ze over gepraat hadden. Ze kon alleen maar naar Marks gezicht kijken, terwijl hij zich concentreerde op het rijden en af en toe naar haar lachte.

Terwijl Mark in bespreking was met juffrouw Holly en haar staf, zat Freda in de lobby van het hotel in een met chinz overtrokken stoel bij het vuur, met een tijdschrift op schoot waarin ze niet las en een kop koffie op een tafeltje naast haar waarvan ze niet dronk. In plaats daarvan keek ze in de vlammen en dacht na over wat er gebeurd was; en terwijl ze dat deed, vormden zich vanuit het niets beelden in haar hoofd. Ze probeerde ze weg te duwen, deed haar ogen dicht en weer open, maar de beelden waren er nog steeds. Mark stond in een kamer met schreeuwende mensen. Juffrouw Holly zat in een hoek te huilen. Mark zag er kalm en onverschillig uit; hij zei iets erg onaangenaams en beangstigends tegen haar. Wat het ook was, het was verkeerd, helemaal verkeerd.

Beverig duwde ze het visioen weg, Het was onzin; het betekende niets. Ze was alleen maar even weggedut en had raar gedroomd. Ze zuchtte en probeerde zich weer van de beelden te ontdoen. Maar ze werd alleen maar duizeliger en verwarder.

Al snel was hij er weer.

'Hoe ging het?' vroeg ze.

'Vraag dat maar niet. Ik zal je erover vertellen als we goed en wel uit de buurt zijn. Laten we gaan. Jij en ik hebben alle tijd van de wereld, er is niemand die op ons wacht; we hoeven nergens naartoe, behalve waar we zelf heen willen.'

'Ik moet wel terug. Ik moet morgen voor acht uur in de bibliotheek zijn om hem open te doen.'

Hij lachte terug. 'Goed. We gaan ergens eten, en dan geen gepraat meer over werk, voor ons allebei, afgesproken?'

'Afgesproken,' zei Freda.

In de auto zeiden ze weinig; Freda keek aandachtig naar zijn gezicht, maar Mark zag er ontspannen en gelukkig uit. Freda begon te denken dat het alleen maar een idiote droom was geweest. Terwijl hij haar uit de auto hielp, kuste hij haar en de hele maaltijd lang kon ze nergens anders aan denken.

Die nacht gingen ze voor het eerst met elkaar naar bed.

De volgende avond gingen ze naar de bioscoop. Achteraf kon Freda zich niets van de film herinneren, ze wist alleen nog hoe het had gevoeld om met haar schouder tegen de zijne te zitten. Later gingen ze terug naar haar appartement.

Op vrijdag vroeg hij haar mee naar een concert, maar ze had afgesproken met Joe Duggan, de computerexpert en aarzelde. Marks gezicht betrok en hij keek zo teleurgesteld dat ze wist dat ze iets moest doen.

Ze belde Lane.

'Ik zal de rest van mijn leven álles doen wat je maar wilt. Alles. Vloeren schrobben in je theater...'

'Wie moet ik vermoorden?' vroeg Lane.

'Nee, het is die man, Joe Duggan, die de volgende week het praatje gaat houden. Ik had met hem afgesproken in de bibliotheek vanavond, maar ik kan niet. Wil jíj het overnemen en hem alles vertellen?'

'Freda. Nee.'

'Ik smeek het je op mijn blote knieën.'

'Ik kan het niet, ik ben theaterdirecteur. Jij bent de bibliothecaresse.'

'Het is gewoon zomaar een praatje; je weet wat ze verwachten.'

Het bleef even stil.

'Lane?'

'Dit is niets voor jou, en het is níét zomaar een praatje. Het is iets wat jij hebt georganiseerd en veel mensen rekenen op je.'

'Ik doe het nooit meer, alleen voor deze ene keer! Ik zeg wel tegen Joe dat ik hem maandagochtend bel.'

'En als ik het niet doe?'

'Dan weet ik niet wat ik zal doen.' Freda's stem haperde even.

'Zoiets flauws heb ik nog nooit gehoord,' zei Lane.

'Maar je doet het.'

'Ja.'

'Dank je wel, Lane, uit de grond van mijn hart...' begon Freda.

'Dag, Freda.'

Freda belde Mark.

'En?' vroeg hij.

'Ik kan vanavond,' zei ze.

'Dat hoopte ik zo,' zei Mark.

Het concert was hemels en toen ze daarna zaten te eten, zei hij tegen haar dat er niemand was zoals zij. Hij bewonderde haar om haar werk en deed haar wat ideeën aan de hand voor Vrienden-avonden; hij wilde al zijn tijd met haar doorbrengen en alle verloren tijd inhalen. Hij was zo lief en teder, ze had geen enkel verweer, ze werd als was in zijn handen.

Het was te plotseling, te snel, hield ze zichzelf voor. Maar aan de andere kant: je moest elkaar toch ooit ergens ontmoeten. Zou het anders zijn geweest als ze elkaar hadden leren kennen op een feest, in een club, in een vol café? Toch wilde ze zich niet zo met de stroom mee laten voeren. Maar altijd als hij belde of als ze samen waren, vergat ze al haar bange voorgevoelens.

Weet u niets van computers, en wilt u er meer over te weten komen? Dan bent u van harte welkom bij de Vrienden van de Bibliotheek. Vrijdagavond komt Joe Duggan hier, om iedereen, van alle leeftijden, te introduceren in de wereld van de technologie.

Toen Mark voorstelde om samen een weekend weg te gaan, aarzelde ze weer. Hij zou niet met haar weggaan als hij getrouwd was, dat was niet mogelijk. Maar de dromen bleven komen. Ze raakte het gezicht van de vrouw met het korte blonde haar maar niet kwijt. Ze wist gewoon dat het Mark was, die de vrouw verwelkomde, en in haar droom zag ze de trouwring.

Als hij getrouwd was, wat zou hij dan tegen zijn vrouw zeggen wanneer hij met Freda naar de heuvels rond Dublin vertrok? Freda vond het heel verwarrend. Maar ze was niet bereid haar kans op geluk te laten lopen.

Toen ze Lane vroeg om weer voor haar in te vallen met Joe, had Lane weinig te zeggen. Ze luisterde naar haar vriendin en stemde toe.

'Ik doe het voor Joe, niet voor jou,' zei ze ijzig.

Freda voelde zich schuldig tegenover haar vriendin, maar toen dacht ze aan haar weekend met Mark. Mark had Freda in veel opzichten nodig, dat was duidelijk. Hij wilde haar vanwege haar gezelschap, haar vriendschap, haar steun, en om de seks. Hij hield van haar, dat zei hij. Het huwelijk moest wel een verstandshuwelijk zijn, dat wist ze zeker.

Eva hoopte dat de romance snel in rustiger vaarwater zou belanden, zodat Freda weer kon denken aan andere dingen dan alleen Mark Malone. Ze leek volkomen in de ban van die man, en in zekere zin begreep Eva wel waarom. Hij was zo charmant, zo enthousiast. In veel opzichten paste hij heel goed bij Freda. Maar in Eva's ogen waren ze ook heel verschillend. Mark was harder, hij zou krijgen wat hij wilde, wat dat ook was, zonder pardon. Freda was juist altijd zo gelukkig met haar leventje zoals het was.

Hij en Lane konden het niet met elkaar vinden, maar dat zou met de tijd wel goed komen. Lane was heel sterk tegen hem gekant, ze klaagde dat Freda nergens meer belangstelling voor had, niet meer voor haar werk, voor haar vrienden, voor haar hele leven. 'Het is alsof ze in een soort mist of wolk of zoiets leeft,' had ze gezegd. 'Hij bepaalt alles wat ze doet.'

Ze hadden hem nu al een paar keer ontmoet, maar Lane vertrouwde Mark niet.

314

Domme, dwaze Lieve Lita, zei Eva tegen zichzelf. Het had geen zin te proberen om dit soort dingen logisch, rationeel uit te pluizen. Maar ze maakte zich wel zorgen. Er leek storm op komst. Lane mocht hem niet en vertrouwde hem niet. Hij was de eerste man die een bedreiging vormde voor hun zo hechte vriendschap. Anders moedigden ze elkaar juist altijd aan als het om vriendjes ging en gaven ze elkaar enthousiast raad. Freda zei altijd dat Lane een heel leger hartstochtelijke mannen achter zich aan had lopen. Lane moest dan lachen en zei dat dat allemaal werkloze acteurs waren; het enige waar die achteraan liepen was twee weken werk in haar theater. Lane zei dat ze op z'n minst drie mensen kende die alleen maar die bibliotheek binnen gingen om met Freda te kunnen praten, en niet om een boek open te slaan. Ze probeerden Freda altijd mee uit te vragen, maar dat snapte ze nooit en ze bleef maar boeken voor ze opzoeken...

Deze heftige reactie, zowel voor als tegen Mark, paste helemaal niet bij de meisjes.

Wegens het succes van de lezing van vorige week, 'Wees niet bang voor technologie', door Joe Duggan, hebben de Vrienden van de Finn Road Bibliotheek besloten twee keer per week een bijeenkomst aan dit onderwerp te wijden.

Freda ging bij Eva langs om een zwart, met kraaltjes geborduurd jasje van haar te lenen. Ze was uitgenodigd voor een receptie in Holly's Hotel over een paar weken. Mark had wat journalisten en touroperators uitgenodigd voor wat hij een kennismakingsborrel noemde. In werkelijkheid was het onderdeel van zijn campagne om de steun van de pers te krijgen voor de plannen die hij met het hotel had.

Eva had gehoopt dat Freda zou blijven lunchen.

'Tja, Eva', zei Freda met een schuldig gevoel, 'ik heb eigenlijk niet echt veel tijd... Ik heb nu zoveel te doen.'

Eva keek haar recht aan.

'Wat dan?'

'O, je weet wel, al die dingen in de bibliotheek; de Vrienden zijn nu echt een succes, dankzij Joe Duggan, ze kunnen maar geen genoeg van hem krijgen.'

'Dat is anders niet aan jou te danken.'

'Hoezo?' Freda schrok ervan.

'Nou, jij was er niet om hem de bibliotheek te laten zien, dat hebben Lane en ik gedaan. En op de avond van zijn praatje was jij er een weekend vandoor met Mark.'

'Ja.' Freda boog haar hoofd.

'Dus hij moest het doen met een oude vogelgek en de directeur van een experimenteel theater om het goed te laten verlopen. God mag weten wat hij allemaal had kunnen doen als hij een echte bibliothecaresse bij de hand had gehad.'

'Jullie hebben het geweldig gedaan, Lane en jij, ik heb jullie er al voor bedankt, jullie waren fantastisch.'

'Jij was er niet...' zei Eva streng.

'Luister nou, je weet hoe het gaat...'

'Nee, dat weet ik niet. Weet je wat, ga met mij mee, spechten kijken. En dan vraag je Mark ook mee.'

'Dat is heel lief van je, Eva, maar het is echt waar dat ik het druk heb. Ik heb het een en ander goed te maken, als je begrijpt wat ik bedoel.'

'Ik snap wat je bedoelt.'

Freda wist dat tante Eva gelijk had. Wat Lane betrof, het leek wel of voor hun vriendschap het doek gevallen was. Lane deed altijd beleefd, maar dat vond Freda nog naarder dan wanneer ze boos had gedaan. Dit was zo afstandelijk, zo kil.

Lane had het Freda niet vergeven dat ze er vandoor was gegaan op de avond van Joe Duggans lezing.

Freda vond het kinderachtig en oneerlijk van Lane dat ze zo'n houding aannam. Joe was een groot succes geweest; hij zou zijn eigen serie lezingen krijgen. In al die tijd dat Freda bij de bibliotheek werkte had ze nooit eerder verstek laten gaan om iets voor zichzelf te doen. En hemel, het ging niet eens om de normale bibliotheektijden, dit was iets wat zij als vrijwilliger had georganiseerd,

En Joe zelf had het wel begrepen. Hij had gezegd dat het heel vriendelijk van haar was geweest, om te regelen dat hij door zo'n aardige vrouw werd opgevangen. Ze had hem heus niet zomaar laten zitten.

Wat een drukte om niets.

Mark moest een paar dagen naar Londen, dus greep Freda haar kans om Lane en Eva uit te nodigen voor een etentje bij Ennio. Ze hoopte dat zij zouden begrijpen hoe ze zich voelde. Het zou vast wel goed komen.

En zo hadden Freda, Lane en Eva een gezellige avond bij Ennio, waar ze pasta aten en bijkletsten.

Eva had plannen voor een vogelkijkreis naar de westkust van Ierland. Over een paar weken zou daar een nieuw hotel opengaan, op de kliffen bij Stoneybridge. Een perfecte plek voor vogelaars. Eva was al bezig haar verblijf te regelen.

Even zweeg ze dramatisch, en daarna bracht ze een toost uit: 'Jullie twee moeten geen ruziemaken,' verklaarde ze. 'Dat wil ik niet hebben. Zeker niet over zoiets stoms als een man.'

Lane en Freda moesten nu allebei lachen.

'Wat ben je toch een bemoeial, Eva, we hebben geen ruzie,' zei Freda.

'Ik zou nooit ruziemaken met Freda,' beloofde Lane.

'Goed, dat is dan geregeld.'

Lane en Freda keken elkaar hulpeloos aan.

'Mijn tante, de dramaqueen,' zei Freda.

'Hoe komt ze erbij dat wij ruzie zouden gaan maken?' vroeg Lane.

'Dat ik van hem hou en jij vindt hij niet deugt, dat kan haar aan het denken hebben gezet.'

'Ik zal nooit meer zo over hem praten. Ik had alleen gedacht dat je er wel bij had willen zijn toen Joe zijn lezing hield. Toevallig heeft het wel iets opgeleverd – Joe heeft me mee uit gevraagd, dus ik vergeef het je,' zei Lane.

Freda boog zich naar haar toe en gaf haar een klopje op haar pols. En toen, midden onder de maaltijd, werd Freda aan de telefoon geroepen. De ober leidde haar naar het kantoortje, waar het boek met reserveringen lag en gaf haar de telefoon.

'Hallo?' Freda had geen idee wie het zou kunnen zijn.

'Ciao bella,' zei de stem aan haar oor.

'Mark!'

'Ik wilde alleen maar even tegen je zeggen dat ik je mis, en dat het belachelijk is: ik hier op een saai etentje, en jij daar, terwijl we samen hadden kunnen zijn.'

'Mijn etentje is niet saai, ik ben met vriendinnen, dat heb ik je toch verteld?' zei ze. 'En trouwens, morgen ben je er toch weer?'

'Nee, helaas niet. Ik moet hier nog wat langer blijven. Nog een paar besprekingen. Maar het zal niet veel langer duren. Ik ga weg zodra ik kan.'

De lach verdween van haar gezicht. 'O nee, en ik heb nog wel vrij genomen!'

'Nou, ik zal voortaan niet meer zoveel afspraken maken. Is dat wat je wilt? Moet ik mijn zakenbesprekingen soms afzeggen?' Hij klonk boos.

'Het spijt me, ik bedoelde er niets mee,' zei Freda verward.

Het was even stil.

'Goed dan,' zei hij uiteindelijk. 'Het spijt me, ik sta hier nogal onder druk. We spreken elkaar morgen wel, dan weet ik meer.'

'Tot morgen dan,' stemde ze in, een beetje ontdaan. En toen vroeg ze, alsof de gedachte ineens bij haar opkwam: 'Mark, waarom heb je me niet op mijn mobiele telefoon gebeld?'

'Ik heb de mijne niet bij me, dus heb ik je nummer niet,' zei hij zonder aarzelen. 'Ik bedacht dat je Ennio had gezegd, dus heb ik het nummer in het telefoonboek opgezocht.'

'Was hij dat?' vroeg Lane, toen ze terugkwam bij hun tafel.

Freda lachte. 'Toevallig wel, ja.'

'Waarom heeft hij je niet gewoon op je mobiele telefoon gebeld? Wilde hij soms controleren of je echt wel was waar je had gezegd dat je zou zijn?'

Eva keek met een ruk op.

Lane had luchtig geklonken, maar Freda voelde zich heel gespannen. Per slot van rekening had zij Mark hetzelfde gevraagd. Maar dat zou ze niet aan Lane toegeven.

'O, dat is het vast. Hij is toch zó'n jaloers type,' zei ze met een heel gemaakt lachje.

'Wat zit je dwars?' vroeg Eva.

'Niets,' zei Freda. 'Alleen, hij blijft langer in Londen.'

Voor de allereerste keer sinds ze er werkte had Freda geen zin om naar de bibliotheek te gaan. Er werd zo aan haar getrokken. Lane moest nog steeds niets van Mark hebben; zelfs Eva had haar geduld verloren. Ze begrepen het gewoon niet. Juffrouw Duffy bleef maar doorzeuren over het ordenen van de boeken. 'Een verkeerd weggezet boek is een verloren boek,' was haar motto.

En dan was er nog de bazige vrouw die geklaagd had over een boek dat volgens haar pure pornografie was en dat Freda per ongeluk had aangeraden aan haar boekenclub in Chestnut Court. Iemand anders was woedend geworden omdat er geen boeken van Zane Grey waren. Ze moest zich gaan verontschuldigen bij Joe Duggan omdat ze niet in de bibliotheek was geweest toen hij zijn lezingen hield.

En ze zou dat allemaal best aankunnen, als ze zich niet zo ongemakkelijk had gevoeld na hun gesprek van gisteravond. Ze had weer over de blonde vrouw gedroomd, en nu wist ze zeker dat Mark getrouwd was. Maar dat kon haar niet schelen. Hij hield van Freda. Dat had hij zo vaak tegen haar gezegd.

Ze rechtte haar schouders en liep langzaam de trap op, die ze anders altijd met twee treden tegelijk nam als ze naar haar werk ging.

Een paar dagen later nodigde Eva Lane uit om met haar te gaan lunchen.

'Er is een grote vlucht zwarte zee-eenden gesignaleerd in de buurt van Howth, en daar zouden wel eens heel zeldzame bij kunnen zijn.'

'Witte zee-eenden?' raadde Lane.

'Nou, eigenlijk heten ze grote zwarte zee-eenden.'

'Groot? Klinkt goed.'

'Het zijn allemaal zee-eenden. De mannetjes zijn pikzwart en hebben een gele snavel, de vrouwtjes hebben een witte hals en een grijze snavel. Overwinteraars. Ga met me mee en dan eten we daar in de buurt een broodje in een café,' stelde Eva voor.

'En wat moet ik aantrekken?'

'Iets wat niet felgekleurd is, daar schrikken ze van. Geen idee wat voor weer het wordt, maar je weet wel, een waterdicht jack en een trui en misschien een rugzak of iets met veel zakken.'

Lane had niets beters te doen. Freda was hypernerveus, met Mark die steeds weer een afspraak maakte en dan op het laatste moment afzei; als hij er niet was, zat ze alleen maar naar haar telefoon te kijken in de hoop dat hij zou bellen. Lane zei dat ze wel zin had in een ritje.

Toen ze de grote weg achter zich lieten en in de richting van de zee reden, wees Eva naar de pas aangekomen trekvogels: vluchten wit met zwarte ganzen en allerlei eenden, zwanen en waadvogels die uit het poolgebied kwamen. Er zou genoeg te zien zijn.

Eva concentreerde zich op het drukke verkeer.

'Zullen we ergens heen gaan waar we makkelijk kunnen parkeren?' stelde ze voor, en daarom kozen ze voor die donkere wijnbar aan zee.

Waar ze Mark Malone zagen, die geacht werd op een conferentie in Engeland te zitten.

Hij zat aan een tafeltje bij het raam. Tegenover hem zat een blonde vrouw in spijkerbroek en een dikke Aran-trui. Tussen hen in zat een klein meisje. De vrouw zag er heel jong uit en heel gelukkig. Ze vormden samen het volmaakte gelukkige gezinnetje, zich totaal niet bewust van hun omgeving.

Mark en de vrouw voerden elkaar pasta en lachten na elke hap. Het kleine meisje lachte blij met ze mee. Er hing zo'n sfeer van genegenheid en vertrouwelijkheid om hen heen, het was overduidelijk dat zij bij elkaar hoorden.

Eva en Lane stonden stomverbaasd naar het tafereeltje te kijken.

Het was te laat om nog te proberen ongezien weg te komen. Toen Mark opkeek en hen in het oog kreeg, verstrakte zijn gezicht tot een masker van woede.

Eva en Lane keken elkaar aan en zeiden allebei op hetzelfde moment: 'Die klootzak!' Toen gingen ze zonder nog een woord te zeggen de deur uit, stapten in Eva's auto en begonnen aan de rit terug naar de stad.

Terwijl ze wegreden vroeg Lane: 'Doen vogels dat ook? Je weet wel, iedereen belazeren?'

'Het is ingewikkeld.'

'Vast wel.'

'Moeten we er iets over zeggen?' vroeg Eva zich af.

'Natuurlijk. De vraag is, tegen wie? Tegen Freda of tegen Mark?'

'Als we daar niet naar binnen waren gegaan...' begon Eva.

'Dat is onzin – we zijn wél naar binnen gegaan. En we hebben hem gezien. We kunnen haar niet zo door hem voor de gek laten houden.'

'Maar het is zo vernederend voor haar als wij haar vertellen...' Eva wilde Freda beschermen.

'Het is nog vernederender als we niets zeggen,' wierp Lane boos tegen.

'Maar we weten niet zeker...'

'Natuurlijk weten we het wel zeker. Dat was geen collega van kantoor en het was ook niet zijn zus. Dat kind was van hem. Geloof me, als jij mijn geliefde met zijn vrouw en dochter zag en je vertelde dat niet aan mij, dan zou ik je maar een armzalige vriendin vinden.'

'Dat zeg je nu, maar misschien zou je er wel heel anders over denken als dat echt gebeurde.'

'Nou, het is goed dat je dat zegt, want als het mij overkwam zou ik het in elk geval willen weten. Dat bewijst dat ik gelijk heb, dat ik die beslissing kan nemen.'

'Maar we kunnen het niet tegen haar zeggen, Lane. Toe nou, denk er eens over na.'

'Het is voor hem belangrijk genoeg om erover te liegen, tegen haar te zeggen dat hij in Londen zit, en zich te verstoppen in een donkere kroeg waar hij niemand zal tegenkomen.'

'Dat dacht hij tenminste,' zei Eva. 'Zeg het niet tegen haar, Lane, ze zal er kapot van zijn.'

'Ze moet het weten. Laat ze hem terugnemen, als ze dat wil, maar ze heeft er recht op om het te weten.'

'Wacht er in elk geval nog even mee.'

Uiteindelijk hoefden ze het geen van beiden aan Freda te vertellen. Mark was ze voor.

Het was op de avond van de receptie in Holly's Hotel. Ze had de hele dag niets van Mark gehoord, maar ze wist dat hij het druk had. Ze hoopte dat ze hem vanavond eer aan zou doen. Eva's zwarte jasje stond haar heel goed; ze zou er een donkerrode zijden rok onder dragen en haar mooie zwart met rode schoenen. Ze wist dat Mark met veel mensen moest praten en dat ze zich in haar eentje zou moeten vermaken, maar later op de avond zouden ze samen zijn.

De receptie was al in volle gang, toen Freda bij het hotel aankwam. Er klonk geroezemoes van stemmen en obers liepen rond met dienbladen vol elegante hapjes.

Ze glipte naar binnen zonder Mark te laten weten dat ze er was. Hij vormde het middelpunt van een groep lachende mensen bij het raam. Freda ging aan de andere kant van de zaal staan en sloeg hem gade. Hij stond geanimeerd te praten en wist iedereen om hem heen te betrekken bij het gesprek, waar dat ook over ging. Glimlachend keek hij van de een naar de ander. En dan liep hij soepel verder naar het volgende groepje.

Ze moest hier niet zo naar hem staan kijken, alsof ze bij het meubilair hoorde. Ze was uitgenodigd als gast.

Ze herkende een paar gezichten. Een man die een tv-programma presenteerde, een columniste, een bekende televisieverslaggever. Precies het soort mensen dat hij hier had willen hebben. Hij zou straks in een goed humeur zijn.

Ze praatte wat met mensen in haar buurt en dronk weinig uit haar glas, om te voorkomen dat het werd bijgevuld. Ze maakte kennis met een man die verantwoordelijk was voor de IT bij een groot bedrijf. Hij was het met Freda eens dat het een grote verspilling was dat er zo'n beetje elke week een nieuwe update verscheen, waardoor systemen al binnen twee jaar verouderd waren. Freda vroeg wat ze met hun oude apparatuur deden en haalde hem over om daarbij aan de Finn Road Bibliotheek te denken. Ze vertelde over de computercursussen, en hij toonde daar veel belangstelling voor. Toen zag ze dat Mark vanaf de andere kant van de ruimte vreemd naar haar stond te kijken.

Haastig bracht ze het gesprek op de grote pluspunten van het hotel. Het was zo'n parel in de stad en mensen die er kwamen, hadden het idee dat het hun eigen geheime adresje was.

'Daarom zou het ook waanzin zijn om er iets aan te veranderen,' zei de man.

'Maar als het daarmee kan overleven, als ze zo kunnen zorgen dat er gasten komen?' Nu herhaalde ze de woorden van Mark. 'Er zijn tientallen hotels met conferentiemogelijkheden, een spa, vermaak voor busladingen toeristen. Holly's Hotel is anders; het moet anders blijven,' zei hij.

'Maar als het dan weggedrukt wordt, verpletterd door al die andere omdat het niet durft uit te breiden?'

'Jij bent erin getrapt,' zei de man. 'Je bent al helemaal geïndoctrineerd, je hoeft de toespraken niet eens meer te horen.'

'Ik begrijp niet helemaal wat u bedoelt.'

'O, het hele spelletje, vermomd als een hartelijke ontvangst, wat enig om jullie allemaal te zien hier in deze ouderwetse gelegenheid, en nu gaan wij die veranderen en verwoesten.'

'Zullen ze dat doen?' Freda kon nauwelijks lucht krijgen.

'Weet ik nog niet,' zei hij. 'Een paar van ons in de directie willen dat alles zo blijft als het is, alle anderen zien een grootse, glanzende toekomst en een Holly's Hotel-keten in het buitenland. Ze gaan het duidelijk afbreken en dit hele circus is bedoeld om steun te krijgen bij hun vriendjes van de pers. Zodat ze toestemming krijgen voor hun plannen. Nou ja, ik zal er maar over ophouden. Hoe heet die bibliotheek van u, voor het geval we een paar computers die kant op willen sturen?'

Ze wisselden adresgegevens uit. Op dat moment verscheen Mark naast hen.

'U loopt toch niet de zaal af op zoek naar steun voor uw bibliotheek hè, juffrouw O'Donovan?' vroeg hij.

'Het kwam helemaal van mijn kant, Mark. Deze jongedame doet iets met haar leven wat de moeite waard is, en dat kom je tegenwoordig niet vaak meer tegen.'

Mark leidde haar vastberaden weg.

'Wie was dat?' fluisterde Freda.

'Het maakt niet uit wie dat was, waar ben jij verdomme mee

bezig?' siste Mark tegen haar. 'Wat denk je wel, dat je mijn evenement kunt saboteren? Wie zit hier achter? Nee, ik hoef het niet te weten, jij en die twee krengen…'

'Márk?' Freda was totaal overdonderd. Ze schrok van de blik op zijn gezicht. Wat was er in hemelsnaam gebeurd?

'Wat dacht je te gaan doen?' Zijn ogen speurden haar gezicht af. 'Mij een beetje in het openbaar gaan beschuldigen? Mijn kansen de grond in boren?' Zijn stem klonk afgemeten en woedend. Al lag er een geforceerde glimlach op zijn gezicht, terwijl hij haar in de richting van de deur leidde.

'Ik heb geen idee waar je het over hebt,' zei ze, krachtiger nu, en ze probeerde haar elleboog uit zijn greep te bevrijden. 'Ik weet niet wat er is misgegaan, maar zal ik je morgen bellen zodat we kunnen afspreken voor een rustige, ontspannen avond?' Haar stem klonk haar verloren en hol in de oren. 'Of misschien kun jij later vanavond bij mij langskomen en me vertellen wat er aan de hand is?' Ze hoopte dat ze niet al te smekend klonk.

'Dat dacht ik niet,' zei hij spottend. 'Daar is het nu te laat voor. Je vriendinnen sturen om mij te bespioneren! Waarom kon je het niet laten zoals het was? Jij idioot, stomme idioot…' Hij struikelde over zijn woorden. 'Hoe kon je zo dom zijn? Je hebt alles bedorven. En dan te bedenken hoe gek ik op je was en hoeveel risico's ik voor jou heb genomen.'

Ze was nu doodsbang. 'Maar zeg dan wat er is. Wat heb ik gedaan? Wat het ook was, het moet per ongeluk zijn geweest. En wat ik ook verkeerd heb gedaan, het spijt me…'

Inmiddels waren ze bij de voordeur van het hotel. Freda was radeloos, maar Marks gezicht stond koud, terwijl hij haar half naar buiten sleurde.

'Neem nooit meer contact met me op. Niet bellen, niet sms'en, niet mailen. Blijf uit mijn leven. En denk erom dat jij of je vriendinnen nooit meer in de buurt van mijn vrouw en kind komen…'

Freda keek naar hem, verstomd en wanhopig, terwijl hij zich omdraaide en bij haar vandaan liep, terug het hotel in. De deur ging dicht.

Ze liep langs de rij taxi's zonder ze te zien. Haar ogen waren verblind door tranen. Toen, uit het zicht van het hotel, bleef ze staan en leunde tegen een hek aan. Daar stond ze te huilen, in Eva's zwarte jasje.

Voorbijgangers keken bezorgd naar haar. Sommigen stonden zelfs stil en vroegen of ze iets konden doen, maar dan begon Freda nog harder te huilen. Toen voelde ze een arm om haar schouders en ze besefte dat het de IT-man was met wie ze even daarvoor had staan praten.

'Is er iemand bij wie je terechtkunt?' vroeg hij vriendelijk.

Het ging wel; het was alleen maar iets stoms, iets persoonlijks, ze zou er wel overheen komen, verzekerde ze hem tussen haar snikken door.

Kon hij iemand voor haar bellen?

En al beschouwde ze zichzelf altijd als iemand die omgeven was door vrienden, vanavond was er werkelijk niemand die ze kon bellen.

Hij zette haar in een taxi; later besefte ze dat hij de chauffeur had betaald. Achter in de auto zat ze twintig minuten lang voor zich uit te kijken. In haar flatje was alles volmaakt: op tafel en op de schoorsteenmantel stonden kaarsen die ze binnen een paar minuten had kunnen aansteken; in de koelkast lagen eten en wijn, op de vensterbank stond een grote vaas geurige lelies.

Een warme, uitnodigende plek. Bijna een bespotting van al haar hoop en vertrouwen.

Toen leek het alsof de muren op haar afkwamen en ze geen adem meer kreeg.

Af en toe, als ze 's nachts wakker schrok, dacht ze even dat ze zich alles had verbeeld. Misschien was het een droom geweest, een fantasie, die hele avond in Holly's Hotel. Ze had gedacht dat ze hem kende. Hij was lief, grappig en teder. Hij kon toch niet al die tijd bij haar zijn geweest zonder van haar te houden, zoals hij haar had bezworen?

Uiteindelijk had ze het verhaal te horen gekregen van Eva en Lane. Hun dagje uit, de lunch, Mark, de blonde vrouw, het kind. Het kínd. Hij had een dochter. In haar hoofd ging ze nog eens alle visioenen na die ze geprobeerd had te onderdrukken: in geen van die visioenen was een dochter voorgekomen. Maar ze had immers wel zijn vrouw gezien? De blonde vrouw in haar visioen was echt zijn vrouw. Freda had haar gezien en niets gedaan.

In de dagen die volgden werd Freda magerder en haar gezicht werd smal en getekend.

Eva maakte zich ernstig zorgen. Eerst was ze vol medelijden, daarna verbijsterd en toen werd ze echt ongerust. 'Ik voel me zo machteloos, ik wou dat ik iets voor je kon doen,' zei ze treurig.

'Ik heb geen idee wat ik moet doen,' klaagde Freda. 'Ik hou zoveel van hem. Ik dacht dat hij ook van mij hield. Wat kan ik doen?'

'Je voelt je schuldig,' zei Eva. 'Onnodig waarschijnlijk, maar je voelt het toch. Je probeert het goed te maken, het op de een of andere manier weer recht te trekken, maar dat kun je niet. Je moet nu vooruitkijken.'

Eva nam een besluit. Freda moest er een tijdje tussenuit, ze had verandering van omgeving nodig. Ze moest ergens heen waar ze niet elke dag aan Mark werd herinnerd, waar ze weer helder zou kunnen nadenken. Ze pleegde twee telefoontjes: één naar mevrouw Starr op Stone House in West-Ierland, om haar reservering te veranderen en het tweede naar juffrouw Duffy. Freda voelde zich niet goed. Ze zou een paar dagen nodig hebben om te herstellen…

Naarmate ze dichter bij het huis kwam kreeg Freda steeds sterker het idee dat dit een grote vergissing was. Dat hotel zou haar helemaal geen goed doen. Ze kende er niemand; ze zou er alleen maar aan herinnerd worden hoe gelukkig ze zich een tijdlang had gevoeld en hoe hopeloos daarna. Wat deed ze hier? Ze hoefde geen spoken te verjagen. Alleen maar de concrete herinneringen aan haar grote liefde.

Mevrouw Starr ontving haar heel hartelijk. Ze bracht Freda naar een mooie kamer aan de zijkant van het huis en vertelde dat Eva haar had gevraagd om Freda op de hoogte te brengen van alle mogelijkheden om vogels te kijken. Freda keek somber uit het raam en zag hoe de takken van de boom voor haar raam bewogen in de wind. Steeneik, dacht ze somber. *Holly* eik. De herinnering aan haar vernedering overspoelde haar weer. Vreemd genoeg leek er maar één tak in de wind te bewegen. Freda keek als aan de grond genageld toe hoe tussen de bladeren door een klein zwart met wit gezichtje verscheen en haar even onderzoekend aankeek, voordat het weer in het gebladerte verdween. Ze hield haar adem in terwijl het katje hoger en hoger de boom in klom, waarbij er af en toe iets zwart-wits in zicht kwam.

'Maak je geen zorgen,' zei Chicky Starr, die haar angstige blik volgde. 'Dat is Gloria. Niets aan de hand. Ze is nergens bang voor. Ze denkt dat ze achter iets aan zit, maar dat is allang weg en dan komt ze wel weer beneden. Ik zal je aan haar voorstellen, als je wilt. Kom naar de keuken beneden, dan geef ik je wat lekkers voor haar. Drie brokjes, meer niet.'

Beneden in de keuken deed Chicky de zijdeur open en floot. Binnen een paar seconden verscheen Gloria met een hoopvolle blik, streek langs Chicky's benen en ging toen plotseling zitten omdat ze hoognodig haar pootje moest wassen.

'Drie brokjes,' herinnerde Chicky haar, terwijl ze het pakje brokjes aan Freda gaf. 'Trap er niet in als zij net doet alsof ze er meer moet hebben.'

Freda ging bij het vuur zitten en meteen sprong Gloria op haar schoot, luid spinnend van verwachting. Een voor een voerde Freda haar de stukjes gedroogd voer; Gloria hapte ze voorzichtig uit haar hand. Daarna krulde ze zich op tot een stevig bolletje en viel onmiddellijk in slaap.

Kon ze maar, dacht Freda verlangend, terwijl ze Gloria over haar kopje aaide, kon ze maar de hele week hier bij het vuur blijven zitten met dat warme bundeltje op schoot. Hoefde ze maar nergens heen, niemand te ontmoeten, met niemand te praten. Ze zag als een berg op tegen de kennismaking met haar medegasten.

Dat gevoel werd nog sterker toen ze zich bij de anderen voegde om voor het eten iets te drinken in de keuken van Chicky Starr. Ze waren allemaal heel vriendelijk. Freda keek van het ene gezicht naar het andere en wist dat al deze medereizigers hun eigen geheim met zich meedroegen; haar hart voelde zwaar aan bij de gedachte dat ze met hen zou moeten praten. Misschien zouden ze haar wel met rust laten, als ze zich met niemand bemoeide.

Natuurlijk liep het heel anders. Chicky Starr heette hen hartelijk welkom en ze verzamelden zich rondom het laaiende houtvuur; de sfeer was warm en ontspannen en al snel werd het gesprek steeds levendiger. Plotseling vond Freda het helemaal niet moeilijk om met deze onbekenden te praten, en even kreeg ze haar oude levendigheid terug.

Ze praatte met een aardige jonge Zweed die veel belangstelling bleek te hebben voor Ierse muziek. Voor ze het wist had ze met hem afgesproken om de volgende morgen samen naar het stadje te gaan, op zoek naar een muziekcafé. Aan de andere kant naast haar zat een gepensioneerde lerares, met wie ze een geanimeerd gesprek voerde over hoe weinig jonge mensen tegenwoordig lazen. Tot haar eigen verbazing voelde Freda hoe opgewekt ze werd terwijl ze juffrouw Howe vertelde over de Vrienden van de Finn Road Bibliotheek en de meidenleesclub.

's Avonds in bed dacht ze na over de gebeurtenissen van de dag. Op een ingeving stond ze op en deed geruisloos haar deur open. Bij het licht van het lampje op de haltafel zag ze dat er niemand was. Ze floot zachtjes. Eerst gebeurde er niets, maar even later hoorde ze een zachte plof en daarna doelbewust voortstappende pootjes.

Die nacht sliep Freda met Gloria opgerold naast haar. De volgende ochtend ging ze met Anders op pad en liet zich meevoeren door zijn enthousiasme. Ze moest erg lachen om de verhalen die hij bij de lunch vertelde en was daarna tot tranen toe geroerd door de klaaglijke klanken van de muziek waar ze 's middags naar luisterden.

Geleidelijk aan begon Freda zich beter te voelen. Het diner was nu al makkelijker dan de avond tevoren. Ze zei niets toen ze over een storm droomde, en verdrong het idee om iemand te waarschuwen. Ze was opgelucht toen Winnie en Lillian gezond en wel gevonden waren.

Op de vierde dag vond Chicky Freda en Gloria samen opgekruld bij het vuur in de Juffrouw Sheedy-kamer. Gloria droomde, haar kleine roze klauwtjes bewogen en ze maakte gedempte geluidjes. Freda aaide haar vacht en zat te dagdromen.

Chicky had een blad met een theepot en twee kopjes meegebracht. Ze zette het op het tafeltje en Freda keek geschrokken op. Gloria sprong beledigd op de vloer, waar ze op haar rug ging liggen met haar pootjes omhoog en zo ernstig de kamer rondkeek.

'Ik dacht dat je wel zin zou hebben in thee,' begon Chicky. 'Gloria weet best dat ze hier niet mag komen, maar jullie twee horen al helemaal bij elkaar.'

Dat was waar: Freda en Gloria waren inmiddels onafscheidelijk. De kleine zwart-witte kat liep Freda in het hele huis achterna en ging ook met haar mee als ze door de tuin wandelde. Samen hadden ze de tweeling van Carmel bewonderd en waren ze officieel voorgesteld aan de twee nieuwe eendjes, Spud en Princess. Gloria had ze van een veilige afstand bekeken; ze was op een paal gesprongen en had daar bedachtzaam haar snoetje zitten wassen.

Chicky vertelde Freda over juffrouw Queenie en hoe die Gloria had gered en in haar jaszak mee naar huis had genomen. Rigger had haar nogal raar gevonden in die tijd, maar net als iedereen was hij uiteindelijk dol op allebei. Deze kamer, vertelde ze, was naar juffrouw Queenie genoemd.

'Ik weet niet wat ervan waar is,' zei ze, 'en ik heb haar er ook nooit naar gevraagd, maar blijkbaar had een zigeunervrouw tegen de drie zusters gezegd dat ze drie ongelukkige huwelijken in de toekomst zag, dus weigerden ze alle drie elk aanzoek dat ze kregen...'

En toen vertelde Freda Chicky Starr over haar helderziendheid, over de keren dat ze iets had gezegd en er spijt van had gekregen, en hoe ze sindsdien geprobeerd had haar kennis te onderdrukken. Ze had geleerd om haar voorgevoelens voor zich te houden. Ze kon toch niets veranderen door er wél over te praten; mensen zouden haar alleen maar gaan mijden of boos worden om wat ze zag. Of ze nu iets zei of niet, het was nooit goed.

Daarna vertelde ze Chicky over Mark Malone, en hoe ze de wetenschap dat hij wel eens getrouwd kon zijn, ter zijde had geschoven. Chicky luisterde aandachtig. Ze oordeelde niet; ze leek volkomen te begrijpen hoe het kon dat Freda van Mark had gehouden en haar angsten had genegeerd.

'Waarom durf je er niet over te praten, dat je die dingen ziet?' vroeg ze.

Freda vond het fijn dat Chicky zo vanzelfsprekend aannam dat ze die dingen hád gezien; ze deed geen enkele poging om Freda ervan te overtuigen dat het allemaal verbeelding was, of een droom of toeval.

'Omdat ik er alleen maar narigheid van heb gehad.'

'Stel dat je zo'n inzicht had over mij? Zou je me dat dan vertellen?'

'Ik denk het niet, nee.'

'Dus je zou me gewoon laten voortmodderen? Zelfs als het ging om iets wat te vermijden zou zijn, zou je het dan nog niet tegen me durven zeggen?'

'Maar ik wil zélf niet accepteren dat ik die inzichten heb. Als ik het aan niemand vertel, hoef ik er zelf ook niets mee te doen. Ik weet ook nooit wanneer ze komen; dat maakt het zo zenuwslopend.'

Chicky luisterde naar Freda en schudde haar hoofd. Ze wilde nog iets zeggen, maar er klonk geluid uit de keuken; Rigger was binnengekomen met de groenten voor het avondeten en ze moest aan het werk. Ze gaf Freda een klopje op haar arm en liet haar achter met Gloria, die blijkbaar vond dat de franje van het haardkleedje nodig een flinke afstraffing moest krijgen.

Die avond juichte de hele tafel, toen Henry en Nicola aankondigden dat ze hier in het stadje zouden blijven als huisartsenechtpaar. Freda vond het fijn bij zo'n vrolijke groep te horen en ze ging ontspannen en tevreden naar bed.

De volgende avond was er wat onrust. Juffrouw Howe had plotseling besloten weg te gaan. Rigger had haar naar het station moeten brengen en ze was vertrokken zonder een woord tegen de andere gasten te zeggen. Er had iets heel treurigs gezeten in de manier waarop ze haar schouders liet hangen terwijl ze in de auto stapte. Het was allemaal een beetje verontrustend.

Toch bleek de vakantie een groot succes te zijn. Elke dag bracht iets nieuws: een ongerept landschap, samen met Anders muziek luisteren in het stadje, 's avonds lekker eten en prettige gesprekken en elke nacht ten minste acht uur slaap. Freda voelde zich met de dag sterker en beter.

En op de laatste dag van haar vakantie, vlak voor het eten, werd Freda door Chicky naar de keuken gewenkt.

'Ik wilde je even spreken, want ik heb bedacht wat je moet doen aan… je weet wel, je probleem.'

'O ja?'

'Ik vind dat je van tactiek moet veranderen,' zei Chicky, terwijl ze ondertussen de tafel dekte voor het eten. 'Je durft mensen niet te laten weten dat je dat vermogen hebt, daarom heb je het altijd geheimgehouden.'

'Ik wil aan niemand toegeven, ook niet aan mezelf, dat wat ik zeg misschien wel uitkomt.'

'Dat is nou juist het probleem, Freda. Ik vind dat je iedereen die je kent moet vertellen dat je helderziend bent, dat je in de toekomst kunt kijken en weet wat er gaat gebeuren. Bied ze aan om hun hand te lezen, of theebladeren of kaarten. Dan is het allemaal geen geheim meer.'

'En waarom zou dat helpen?'

'Het zou niet meer zo lijken op tovenarij, minder geheimzinnig worden. Mensen denken dan misschien dat je een beetje geschift bent, maar het maakt het allemaal minder belangrijk. Dat wil je toch?'

'Ja, op een bepaalde manier wel.'

'Dan is dit de manier. Dit maakt het minder zwaar. Zo neemt niemand het serieus, wat je ook ziet of zegt.'

'Dus je wilt dat ik aan mensen vertél dat ik helderziend ben?'

'Noem het zoals je wilt. Vertel ze vage, positieve dingen over de toekomst, waarvan ze opvrolijken – dat is toch het enige wat mensen van hun horoscoop verlangen. Het zal voor jou de angel eruit halen, het onschadelijk maken. Zoals ik het zie voel jij je enorm schuldig over die visioenen. Je moet proberen ze onbelangrijk te maken. Het zijn alleen maar gedachten, zoals iedereen gedachten heeft.'

Freda stond daar, in de keuken van Stone House, en merkte dat alles een beetje verschoof. Ze voelde een enorme opluchting, maar ook gemis. Ze had altijd gedacht dat Mark van haar hield. Maar waarom had ze dat geloofd, terwijl alles erop wees dat ze alleen maar een prettige afleiding voor hem was? Dit was bevrijdend en treurig tegelijk.

'Ik zal het ze bij het eten vertellen,' zei ze. 'Ik zal ze allemaal vertellen dat ik dat ben.'

'Ik ben benieuwd,' zei Chicky. 'Goed zo, Freda. Laat ze maar versteld staan.'

Nadat de gasten van Chicky Starr waren gaan zitten voor de laatste maaltijd van hun Winterweek samen, hoorde Freda zichzelf aan deze groep onbekenden vertellen dat ze een medium was. Ze reageerden met wisselende belangstelling.

John, de Amerikaan, vertelde dat veel vrienden van hem in de States geregeld een medium raadpleegden; de twee artsen keken minder enthousiast, maar wel nieuwsgierig. Winnie zei opgewekt dat ze het enig zou vinden om een sessie bij haar te boeken, terwijl Lillian zei hoe jammer het was dat zoveel zogenaamde mediums, niet iemand hier aan tafel natuurlijk, charlatans waren. Anders vertelde dat een klant van zijn vaders accountantsbureau nooit een investering deed zonder een astroloog te raadplegen.

Het bleek gewoon een prettig onderwerp van gesprek. Er viel zoveel meer over te zeggen dan toen ze had verteld dat ze in een bibliotheek werkte. Haar angst begon te verdwijnen.

De avond werd heel gezellig. De gasten deden hun best om de prijsvraag te winnen met het organiseren van een geweldig Iers festival, en toen vroeg iemand aan Freda of ze hun de toekomst wilde voorspellen. In paniek keek ze om zich heen. Dit was niet haar bedoeling geweest. Chicky Starr schoot haar te hulp.

'Misschien is Freda wel op vakantie gegaan om even aan haar werk te ontsnappen. We moeten haar niet lastigvallen.'

Iedereen keek teleurgesteld; toen herinnerde Freda zich wat Chicky had gezegd: mensen wilden van een medium alleen maar vaag goed nieuws horen en beloften voor de toekomst. Ze keek het gezelschap rond. Het zou geen kwaad kunnen en ook niet moeilijk zijn om hun te vertellen dat het leven dat voor ze lag er goed uitzag.

Een voor een gaven ze haar hun hand en daarin zag ze allerlei prettige dingen: succes en uitdagingen en vrede en langdurige relaties.

Voor Winnie zag ze een bruiloft in de nabije toekomst en heel veel geluk. Lillian zou op de bruiloft iemand ontmoeten, misschien werd het liefde, maar in elk geval vriendschap. Lillian bloosde van genoegen.

Tot nu toe ging het goed.

In Nicola's hand zag ze een kind. Echt, vroeg Nicola, een kind? Ja, Freda wist het zeker. En toen, ineens hoorde Freda zichzelf zeggen. 'Je bent al zwanger. Een klein meisje, ik zie haar. Wat een schatje!' Ze zag hoe het kindje haar armpjes om Nicola's hals sloeg. En toen ze zag dat de spanning uit Nicola's gezicht trok en er een stralende lach op doorbrak, besefte Freda voor het eerst dat ze echte vreugde kon brengen in het leven van anderen.

Voor John, of Corry, zoals zij hem kende, voorspelde ze een grote verandering in zijn leven, ander werk en een andere plek om te wonen. Een veel minder gecompliceerde manier van leven, en er zou een kleinkind op zijn pad komen. Ze was ontroerd toen ze zag dat de tranen hem in de ogen sprongen.

Anders had een grote liefde in zijn leven, hij moest naar huis gaan en haar snel ten huwelijk vragen. Alleen dan kon hij succes in zaken krijgen.

Voor de Walls zag ze een cruise. Ergens waar het warm was; ze kon zien hoe de zon op het water scheen.

Als laatste wendde ze zich tot Chicky Starr. Freda nam haar hand en concentreerde zich. Niets. Ze wachtte even, en zei toen aarzelend dat Stone House een groot succes zou worden en dat Chicky een man zou leren kennen die op Stone House kwam logeren.

En toen wist Freda het. Er was geen ongeluk geweest. Er was geen bruiloft geweest. Maar het gaf niet; het zou allemaal goed komen met Chicky. Ze glimlachte. Alles zou goed komen.

Ze waren verrukt van haar. Het was voor iedereen een mooi besluit van de week. Er werden namen, telefoonnummers en e-mailadressen uitgewisseld. Er werd geproost, op Chicky, op Rigger en zijn gezin, op Orla en op Stone House.

Ze schreven allemaal een hartelijke tekst in het gastenboek. Het programma voor de volgende dag werd bepaald. Voor degenen die met de trein naar huis gingen, zouden Rigger en Chicky een taxi regelen naar het station. Carmel had voor iedere gast een potje Stone House-marmelade gemaakt.

Die avond aaide Freda een zacht spinnende Gloria, terwijl ze voor haar raam stond te kijken naar de patronen van de wolken die voorbij de maan schoven. Zodra ze thuis was zou ze Lane en Eva bellen. Tijd om samen bij Ennio te gaan eten. Ze hadden heel wat in te halen.

's Morgens was het een drukte van belang om iedereen op tijd weg te krijgen. Uiteindelijk wuifde Chicky Starr al haar gasten gedag, maar ze gaf een extra knuffel aan Freda, die er nu zoveel gelukkiger uitzag dan toen ze gekomen was.

Het was tijd om het huis klaar te maken voor de nieuwe gasten, die over een paar uur zouden arriveren. Carmel was gekomen om te helpen met kamers schoonmaken, bedden verschonen en alles klaarmaken voor de nieuwe lichting. Chicky zou een ovenschotel maken die langzaam gaar zou worden en klaar zou zijn wanneer ze hem nodig hadden. Er zou versgebakken brood zijn en chocolademousse als toetje.

Chicky wist dat ze de mensen die van deze eerste week op Stone House zo'n succes hadden gemaakt, zou missen, maar ze verheugde zich er al op om de nieuwkomers te begroeten, met